Come on and catc

Rachel Greenwald

Come on and catch me!

Het ultieme boek om het ware liefdesgeluk te vinden

the house of books

Dit boek is opgedragen aan mijn ouders Eleanor en Murray:
mijn verstandige raadgevers,
rolmodel voor een goed huwelijk,
en mijn grootste fans.

Deze vertaling is uitgegeven in overeenstemming met Ballantine Books, onderdeel van Randam House, Inc.

Oorspronkelijke titel
The Program

Copyright © Tekst 2004 Rachel Greenwald
Copyright voor het Nederlandse taalgebied © 2004 The House of Books,
Vianen/Antwerpen

Vertaling
Ellis Post Uiterweer

Vormgeving omslag
Marlies Visser, Haarlem

Zetwerk
ZetSpiegel, Best

ISBN 90 443 0872 6
NUR 455
D/2003/8899/160

Inhoud

Woord vooraf

Dit boek is geen uitgave van de Harvard Business School. Ik beschrijf hierin de concepten en technieken die ik daar als student heb geleerd, en ga daarbij zo goed mogelijk op mijn herinnering af. Daarbij heb ik de dichterlijke vrijheid genomen deze lessen in business toe te passen op de wereld van het daten. Ik heb geen diploma als psycholoog, psychiater of sociaal werker, en dit boek is niet bedoeld om de plaats in te nemen van consulten bij deze beroepsgroepen. De namen van de vrouwen die in dit boek voorkomen zijn veranderd om hun privacy te waarborgen. Sommige verhalen zijn samengesteld uit een paar waargebeurde ervaringen. Verhalen die in de eerste persoon zijn geschreven, zijn samengesteld uit aantekeningen. Casestudy's en voorbeelden komen van cliënten, deelnemers aan de seminars, onderzoek onder single vrouwen, en van vrouwen die een vaste relatie hebben, aan wie ik altijd vraag: 'Hoe heb jij je partner leren kennen?'

Rachel Greenwald

Inleiding: marketing voor beginners

Waarom ben je nog steeds single? Dat doet er niet toe. De vraag is niet waarom je nog steeds single bent, maar wat je daaraan gaat doen. Ik heb een programma samengesteld dat zijn nut heeft bewezen en assertief is, en dat noem ik eenvoudigweg: *Het Programma*. Het zal je helpen een partner te vinden. *Het Programma* maakt gebruik van krachtige marketingtactieken die ik heb geleerd op de Harvard Business School, tijdens mijn carrière in de marketing en bij het coachen van vrouwen zoals jij. *Het Programma* verandert je leven doordat je veel uitgaat en je partner leert kennen.

Als je dit boek leest, ben je waarschijnlijk tussen de vijfendertig en de honderdenvijf jaar oud, en je bent op zoek naar je eerste vaste relatie, of misschien wel de vierde. Je hebt je er misschien al bij neergelegd dat je nooit een leuke man tegen het lijf zult lopen. Misschien ben je gescheiden of weduwe, of ben je nooit getrouwd geweest en richt je je op je carrière of het verkeerde soort vriendje. Misschien ben je te zwaar of heb je voor je bejaarde ouders gezorgd. Misschien ben je verlegen en durf je geen contact met mannen te maken. Het doet er allemaal niet toe; je bent single, boven de vijfendertig en klaar om dat te veranderen.

Dit boek is *niet* bedoeld om te analyseren wat er in jouw leven is misgegaan, wie de schuld had of waarom het leven is zoals het is. Hier vind je geen uitspraken van beroemde psychiaters, sociologen of geestelijken over het lot van de hedendaagse single vrouw.

Vrouwen vragen me vaak iets te doen aan de patronen die ze in het verleden hebben gevolgd. Ze besteden te veel tijd aan hun werk, voelen zich aangetrokken tot het verkeerde soort mannen, kunnen een oude liefde niet vergeten, kunnen geen relatie beginnen of laten die doodbloeden, of nog tientallen andere veelvoorkomende patronen. Hier gaat *Het Programma* tijdens de vijftien stappen *niet* op in. *Het Programma* betekent actie en doorzetten: het helpt je een partner te vinden, en het neemt aan dat je op jouw leeftijd wel zo ongeveer weet waarom je nog steeds single bent.

Sommigen van jullie hebben ervoor gekozen om single te blijven. In wezen zijn jullie gelukkig, behalve dat jullie het jammer vinden dat jullie nooit een leuke partner hebben leren kennen. Jullie hadden andere prioriteiten, en hadden een vol leven met vrienden, familie, activiteiten en jullie carrière. Misschien hadden jullie het te druk voor een vaste relatie. Als je dit boek aan het lezen bent, ben je misschien bereid daar iets aan te veranderen. Anderen hebben er niet voor gekozen om single te zijn. Daar kunnen verschillende redenen aan ten grondslag liggen. Om daarachter te komen, ben je misschien in therapie gegaan, heb je zelfhulpboeken gelezen of veel met vrienden en familie gepraat. Hopelijk weet je nu waar het aan ligt en ben je bereid er iets aan te doen. Je wilt actie, geen psychoanalyse.

Natuurlijk wil je niet zomaar een partner. Dan had je er nu wel een. Je wilt een leuke partner, wat dat ook voor jou persoonlijk mag inhouden. *Het Programma* begrijpt dat. Wanneer ik zeg dat deze tactieken je zullen helpen een partner te vinden, bedoel ik 'jouw leuke partner'.

En deze leuke partners zijn er. Iedere keer wanneer ik ergens een seminar geef over *Come on and catch me* wordt me gevraagd of mannen dat ook mogen bijwonen. Er bellen veel mannen op die willen komen. Ik heb die mannen teruggebeld en ze zijn er niet op uit een single vrouw tijdens zo'n seminar te versieren. Ze willen weten hoe ze een leuke partner kunnen vinden. Sommigen zijn verlegen, anderen hebben een drukke baan, weer anderen zijn alleenstaand vader, en de meesten weten niet waar leuke singles te vinden zijn. Deze mannen zijn eenzaam en ook op zoek naar de liefde. In dit boek leer je hen te vinden.

Bij *Het Programma* neem je het in eigen hand terwijl je de vijftien actiestappen zet. Het is bedoeld voor rijpere vrouwen die voor de unieke uitdaging staan waarbij er bijvoorbeeld minder geschikte singles zijn en er meer individueel wordt geleefd.

Laat ik het duidelijk stellen. Dit programma is niet bestemd voor mensen zonder toewijding. Soms zul je het te veel gedoe vinden en denk je dat je het niet kunt opbrengen. Maar dit boek lezen is zoiets als 112 bellen voor relaties; het is een noodgeval. Je doet wat je moet doen. Je bent eenzaam en misschien tikt je biologische klok door en wil je meer dan iets anders een leuke partner. Als je werk zocht, zou je ook veel moeite doen om een leuke baan in de wacht te slepen. Een leuke partner is belangrijker dan een leuke baan, want hopelijk behoud je je partner je hele leven. Als je moet afvallen, houd je je ook aan de strikte voorschriften. *Het Programma* is een combinatie van werk zoeken en een strikt dieet; het vraagt toewijding en offers, en er zijn regels aan verbonden.

Wat is Het Programma?

In dit boek heb ik het regelmatig over *Het Programma*. *Het Programma* is een actieplan van vijftien stappen waarbij gebruik wordt gemaakt van marketingtechnieken die ik op de Harvard Business School heb geleerd en tijdens mijn loopbaan heb verfijnd, en deze technieken zullen je helpen een partner te vinden. Jij, de lezer, bent het 'product', *Het Programma* is een strategisch plan om je te helpen je 'product' te marketen om je toekomstige partner te vinden.

Tegenwoordig bestaan er verschillende beproefde methoden om singles van boven de vijfendertig elkaar te laten ontmoeten: geregelde afspraakjes, georganiseerde activiteiten, feesten, toevallige ontmoetingen en allerlei bemiddelingsbureaus. Verschillende van de vijftien stappen raden het gebruik van deze vertrouwde methoden aan, maar in *Het Programma* vind je ook een overvloed aan nieuwe, creatieve tactieken om het effect te verhogen. Ik wil jou niet veranderen, ik wil je werkwijze veranderen.

Wanneer je de termen 'product', 'strategisch plan' en 'marketing' hoort met betrekking tot jou en je pogingen een partner te vinden, ga je misschien steigeren. Dat is normaal. Je leert een radicale benadering kennen. Ik verzeker je dat *Het Programma* een krachtige ervaring voor je zal zijn. Het leert je op een slimme en effectieve manier iets aan je status van single te doen. Misschien herken je sommige tactieken in dit boek en heb je die al toegepast. Maar ik vermoed dat je er maar een paar hebt toegepast, en dan ook nog sporadisch. Vrouwen gaan vaak niet goed gecoördineerd en doelgericht te werk. Ze werken meer diffuus en behalen zo niet het gewenste resultaat. De truc is alle activiteiten te bundelen in een systematisch en strategisch programma. Daar gaat het om. Net als in een orkest kunnen bijvoorbeeld de violen en fluiten wel geluid maken, maar pas als de dirigent met zijn stokje zwaait, wordt het een indrukwekkend muziekstuk.

Sommige van de tactieken in dit boek zijn eigenlijk heel logisch, maar dat wil nog niet zeggen dat je ze hebt toegepast. In ieder geval, wat je ook hebt gedaan, het leverde geen resultaat op. Dus wat heb je nog te verliezen? Lees maar verder.

Wat je zult leren

Je leert de speurtocht naar een partner anders benaderen. Dat begint al bij de *Programma*-denkmethode in Stap 1, waarin je de wereld door een *Programma*-bril leert bekijken. Je zult het probleem van het vinden van een partner bezien door de ogen van de marketeer: als een probleem dat met creatieve middelen kan worden opgelost. Je zult begrijpen waarom alles anders is na je vijfendertigste en waarom je een fijnmaziger net moet uitwerpen om De Ware op te vissen. Wanneer je dit boek uit hebt, kun je een persoonlijk merk bedenken en promoten, de sleur verbreken, een plan bedenken om veel meer mannen te leren kennen, een exitgesprek houden en nog veel meer. Dus treur niet langer om je status als single, maar doe er wat aan!

Is het niet te laat?

Het is na je vijfendertigste moeilijker om een vaste partner te vinden, maar zeker niet te laat. Er zijn zes dingen waar je rekening mee moet houden:

1. Haast
Als je boven de vijfendertig bent en een vaste relatie wilt, heb je waarschijnlijk haast. Misschien wil je kinderen, en je biologische klok tikt door. Je vriendinnen en familie vragen je: 'Waarom heb je nog steeds geen partner?' Je hebt er schoon genoeg van om steeds alleen te zijn tussen al die stelletjes. Als je gescheiden bent of weduwe, heb je nog andere problemen: het is moeilijk om alleen de kinderen groot te brengen, en je kunt je eenzaam voelen

na de vele jaren met je partner. Je moet actie ondernemen. Je kunt niet bij de pakken neerzitten, medelijden met jezelf hebben en wachten tot de prins op het witte paard toevallig langskomt. Je moet zelf ingrijpen en de beproefde tactieken van *Het Programma* gebruiken. Waarschijnlijk verschillen die hemelsbreed van de tactieken die je toepaste toen je in de twintig was.

2. Minder single mannen
Dit rekenprobleem is moeilijk te begrijpen. Er zouden toch ongeveer evenveel single mannen boven de vijfendertig moeten zijn als single vrouwen? Volgens schattingen wonen er in Nederland zo'n 2,3 miljoen singles, van wie 175.000 vrijgezelle vrouwen. Dat verschil heeft te maken met diverse factoren, bijvoorbeeld met het feit dat veel mannen een jongere vrouw kiezen. Dat is de realiteit en die moet je accepteren. Maar hoe ga je daarmee om? Je hanteert niet meer zulke strenge criteria waaraan de man moet voldoen. Je toekomstige partner beschikt waarschijnlijk over tal van goede kwaliteiten, maar de verpakking is misschien anders dan je je had voorgesteld. Misschien is hij gescheiden, misschien heeft hij zelf kinderen, misschien is hij kleiner dan jij, of oefent hij een totaal ander beroep uit dan de mannen met wie je vroeger uitging.

3. Veranderde lichamen
Weer een harde realiteit. Na je vijfendertigste heb je meer kans op lichamelijke problemen. Misschien had je die al voor je vijfendertigste, maar nu is het waarschijnlijk erger. Onderkinnen en cellulitis zijn grote vijanden. Je vriendinnen hebben het misschien over Botox en plastische chirurgie. Er zijn altijd rijpere vrouwen die eruitzien of ze vijfentwintig zijn, maar het merendeel van de vrouwen moet iets aan zichzelf doen om aantrekkelijk voor mannen te blijven. In Stap 3 (Packaging) gaan we daar nader op in omdat het zo belangrijk is. Je hoeft niet beeldschoon en slank te zijn om een partner te vinden. Om succes te behalen is het vooral belangrijk dat je je doel wilt bereiken. Maar je moet wel nagaan wat je zou kunnen doen om er op je best uit te zien. Je hebt immers maar één keer de kans om een eerste indruk te maken.

4. Bagage

Wanneer je boven de vijfendertig bent, heb je waarschijnlijk meer 'bagage' dan toen je twintig of dertig was. Misschien wordt je leven overschaduwd door je ex-man of ex-vriend, de herinnering aan je gestorven man, of erger: een therapeut bij wie je wanhopig bevestiging zoekt. Misschien heb je veeleisender werk, kleine kinderen die al je energie kosten, tieners die je het bloed onder de nagels vandaan halen, bejaarde ouders die schuldgevoelens bij je oproepen, of een geliefd huisdier dat altijd bij je is. Misschien heb je problemen met je gewicht, ben je verlegen of ontbreekt het je aan zelfvertrouwen. *Het Programma* laat je zien hoe je je op je doel kunt richten zonder dat je bagage je in de weg staat.

5. Gewoonten

Hoe ouder je bent, des te moeilijk wordt het om met oude gewoonten te breken. Misschien kies je uit gewoonte altijd voor het verkeerde soort mannen, ben je te kieskeurig en geef je niemand de kans, of werk je te vaak over. Misschien verloopt je leven te veel volgens een vast patroon. Om met de gewoonten te breken die je in je leven hebt opgebouwd en die je in de weg staan om een partner te vinden, moet je ingrijpende veranderingen aanbrengen. Misschien zijn de marketingtechnieken van *Het Programma* precies wat je nodigt hebt om je te helpen de benodigde veranderingen door te voeren.

6. Kleine wereld

Na je vijfendertigste is je wereld kleiner. Je studeert niet meer aan een universiteit waar duizenden singles rondhangen. Je gaat niet meer tot diep in de nacht naar feesten of cafés waar je toevallig single mannen tegenkomt. Misschien heb je minder collega's nu je je promotie hebt gemaakt, of woon je in een kleine woonplaats waar je nauwelijks geschikte mannen leert kennen. Of misschien werk je thuis en zie je je collega's niet meer. De meesten van je vriendinnen hebben een vaste relatie en kinderen, je voelt je bij hen het vijfde wiel aan de wagen. Misschien zit je in een sleur; je doet steeds hetzelfde met dezelfde mensen. Bij Stap 8 (Guerrillamarketing) krijg je de benodigdheden in handen om je manier van leven te veranderen.

De wegversmalling na je vijfendertigste

Er zijn verschillende stadia in het leven van de single, van welke leeftijd dan ook. Ik heb die tijdens mijn werk kunnen classificeren. Misschien heb je niet al deze stadia doorlopen, of in een andere volgorde, maar over het algemeen komt het hierop neer:

De stadia van het single zijn:

vrijheid – hoop – liefde – verdriet – bezinning – verontwaardiging – teleurstelling – berusting – herstel – zoeken – daten – selectie – relatie

Ik wil je helpen bij het stadium dat veel vrouwen het moeilijkst vinden wanneer ze de vijfendertig zijn gepasseerd. Als ik naar deze stadia kijk, vraag ik mezelf af: als dit in het bedrijfsleven voorkwam, waar zit dan de wegversmalling? Bij een wegversmalling loopt alles vast, de weg raakt verstopt. In een productieproces loopt het dan niet efficiënt meer. De meeste vrouwen zeggen dat 'zoeken' de ergste wegversmalling is na de vijfendertig, eenvoudigweg omdat er minder mannen zijn en minder gelegenheid die te leren kennen. Ze zeggen dat ze niet weten hoe ze in contact kunnen komen met leuke mannen, en na een tijdje geven ze het op en laten de hoop varen. Klinkt dat je bekend in de oren?

Al deze stadia zijn moeilijk, maar *Het Programma* richt zich vooral op de ergste wegversmalling voor vrouwen van boven de vijfendertig: het zoekstadium. Maar in Stap 15 (Exitstrategieën: 'Man'agement) heb ik het ook over de problemen bij daten, selectie en relatie. Ook al worstelen velen van jullie met ervaringen uit het verleden, en zullen jullie vragen hebben over andere stadia. Ik denk dat een volwassen vrouw dat zelf wel aankan. Je weet waar je hulp kunt krijgen (van vrienden, familie, therapie, zelfhulpboeken, etc.). Ik concentreer me op de mogelijkheden om in contact te komen met leuke mannen. Als je nooit aan de bal komt, kun je ook niet scoren!

Niet warm en gezellig

Terwijl ik uitleg geef over *Het Programma* neem ik geen blad voor de mond, en je zult dingen horen die je niet wilt horen. Maar het is wel de waarheid. Tientallen zelfhulpboeken bieden lieve en knusse raad. Dit is niet zo'n boek. *Het Programma* is streng en confronterend. Het dwingt je om iets te ondernemen en biedt je creatieve tactieken om een partner te vinden. Wees dus niet gekwetst als we spijkers met koppen gaan slaan.

Waarom ik dit boek heb geschreven

Ik ben expert op marketinggebied en heb een diploma van de Harvard Business School. In mijn werk heb ik talloze producten op de markt gezet, van mineraalwater tot sieraden. Ik leerde en gebruikte klassieke marketingprincipes, die steeds weer effectief bleken te zijn. Maar ik heb ook psychologie gestudeerd, en was altijd meer in mensen geïnteresseerd dan in producten. Het was haast onvermijdelijk dat ik relaties bezag met het oog van de marketeer. Dat was intrigerend en ik realiseerde me dat bij het effectief zoeken naar een partner gebruik kan worden gemaakt van marketingprincipes, zodat je jezelf in de markt zet. Hierbij worden klassieke marketingtechnieken gebruikt zoals packaging, branding, adverteren en niche marketing.

De ervaring die ik opdeed aan de Harvard Business School en tijdens mijn werk, paste ik toe op een groeiend marktsegment: single vrouwen van boven de vijfendertig. Ik wilde mijn kennis gebruiken om rijpere vrouwen aan een partner te helpen. Vijf jaar later ontstond *Het Programma*.

In het begin was het een hobby. Ik was zo blij dat ik mijn man had leren kennen en het geluk had gevonden, dat ik wilde dat mijn vriendinnen ook dat geluk zouden smaken. Ik wilde dat ze hun speurtocht naar een leuke man net zo zakelijk zouden benaderen als ik dat had gedaan. Maar toen werkte ik maar met één vrouw tegelijk en stortte me met hart en ziel op haar. Ik was mentor, adverteerder en telemarketeer tegelijk, net zolang tot de vrouw in kwestie De Ware had ontmoet. Het werd een passie. Ik was altijd over mijn laatste 'project' aan het telefoneren, en altijd op zoek naar creatieve manieren om afspraakjes te regelen met single vrienden van vrienden van vrienden. Maar het drong tot me door dat ik meer vrouwen kon helpen als ik hun de mogelijkheden gaf om dit allemaal zelf te doen, in plaats van dat iemand het voor hen deed.

Dus ging ik eens goed nadenken, en gaf vorm aan de vijftien stappen waaruit Het Programma bestaat. Eerst stonden alleen de namen van de stappen op twee velletjes papier. Ik vroeg een paar vrouwen (vriendinnen van vriendinnen) mee te werken, en zo ontstond mijn consultatiebureautje. Deze pioniers kwamen er al gauw achter dat de vijftien stappen inderdaad werkten! Ik was trots, en blij dat iedereen zo'n succes had.

De daarop volgende jaren kreeg ik meer en meer cliënten. Ik ben er trots op dat de meesten van hen binnen één tot anderhalf jaar een vaste relatie hadden. Ik ging seminars in het land geven om meer vrouwen over Het Programma te informeren. Ik ben als gast in verschillende radioprogramma's uitgenodigd. En toen zei iemand tegen me: 'Je zou er een boek over moeten schrijven.'

Op uw plaatsen, klaar...

In de startblokken

Voordat je daadwerkelijk met Het Programma begint, zijn er vier dingen die je zou moeten doen voordat je plaatsneemt in de startblokken:

1. **Laat zien dat je iemands hulp op prijs stelt:** koop een paar doosjes mooie bedankkaarten. Ze mogen niet goedkoop zijn. Je kunt er niet genoeg hebben. Er zullen veel mensen zijn die je willen helpen, je zullen steunen en afspraakjes voor je regelen. Je moet hen allemaal bedanken. Net als in het bedrijfsleven moet je je klanten goed behandelen zodat ze nog eens terugkomen. Hoe kun je hen beter aanmoedigen nog eens een afspraakje voor je te regelen dan door hun een welgemeend bedankbriefje te sturen?

Als je zelf ooit mensen hebt gekoppeld, zul je misschien hebben gemerkt dat de betrokkenen niet veel moeite hebben gedaan je te bedanken, vooral als het afspraakje op niets uitliep. Jij kunt aantonen dat je anders dan anderen bent en iedereen die iets voor je heeft gedaan een vriendelijk, warm bedankje sturen.

2. **Ontdoe je van negatieve invloeden:** Je moet je van negatieve invloeden in je leven ontdoen voordat je aan *Het Programma* begint. Ga niet meer om met mensen die je niet steunen in je zoektocht naar een man, mensen die liever willen dat je single blijft, of zelfs een ex-partner die je emotioneel op een ongezonde manier in zijn greep houdt. Stop alles in een diepe la wat je op de verkeerde manier kan emotioneren, zoals de foto van je overleden man of cadeautjes van je ex. Kijk vooruit en bereik je doel; je mag niet toestaan dat iets of iemand je daarvan weerhoudt.

3. **Begraaf je bagage:** Het belangrijkste is misschien wel het begraven van je emotionele bagage. Dat zul je van een therapeut niet gauw horen! Maar omdat ik aanneem dat je al jaren met je bagage worstelt (dat doen we allemaal), ga ik brutaalweg zeggen dat je die maar moet begraven! Misschien vind je jezelf niet mooi genoeg, of te dun, om aantrekkelijk voor mannen te zijn, ben je bang dat je wordt afgewezen, durf je niemand meer te vertrouwen, ben je workaholic, word je achtervolgd door akelige jeugdherinneringen, had je een ex-man die je bedroog, of denk je dat je iemands liefde niet waard bent. Wat je ook voor bagage hebt, loop er tijdens het volgen van *Het Programma* niet mee rond. Ten eerste krijg je het te druk om eraan te denken. Ten tweede gebruik je het waarschijnlijk als excuus voor het feit dat je geen vaste relatie hebt, en bij *Het Programma* zijn er geen smoesjes – alleen maar actie! Dus schrijf alles op wat je dwarszit, graaf een kuil in de tuin of het park en begraaf het daarin. Ik meen het echt: ik wil echt dat je met een schepje een kuil graaft en daar dat papiertje in begraaft. Het is een symbolisch ritueel dat bevrijdend kan werken. De 'oude jij' analyseerde problemen, werd erdoor geobsedeerd en jammerde wat af. De 'nieuwe jij' heeft de demonen voor één tot anderhalf jaar onder de grond gestopt en kijkt

vooruit. Als je eenmaal in een vaste relatie zit, kun je ze altijd nog opgraven, mocht je dat willen!

4. **Laat je gaan:** De avond voordat je met *Het Programma* begint, laat je je eens helemaal gaan! Doe iets decadents. Je begint aan een streng regime, beschouw het maar als een streng dieet. Vorig jaar ging ik bij de Weight Watchers en viel tien kilo af. De avond voordat ik eraan begon, at ik een hele chocoladetaart op! Doe iets wat je extravagant vindt, en laat je lekker gaan; misschien wil je naar een beautyfarm, of dure schoenen kopen, of een middag vrij nemen om naar de film te gaan, of iets eten waar je dik van wordt. Dat is je laatste kans voordat je serieus naar een man op zoek gaat.

Benodigdheden bij **Het Programma**

Hoe dit boek te gebruiken:

Eerst lees je het hele boek door zodat je begrijpt wat *Het Programma* inhoudt. Daarna ga je terug naar Hoofdstuk 1 en zet de vijftien stappen.

De stappen volgen elkaar op:

De vijftien stappen zijn bedoeld om in die volgorde te worden gezet. Stap 1 tot Stap 5 zijn de grondstenen; ze vormen de basis die nodig is voor de tactieken in Stap 6 tot Stap 15. Bij iedere stap doe je de nieuwe kennis, ervaring en zelfvertrouwen op die je nodig hebt terwijl je *Het Programma* volgt. Het is een *proces*. Je kunt de nieuwe ideeën en wijze van benaderen niet onder de knie krijgen als je niet de veranderingen hebt aangebracht zoals in de voorgaande hoofdstukken beschreven.

Maar als je tijdens een van de stappen een leuke man leert kennen en het serieus wordt, kun je meteen verdergaan met Stap 15 (Exitstrategieën: 'Man'agement). Als je De Ware al vroeg tegen het lijf loopt, verlaat je *Het Programma*. Als hij toch De Verkeerde blijkt te zijn, begin je weer bij de stap waar je was toen je hem leerde kennen.

De duur van iedere stap:

Omdat *Het Programma* een proces is, kan een stap voor de ene vrouw langer duren dan voor de andere. Het hangt ervan af hoe toegewijd je bent, en of je denkmethode al neigde naar *Het Programma* voordat je eraan begon. Voor sommigen van jullie zal *Het Programma* een ommekeer betekenen, heel anders dan wat je altijd hebt gedacht of waarin je altijd geloofde; voor anderen is het niet meer dan structuur aanbrengen in waarin je al geloofde, of gedrag dat je al (gedeeltelijk) had aangeleerd.

Iedere stap heeft een verschillende duur, afhankelijk van welke stap je moeilijker of makkelijker vindt te zetten. Sommige stappen duren misschien maar een dag (bijvoorbeeld Stap 1: Marketingfocus), en andere kunnen maanden in beslag nemen (zoals Stap 15: Exitstrategieën). Sommige stappen duren voort (zoals Stap 7: On line marketing), dat wil zeggen dat ze duren totdat je je partner hebt gevonden, ook al ben je doorgegaan met de volgende stap. Na ongeveer één tot anderhalf jaar heb je alle vijftien stappen van *Het Programma* gezet. Hieronder zie je een tabel waarop je kunt zien hoelang de verschillende stappen ongeveer duren.

Stap 1 tot en met Stap 5	Stap 6 tot en met Stap 12	Stap 13 tot en met Stap 15
1 - 2 maanden	6 - 9 maanden	5 - 7 maanden

En dan het goede nieuws: je hoeft *Het Programma* niet eeuwig te volgen. Er is een beperkte tijd waarin je offers moet brengen, het is geen permanente manier van leven. Als je een dieet volgt, moet je iets aan je eetpatroon doen om af te vallen, maar ook wanneer je het gewenste gewicht hebt bereikt, moet je doorgaan die offers te brengen, anders vliegen de pondjes er weer aan. Bij *Het Programma* ga je door totdat je je partner hebt gevonden, daarna houd je ermee op. En ik zal blij voor je zijn!

Het Programma is streng

Waarom is *Het Programma* zo streng? Laat ik die vraag beant-woorden met weer naar een dieet te verwijzen. Als je twee kilo te zwaar bent, hoef je geen heel streng dieet te volgen. Maar als je vijftig kilo kwijt wil, moet je dat wel, en je moet je er strikt aan houden. Zo is het ook met het vinden van een partner. Toen je twintig was, had je geen haast; je had nog tijd genoeg om naar een leuke partner uit te kijken. Maar na je vijfendertigste (als je tenminste niets liever dan een vaste relatie wilt) moet je je tijd ef-fectief gebruiken en snel het een en ander veranderen. *Het Pro-gramma* is een drastische benadering om je uit de dagelijkse sleur te halen. Het duurt maar één tot anderhalf jaar als je je er strikt aan houdt; je mag geen smoesjes verzinnen of medelijden met je-zelf hebben. Het gaat erom dat je De Ware leert kennen. Nu met-een. Het is alleen bestemd voor toegewijde mensen met maar één doel voor ogen: een vaste relatie met een leuke man.

Je hoeft niet boven de vijfendertig te zijn

Hoe eerder je met *Het Programma* begint, hoe beter. Hoe jonger je bent, des te beter je kansen, je lichaam en je houding. Meestal kunnen vrouwen jonger dan vijfendertig de discipline niet op-brengen om zich aan de strikte regels van *Het Programma* te hou-den, maar misschien geldt dat niet voor jou. Als je de drie vragen over je prioriteiten uit Stap 1 met 'ja' kunt beantwoorden, ga er dan voor!

Meteen beginnen

Wanneer kun je het beste met *Het Programma* beginnen? Zodra je dit boek hebt doorgelezen. Dus lees gauw verder en verspil geen dag meer.

Hoofdstuk 1

Stap 1:
Marketingfocus: zorg dat *Het Programma* op de eerste
plaats komt

Wat ik op de Harvard Business School leerde

Marketingfocus is de grondsteen van iedere nieuwe marketingcampagne. Focus wil zeggen dat de aandacht uitsluitend op één
ding is gericht. Oké, het is makkelijker om vijftig dingen half-half
te doen dan één ding helemaal goed. Dus de geslaagde marke-
tingmanager weet dat ze al haar energie en middelen voor het
nieuwe project moet aanwenden. Als een marketingprogramma
kans van slagen wil hebben, moet degene die het uitvoert er voor
de volle honderd procent voor gaan.

Wat boven aan je lijstje staat

Je kunt niet een beetje een partner willen zoeken. Om snel resultaat met *Het Programma* te behalen, moet de speurtocht naar een
partner boven aan je lijstje staan. Zo niet, dan ga je de mist in. Dit
jaar is het vinden van een partner belangrijker dan je baan, je
vriendinnen, je teerbeminde huisdier, je therapeut of waar je ook
je tijd aan besteedt. *Het Programma* eist je volledige aandacht op.

Zelfs vóór de eerste afspraak met een nieuwe cliënt weet ik al
dat ze binnen een tot anderhalf jaar een partner heeft. Dat weet
ik omdat ze zo snel heeft gereageerd. Ze kent *Het Programma*
omdat ze een lezing van me heeft bijgewoond, me op de radio
heeft gehoord of een vriendin haar over me heeft verteld. De
vrouwen die echt graag een vaste relatie willen, bellen me binnen
vierentwintig uur op om een afspraak te maken. Ze hebben er zin
in. Tegen de tijd dat ze op de afspraak verschijnt, staat ze in de
startblokken. Ze vraagt me niet hoe het komt dat ze nog steeds
single is, en ze wil het ook niet hebben over vorige relaties. Ze
vraagt: 'Waarmee moet ik beginnen?' Als ze er zo sterk op is gericht, weet ik dat ze binnenkort een partner zal vinden.

Test, test, 1-2-3

Om te weten of je klaar bent om met *Het Programma* te beginnen, zijn hier drie vragen die je eerst met ja moet beantwoorden. Wees eerlijk. Misschien vind je het niet gepast hardop te antwoorden, maar als het antwoord ja is, wees dan zo dapper om het eerlijk toe te geven.

1. Is het allerbelangrijkste doel op dit moment van je leven het vinden van een partner?
2. Heb je daar alles voor over, mits het door de beugel kan en niet strafbaar is?
3. Wil je er de benodigde tijd, geld en energie in steken?

Als je deze drie vragen niet meteen met 'ja' hebt beantwoord, ben je misschien nog niet klaar voor *Het Programma*. Dat wil niet zeggen dat je dit boek dan maar moet dichtslaan; integendeel, lees liever verder en misschien vind je wel iets wat je aanspreekt. Je kunt à la carte bestellen. Zelfs als je de vijftien stappen van *Het Programma* niet in de goede volgorde doorloopt, kun je toch tactieken leren waarmee je je bestaan als single kunt veranderen. Je kunt van start gaan, maar je loopt niet hard van stapel.

Als je alledrie de vragen met 'ja' hebt beantwoord, kun je vaart maken, en als je je goed aan *Het Programma* houdt, zou je over één tot anderhalf jaar een man aan de haak moeten hebben geslagen.

Wat wil dat zeggen, boven aan de lijst?

Dat je de drie vragen hierboven met 'ja' hebt beantwoord, is een goede start. Als het vinden van een man boven aan je lijstje staat, moeten je *daden* in overeenstemming zijn met je *woorden*. Vrouwen zeggen vaak dat ze graag een vaste relatie willen, maar werken zichzelf tegen door allerlei dingen te bedenken die hun doel in de weg staan. Zoals Judith Sills schrijft in haar geweldige boek *How To Stop Looking For Someone Perfect and Find Someone To Love*: 'Misschien heb je gemengde gevoelens over het zoeken van een partner op basis van oud zeer, halfbegrepen angsten, gevoelens van woede en teleurstellingen.' De volgende drie secties zullen je doen inzien of je er echt klaar voor bent, en wat je moet doen als je *Het Programma* boven aan je lijstje wilt zetten.

Marketingbudget; investeren

Het kost geld om een man aan de haak te slaan. Ik zou ook liever zien dat het gratis was, maar helaas... Er zijn directe kosten zoals een bemiddelingsbureau, evenementen voor singles, het geven van feestjes, enzovoort. En dan zijn er de indirecte kosten van het verbeteren van je uiterlijk, zoals nieuwe kleren, make-up, de kapper, een goede beha, de fitnessclub en misschien een dieet. Afhankelijk van je situatie kan dat flink oplopen. Misschien moet je een computer kopen om iemand te zoeken op internet. Misschien wil je een prettiger huis. Maar raak niet in paniek door de kosten. Het is een investering. In het zakenleven wordt ook eerst meer geld uitgegeven dan er binnenkomt, in de hoop dat de investering op langere termijn meer opbrengt. Als je op zoek bent naar een goede baan, geef je ook geld uit aan het uitprinten van een mooi cv en nieuwe kleren voor het sollicitatiegesprek. In jouw geval zal je investering een man opleveren.

Dus maak een budget voor je project. Natuurlijk heeft de een meer te besteden dan de ander, maar als richtlijn raad ik je aan uit te gaan van 10 procent van je inkomen op jaarbasis. Indien mogelijk 20 procent. Waar kun je je geld beter aan uitgeven dan aan het vinden van de partner met wie je de rest van je leven gaat delen? Het geld hoef je niet per se van je salaris te betalen. Kun je niet wat van je spaarrekening halen? De meeste mensen hebben wel een reserve opgebouwd. Nu is de tijd aangebroken om die aan te spreken!

Als je niet genoeg op je spaarrekening hebt staan, kun je geld van familie of vrienden lenen. Zou je in een noodgeval het geld niet bij elkaar kunnen schrapen? Vergeet niet dat een vaste relatie na je vijfendertigste iets voor 112 is; het ís een noodgeval!

Open een speciale bankrekening. Als je aarzelt om 25 euro te besteden aan een bemiddelingsbureau, of 75 euro aan een kaartje voor een evenement voor singles, of 100 euro aan de schoonheidssalon en de kapper, dan haal je het van die rekening. Het is het echt waard.

Nadat je alle vijftien stappen van dit boek hebt gelezen, moet je goed nagaan hoe je dit geld wilt besteden. In het zakenleven zou je een budget voor de toekomst moeten opstellen. Stel je wekelijkse of maandelijkse uitgaven vast aan de hand van de stap van *Het Programma* waar je bent aanbeland, welke tactieken je het effectiefst lijken en hoeveel geld je hebt. De ene maand heb je misschien weinig nodig, de andere misschien een hele smak. Later in *Het Programma* (Stap 14: Kwartaaloverzicht) zul je moeten uitzoeken op welk gebied je investeringen het meest hebben opgeleverd.

Hier zijn een paar voorbeelden van dingen die je in je budgettering zou kunnen opnemen. Later komen die allemaal aan de orde.

Uiterlijk (Stap 3)
Nieuwe kleren
Nieuw kapsel
Afvallen
Fitnessclub

Bemiddelingskosten (Stap 7 en 11)
On line dating
Evenementen voor singles
Afspraakjes

Overigen (Stap 6, 7, 9 en 12)
Computer met internetverbinding
Direct-mailcampagne
Feestje van *Het Programma*
Cadeautjes om te bedanken

De kans vergroten

Het Programma gaat over het vergroten van je kansen. Omdat die na je vijfendertigste niet altijd even gunstig zijn, moet je er alles aan doen om ze te vergroten. Als je het echt wilt, moet je bij iedere beslissing nagaan wat de meeste kans op een man oplevert. Stel dat je een leuke vent ontmoet en een afspraakje met hem hebt. Als je meteen die eerste keer met hem het bed in duikt, wat is dan de kans op een geweldige nacht? Waarschijnlijk 99 procent! Maar wat is de kans dat hij met je trouwt als je na het eerste afspraakje al bij hem blijft slapen? Dat weet niemand. Maar gebaseerd op de verhalen die ik van vrouwen hoor, zou ik zeggen 5 procent. Om de kans op een vaste partner te vergroten, kun je beter niet meteen met hem naar bed gaan. Je hebt 95 procent kans op een duurzame relatie met deze man als je niet meteen tot het uiterste gaat. Dat is een slimme inzet. (Bij Stap 15: Exitstrategieën: 'Man'agement, hebben we het over de regels bij afspraakjes en seks.)

Als je met een getrouwde man uitgaat, wat is dan de kans dat hij bij zijn vrouw weggaat en met jou trouwt? Te oordelen naar de verhalen van mijn cliënten, ongeveer 1 procent. Een vriendin van een cliënt van mij kende iemand wiens achterneef zijn vrouw in de steek liet om met zijn vriendin te trouwen... maar verder gebeurt dat bijna nooit! Dus als je slim bent, blijf je uit de buurt van getrouwde mannen op basis van de 99 procent kans dat je je tijd verspilt en je met een gebroken hart komt te zitten. Zo heb je meer kans een partner te vinden.

Er bestaat altijd een kleine kans dat er tegen alle berekeningen in iets geweldigs gebeurt, zoals De Ware die zomaar ineens voor de deur staat, maar vertrouwen op een wonder is niet erg efficiënt, en ook onnodig. Zeker als je dit jaar nog een geweldige man aan de haak wilt slaan. Hier zijn nog wat voorbeelden van hoe je de kans kunt vergroten dat je een partner vindt.

Alledaagse beslissingen: Wat is de kans dat je een man vindt wanneer je thuis in je keukentje koffie zet? Misschien 1 procent (het koffiezetapparaat krijgt kortsluiting, er ontstaat brand, een stoere brandweerman stormt de keuken binnen...). Maar wat is de kans dat je een man vindt wanneer je elke dag buiten de deur koffie gaat drinken? Misschien 5 procent. Je zou toevallig een man kunnen ontmoeten die ook op zijn koffie wacht, of je staat misschien naast De Ware als jullie allebei de suikerpot pakken. Je hoeft geen beleggingsexpert te zijn om in te zien dat 5 procent beter is dan 1 procent: je hoeft alleen maar een *Programma*-vrouw te zijn! Dus vergroot je kans iemand te treffen en neem de beslissing voortaan dagelijks koffie buiten de deur te drinken.

Vrije tijd: Woensdagavond heb je niets te doen. Misschien wil je een cursus volgen. Je bestudeert de folder en ziet dat er woensdag twee cursussen zijn: Zelf wenskaarten maken, of houten meubels maken. Misschien spreekt de eerste optie je meer aan en is die ook nuttiger, maar wat is de kans dat je tussen de wenskaarten een man vindt vergeleken met tussen de meubels? Als je echt wilt, kies je voor de meubels en vergroot je je kans. Hiervoor moet je je denkpatroon veranderen: in plaats van dat je de cursus kiest die jóu interesseert, kies je de cursus waar de mannen zijn. Vergeet niet dat je op een programma van twaalf tot achttien maanden zit: wanneer je volgend jaar een vaste relatie hebt, kun je altijd nog leren hoe je wenskaarten moet maken.

Misschien is er wel een cursus die jou interesseert en die ook interessant is voor mannen. Als je van films houdt, volg dan de cursus over actiefilms en niet die over romantische drama's.

Denkmethode van Het Programma

Om al je aandacht te richten op het vinden van een man, om dat boven aan je lijstje te zetten, is niet makkelijk. Iedere keer weer voer ik hetzelfde gesprek met mijn cliënten. Vrouwen vertellen me dat ze al het mogelijke hebben geprobeerd om met mannen in contact te komen, en dat het absoluut niet heeft geholpen. Dan vraag ik hun een voorbeeld te geven. Een van mijn cliënten, Molly, ratelde een lange lijst activiteiten af die ze tevergeefs had ondernomen. Ze zei: 'Ik ben naar feestjes gegaan, ik heb op fitness gezeten, ik heb een cursus gevolgd...'

'Wacht even,' zei ik. 'Een cursus? Waarover?'

'Beleggen in onroerend goed,' antwoordde ze. Ze was er trots op dat ze dat zo slim had bedacht.

'Prima,' zei ik. 'Dat lijkt me echt een cursus voor mannen. Maar zeg eens, was er ook een pauze?'

'Ja,' antwoordde ze achterdochtig. 'Er was een pauze van een kwartier. Hoezo?'

'En wat deed je in die pauze?'

'Eh...' Molly dacht diep na. 'Dan ging ik naar de wc.'

'O? En stond er een lange rij bij de damestoiletten?'

'Ja...' Ze fronste toen het tot haar doordrong waar ik op doelde.

Toen biechtte Molly op: 'De hele pauze stond ik in de rij voor het damestoilet.'

Dus ze had een cursus uitgezocht waar veel mannen aan zouden deelnemen, maar het vinden van een man stond niet boven aan haar lijstje. Ze had de enige pauze verspild door in de rij voor het damestoilet te staan (ken je een damestoilet waar geen lange rij voor staat in de pauze?), terwijl ze beter haar tijd had kunnen benutten de mannelijke cursisten beter te leren kennen. Daar lag haar kans, dus niet al haar aandacht was gericht op het vinden van een man. Ze had nog voordat het pauze was het lokaal moeten uitgaan, naar het nog lege damestoilet, om tijdens de pauze een beetje rond te lopen en gesprekjes aan te knopen. Ze had de hele avond in het damestoilet kunnen blijven, en alleen in de pauze in het lokaal hoeven zijn!

Nadat ik meer van zulke verhalen had gehoord van vrouwen die denken dat ze echt alles hebben geprobeerd om mannen te leren kennen, ontwikkelde ik een techniek die ik Denkmethode van *Het Programma* noem. Het is een eenvoudige manier om als basis voor je beslissingen te gebruiken. Waarschijnlijk is het wat je tot nu toe niet hebt gedaan. Voor vrouwen is het aangeleerd gedrag, het komt niet van nature. Door deze techniek ga je de dingen anders bekijken, door een 'mannenjachtbrillletje'. In de tabel hieronder vind je wat typische voorbeelden uit het dagelijks leven, en de tegenstellingen tussen wat waarschijnlijk je *oude* manier van denken is, en de *nieuwe*, de manier waarop je volgens *Het Programma* moet denken (en handelen). Hoe sta jij tegenover de typische voorbeelden hieronder?

Denkmethode van *Het Programma*

Mogelijkheid	*Oude* manier van denken	Denken volgens *Het Programma*
Feestje	Ik kom binnen met mijn vriendin. We blijven de hele avond bij elkaar. Ik zie al snel dat er niemand is die ik leuk vind. Ik zie er verveeld en nors uit.	Ik kom binnen met mijn vriendin. We gaan meteen uit elkaar, want mannen vinden het makkelijker een vrouw alleen aan te spreken. Ik oordeel niet te snel en zeker niet op uiterlijk, ik maak oogcontact en glimlach vriendelijk naar een paar mannen. Ik praat zowel met vrouwen als mannen, want vrouwen kunnen me aan iemand voorstellen.
Fitnessclub	Ik ga wanneer het me uitkomt en het er niet zo druk is. Ik doe wat ik het leukst vind: aerobics, Pilates en yoga.	Ik ga op de drukste tijd om de kans te vergroten dat ik iemand leer kennen. Ik hannes met gewichten (daar zijn de mannen immers). Ik heb geen discman op.
Winkelen	Ik winkel waar ik de dingen vind die ik nodig heb: kleren, cosmetica en spulletjes voor in huis.	Ik ga vaak naar winkels waar mannen komen: de bouwmarkt, de platenwinkel, de elektronica-afdeling, sportbenodigdheden.
Cursussen	Ik schrijf me in voor een cursus die me interesseert.	Ik volg een cursus waar veel mannen zijn: golf, houtbewerking, vissen, programmeren, etc.

Pauze	Wanneer ik naar de schouwburg of een cursus ga, ga ik in de pauze naar de wc. De rij voor het damestoilet is altijd zo lang dat ik maar net voor het einde van de pauze terug op mijn plaats ben.	Ik ga tijdens de voorstelling naar de wc. Ik wil in de pauze in de foyer zijn omdat ik daar iemand kan ontmoeten, en niet aldoor in de rij voor het damestoilet staan.
Zaterdagavond	Ik ga naar een dineetje bij mijn beste vrienden thuis, een getrouwd stel. We zijn gezellig met zijn drietjes.	Ik ga ergens naartoe waar de kans bestaat dat ik iemand leer kennen.
Krant	Het is handig dat ik een abonnement heb.	Ik zeg mijn abonnement op. Ik loop naar de kiosk, koop een krant en ga die ergens lezen. Je weet nooit wie je tegen het lijf loopt.
Lunch	Ik lunch aan mijn bureau omdat dat makkelijk is op een drukke werkdag.	Ik ga ergens lunchen. Ik lees daarbij niet, want ik sta open voor contact.
Wachten in een rij	Ik erger me. Soms lees ik de krant of een boek om de tijd de doden.	Ik knoop een gesprek aan met degene die achter me in de rij staat.
Reparatie aan de auto	Ik breng de auto naar de garage en haal die op wanneer hij klaar is.	Ik wacht in de garage en maak een praatje met iemand die ook staat te wachten.

Trouwerijen organiseren...	Ik help de bruiloft van mijn beste vriendin te organiseren. Ik houd een toespraakje en zeg dat ik zo blij ben dat ze elkaar hebben gevonden.	Ik help de bruiloft van mijn beste vriendin te organiseren. Ik vraag of ik voor het gastenboek mag zorgen, en ik bied aan om gasten van buiten de stad met mijn auto van A naar B te brengen. Ik houd een toespraakje en zeg dat ik zo blij ben dat ze elkaar hebben gevonden, en meteen daarna zeg ik: 'Ik hoop dat ik ook ooit zo'n geweldige kerel als Michiel ontmoet.' Zo geef ik iedereen de gelegenheid geweldige kerels aan me voor te stellen!

Dit zijn maar een paar voorbeelden uit het gewone leven waarbij je beslissingen moet nemen. Zorg ervoor dat je aan '*Programma-denken*' doet, dus dat je je beslissing baseert op wat de kans vergroot een partner te vinden.

Naar de beurs

Wanneer een bedrijf naar de beurs gaat, gaat er eerst een persbericht uit. Want hoe meer mensen ervan weten, des te meer aandelen het bedrijf kan afzetten. Wanneer je op zoek bent naar een man, gaat dit ook op. Je wilt dat iedereen weet dat je op zoek bent naar een partner omdat ze je misschien kunnen helpen, of iemand kennen die ze aan je voor kunnen stellen. Je hoeft niet uit te leggen waarom je sommige dingen doet (bijvoorbeeld buiten de deur een kopje koffie drinken in plaats van gewoon thuis), en je moet de mannen met wie je uitgaat natuurlijk ook niet vertellen wat er boven aan je lijstje staat, maar je kunt je vrienden, familie en kennissen wel globaal op de hoogte stellen: 'Het is heel belangrijk voor me dat ik iemand vind.' Naar de beurs gaan is een belangrijk onderdeel van de vele stappen van *Het Programma* die nog komen, en je kunt er maar beter aan wennen, zodat je je erbij op je gemak voelt.

Je hebt Stap 1 gezet en bent klaar voor Stap 2 als je:

1. ja hebt geantwoord op de vragen of *Het Programma* boven aan je lijstje staat;
2. een speciale bankrekening hebt geopend;
3. een budget hebt opgesteld (specifieke onderdelen bespreken we verderop in dit boek);
4. bereid bent keuzes te maken die de kans vergroten dat je een partner vindt;
5. hebt nagedacht over je *oude* manier van denken en de *nieuwe* manier hebt geprobeerd: De Denkmethode van *Het Programma*;
6. naar de beurs bent gegaan: je hebt je vrienden, familie en kennissen verteld dat je op zoek bent naar een partner.

Veel vrouwen zijn bang om 'naar de beurs' te gaan en geloven dat door het persbericht dat ze een partner zoeken en meedoen aan *Het Programma*, iedereen zal denken dat ze wanhopig zijn. Dit heeft meer met je *houding* te maken dan met het bericht zelf. Als je een vriendin vertelt dat je op zoek bent naar een partner en daar beschaamd bij kijkt en je ogen neerslaat of wegkijkt, dan lijkt het erop of daar iets mis mee is. Kijk iedereen recht aan, houd je hoofd fier rechtop en zeg zelfverzekerd wat je nog dit jaar wilt. Je bent niet wanhopig (ik heb echt een hekel aan die uitdrukking!): je gaat op je doel af.

Hoofdstuk 2

Stap 2: Marketingsupport: zoek een mentor voor
Het Programma

Wat ik op de Harvard Business School leerde

Een leider opereert het effectiefst wanneer hij of zij wordt omringd door een slim, toegewijd en enthousiast team met uiteenlopende kwaliteiten. De meeste leiders in de wereld van de marketing die ik ken hadden de visie en de wil om te slagen, maar hadden middelen en ideeën van anderen nodig om hun doel te bereiken. Degenen die de top hebben bereikt, schrijven hun succes vaak toe aan het feit dat ze een mentor aan het team hebben toegevoegd. Een mentor is iemand die je achter de schermen hulp verleent, een soort coach met wie je van gedachten kunt wisselen en die je goede raad geeft, en die je helpt bij het netwerken. We waren het er vaak over eens dat het van het grootste belang was dat de leider het best mogelijke team om zich heen verzamelde en dat hij daaraan in veel gevallen zijn succes had te danken.

Wat is een Programma-mentor?

Een *Programma*-mentor is iemand die je door de volgende dertien stappen van *Het Programma* helpt. Het is een hobbelige weg; een zéér hobbelige weg. Je kunt afgewezen worden, je hart breken, een depressie krijgen en tegen teleurstellingen op lopen. Maar uiteindelijk leidt de weg naar een relatie en het geluk. Je Mentor is je coach; iemand die je vanaf de zijlijn toejuicht, die je vooruit stuurt, die je oppept, je de waarheid zegt, met je van gedachten wisselt en je op alle mogelijke manieren met raad en daad bijstaat. Waar het precies op neerkomt? Dit is degene die je na een vreselijk afspraakje kunt bellen, wanneer je zeker weet dat je De Ware nooit tegen het lijf zult lopen, en je weet dat zij niet zal toestaan dat je het opgeeft. Een Mentor is niet alleen je marketingsupport, ze is je reddingsboei.

Aan welke criteria moet een **Programma**-*mentor voldoen?*

In tegenstelling tot een mentor in het zakenleven, hoeft je *Programma*-mentor niet hoger opgeleid te zijn. Het is iemand die je steunt en zijn of haar leeftijd maakt niet uit. Waarschijnlijk is je Mentor een vrouw, maar het kan natuurlijk ook een man zijn. In ieder geval moet je Mentor aan de volgende criteria voldoen:

1. Ze moet in *Het Programma* geloven. Zoals je nog wel zult merken is *Het Programma* nogal radicaal. Niet iedereen zal ervan overtuigd zijn dat je daarmee je doel zult bereiken. Dus als je Mentor een steun voor je moet zijn op je tocht, moet ze in *Het Programma* geloven.
2. Ze moet op je gesteld zijn. De enige motivatie van je Mentor om je te helpen moet zijn dat ze echt op je is gesteld. Iemand die het beste met je voorheeft en graag wil dat je een geweldige man krijgt. Iedereen heeft zijn eigen agenda; zorg ervoor dat jouw geluk op de agenda van je Mentor staat.
3. Een positieve inborst. Je Mentor moet iemand zijn voor wie het glas altijd half vol is, niet half leeg. Een Mentor met een positieve kijk op het leven is van essentieel belang omdat het vinden van een man een woelig proces kan zijn. Op deze hobbelige weg is geen plaats voor iemand die negatief en pessimistisch is.
4. Slim. Wie wil er geen slimmerik om zich heen hebben? Bij een *Programma*-mentor is dit een belangrijke eigenschap omdat je vaak zult moeten brainstormen over nieuwe en creatieve manieren om een partner te vinden. In *Het Programma* vind je veel tactieken, maar er zijn altijd meer mogelijkheden, afhankelijk van je situatie en waar je je bevindt. Je Mentor moet iemand zijn die zich deze mogelijkheden kan voorstellen. Als je niet goed met een computer overweg kunt, neem dan iemand die je kan helpen wanneer je het internet op gaat (je zult hulp nodig hebben bij Stap 7: On line Marketing).
5. Een 'slim' persoon is niet altijd 'wijs'. Wijsheid komt met de jaren, dus neem een Mentor die veel heeft meegemaakt. Iemand die volgens jou de juiste keuzes in het leven heeft ge-

maakt en die de dingen wat bedachtzamer en volwassener benadert dan jij.

6. Eerlijk. Je moet een mentor hebben die eerlijk tegen je is. Waarschijnlijk ken je heel wat mensen die je zeggen wat je wilt horen, of waardoor je je lekkerder voelt. Je hebt iemand nodig die zegt waar het op staat. Je wilt resultaat, geen troost.

7. Getrouwd. Het zou ideaal zijn als je Mentor getrouwd is. De ervaring leert dat een getrouwde Mentor beter is omdat die alles zelf al heeft ondervonden. Misschien ging het niet helemaal zoals ze wilde, maar ze kan ervan hebben geleerd zodat ze jou kan helpen die klippen te omzeilen. Bovendien is een gehuwde Mentor geen concurrentie.

8. Tijd. Iedereen heeft het druk, iedereen heeft een eigen leven, maar sommigen hebben meer tijd voor je dan anderen. Je Mentor moet ten minste twee uur per week voor jou beschikbaar zijn.

Hoe een Mentor te vinden

Schrik je terug van de lijst? Laat me je in dat geval geruststellen; aan deze criteria valt te voldoen, en ze zijn flexibel. Ten eerste moet je je adresboekje openslaan, je rolodex erbij nemen, je elektronische agenda, je lijst van mensen die je een kerstkaart stuurt en wat je nog meer hebt. Bestudeer de lijst minstens een uur. De ideale Mentor is niet altijd de eerste persoon die bij je opkomt. Ga methodisch iedereen die je kent na, en denk verder dan je adresboekje. Een Mentor kan een man of een vrouw zijn, het geeft niet waar hij of zij woont (hij of zij hoeft niet bij je in de buurt te wonen). Het kan iemand zijn die je al in geen jaren meer hebt gezien, of iemand die je pas nog hebt gesproken. Een Mentor kan iemand van je eigen generatie zijn, maar ook iemand zo oud als je oma. Wat denk je van de moeder van de vriendin uit je studententijd? Of een zusje of een tante? Of misschien je eigen volwassen dochter, of een nichtje? Heb je een mentor op je werk? Heb je geen buren?

Nadat je alle mogelijkheden hebt overwogen, maak je een lijst van de finalisten. Gebruik daarvoor de lijst met criteria. Als niemand over alle acht de eigenschappen beschikt, moet je zelf beoordelen wie je het best zou kunnen steunen (ook al beschikt die maar over vijf van de acht eigenschappen). Soms is een single vrouw een goede keus omdat jij hetzelfde voor haar kunt doen. Ik ken een paar vrouwen die elkaar tijdens een van mijn seminars leerden kennen; ze besloten elkaars Mentor te worden en dat bleek goed te werken. Of misschien heb je een getrouwde vriendin die misschien geen grote ster is, soms cynisch is en het erg druk heeft, maar meer op jou is gesteld dan wie ook, en die je zal steunen tot je je doel hebt bereikt. Hoewel het niet perfect is, kan ze toch een goede Mentor voor je zijn. Kijk goed naar je lijst van finalisten en weeg alles tegen elkaar af.

Hoe iemand te vragen je Mentor te worden

Wanneer je weet wie je graag wilt als Mentor, moet je het haar op de juiste manier vragen. Dat is erg belangrijk. Hoe jij het brengt, hoe serieus je klinkt, zal de toon zetten voor het succes van jullie relatie als Mentor en Leerling. Als het een goede vriendin is, of een familielid op wie je erg gesteld bent, heb je des te meer reden om je woorden zorgvuldig te kiezen. Je moet duidelijk maken dat het je ernst is, dat het vinden van een man boven aan je lijstje staat (ook al leek het daar in het verleden niet erg op), en dat als ze je wil begeleiden, ze daar tijd in moet steken.

Zeg niet: 'Hallo Janneke, ik volg een *Programma* en daarvoor heb ik een Mentor nodig. Iets voor jou?'

Zeg: 'Janneke, ik heb besloten mijn best te doen nog dit jaar een partner te vinden. Ik volg een *Programma* met vijftien stappen dat werkt, en daarvoor heb ik een Mentor nodig die me steunt. Ik heb er lang over nagedacht wie dit het beste zou kunnen, en ik ben ervan overtuigd dat jij dat bent. Het is heel belangrijk voor me. Ik zal je wat meer over *Het Programma* vertellen, en als je mijn Mentor wilt zijn, zeg dan eerlijk of je denkt dat je ten minste twee uur per week tijd voor mij vrij kunt maken.'

Natuurlijk weet je al zo'n beetje waar *Het Programma* om draait als je het boek gelezen hebt, dus kun je het voor haar samenvatten. Misschien koop je dit boek ook voor je Mentor, zodat ze alle informatie over *Het Programma* altijd bij de hand heeft. Vertel je eventuele Mentor ook wat ze over jouw situatie zou moeten weten. Vergeet vooral niet dat als jij het haar serieus vraagt, je Mentor haar rol serieus zal opvatten.

Zorg ervoor dat je eventuele Mentor de gelegenheid krijgt om 'nee' te zeggen. Aan een onwillige Mentor heb je weinig of niets. Als iemand de rol van Mentor niet op zich kan of wil nemen, dan is dat geen probleem. Ga meteen door naar de volgende op je lijst. Je hebt geen tijd te verliezen!

Hoe gebruik je je Mentor

Als je eenmaal je Mentor hebt uitgekozen, moet je dat op een formele manier vastleggen. Het kan een overeenkomst op papier zijn die jullie samen opstellen en allebei tekenen. Praat van tevoren over wat elk van jullie ervan verwacht, pas dan kun je het opstellen. Je kunt het voorbeeld uit het boek gebruiken en veranderingen aanbrengen die meer op jullie zijn toegespitst. Teken allebei en bewaar elk een kopie om je aan de afspraak te herinneren. Goed, het klinkt allemaal erg officieel, maar het helpt om jullie rol te verduidelijken. En dat is ook belangrijk.

Voorbeeld van Mentorovereenkomst

Deze overeenkomst is geldig voor 18 maanden vanaf .... (datum). Beide belanghebbenden hebben het recht de overeenkomst te verbreken op ieder tijdstip dat hij of zij denkt niet aan de verwachtingen te kunnen voldoen zoals hieronder vermeld:

Wij komen overeen:

1. Tijd vrij te maken in ons drukke leven om dit Mentorschap de eerste prioriteit te geven (minstens twee uur per week).
2. We bellen, mailen of spreken elkaar ten minste eens per week. Het tijdstip waarop we regelmatig in contact proberen te komen is .... (tijd en dag).
3. We zullen altijd open en eerlijk tegen elkaar zijn.
4. Ons doel is het vinden van een partner voor .... tussen .... (12 maanden vanaf heden) en .... (18 maanden vanaf heden).

Getekend:

....

Mentor   Belanghebbende   Datum

Nog wat tips

Net als bij iedere zakelijke relatie is het belangrijk positief en productief te blijven. Hieronder nog drie tips om op koers te blijven:

1. **Sta open voor kritiek:** Iemand aan je zij die zegt waar het op staat, ook al is dat niet altijd even positief, is zeer waardevol voor het bereiken van je doel. Als je negatief (maar productief) commentaar naast je neerlegt, zal je Mentor je misschien niet meer willen helpen, of je de waarheid niet meer zeggen.
2. **Geef je Mentor niet de schuld:** Het gebeurt vast wel eens dat je Mentor je de verkeerde raad geeft. Besef dat ze dit waarschijnlijk met de beste bedoelingen deed, en dat ze de wijsheid niet in pacht heeft (dat heeft niemand, ook ik niet!). Het belangrijkste is dat je haar steun toch op prijs blijft stellen.
3. **Durf er een eind aan te maken:** Niet alle Mentors zijn goed. Het is moeilijk werk waarvoor niet iedereen geschikt is, om welke reden dan ook. Als je niets aan je Mentor hebt (ze heeft niet genoeg tijd voor je, geeft je *steeds* slechte raad, of helpt je niet verder), moet je er een eind aan maken en op zoek gaan naar een andere Mentor. Ik stel voor dat je je oude Mentor op een laag pitje zet; je hoeft haar niet formeel te 'ontslaan', dat zou maar kwaad bloed zetten. Bel haar minder vaak op en vertrouw meer op je nieuwe Mentor.

Dankbetuigingen

Je moet je Mentor vaak bedanken, want ze verleent je een grote gunst. Gebruik die kaartjes die je kocht voordat je aan *Het Programma* begon. Schrijf briefjes die echt uit het hart komen wanneer je Mentor je ergens heel goed mee heeft geholpen. Kleine cadeautjes, zoals een boek over een onderwerp waarin je Mentor is geïnteresseerd, een cadeaubon of een ander aardigheidje zijn zeker af en toe gewenst. Sommige van mijn cliënten hebben hun Mentor zelfs gevraagd getuige te zijn op de bruiloft.

Een andere vorm van je dankbaarheid tonen is haar op de hoogte houden. Vertel haar regelmatig over je successen (en de keren dat alles misging); net als bij een bedrijf voelen mensen zich onbelangrijk als ze altijd de laatste zijn die iets te horen krijgen. Korte mailtjes of iets inspreken op haar voicemail zijn een manier om je Mentor op de hoogte te houden, en ervoor te zorgen dat je Mentor je blijft steunen.

Je hebt Stap 2 gezet en bent klaar voor Stap 3 als je:

1. begrijpt hoe belangrijk het is een Mentor te hebben;
2. de finalisten hebt uitgekozen die je kunt vragen je Mentor te zijn;
3. gekeken hebt wie van de lijst het meest voldoet aan de criteria voor een goede Mentor;
4. je kandidaat op een serieuze manier hebt gevraagd je Mentor te zijn;
5. samen met je Mentor een overeenkomst hebt opgesteld en getekend.

Hoofdstuk 3

Stap 3: Packaging: hoe er op je best uit te zien

Wat ik op de Harvard Business School leerde

Packaging is misschien wel de meest ondergewaardeerde vorm van marketingtactiek. Verrassend genoeg kan de verpakking belangrijker zijn dan het product zelf. Juist de verpakking van een product trekt de aandacht en kan tot aankoop leiden, niet per se de inhoud. Onderzoek toont aan dat het winkelend publiek er ongeveer vijf seconden over doet om iets uit te kiezen. Daarom is packaging belangrijker dan welk ander onderdeel van het in de markt zetten ook. Dat wil zeggen dat wanneer je niet genoeg geld hebt om op ieder gebied investeringen te doen, je de voorrang moet geven aan de investering in je packaging. Gelet op al die concurrentie in het schap moet jouw verpakking eruit springen en de koper meteen verleiden tot aankoop.

Wat is packaging?

Packaging is gewoon hoe je er aan de buitenkant uitziet: je verpakking dus. Kon ik maar zeggen dat het vooral om je innerlijk gaat – daar gaat het juist om wanneer je al een relatie hebt – maar het is nu eenmaal zo dat hoe je eruit ziet *in het begin* van belang is om opgemerkt te worden. En dan nu het goede nieuws: je hoeft niet mooi te zijn of een perfect lichaam te hebben om aantrekkelijk te zijn, maar je moet er *zo goed mogelijk* uitzien. Eerst moet je visueel de aandacht van iemand trekken, daarna kan hij je beter leren kennen. Zoals je verderop in dit hoofdstuk zult merken, speelt er vrouwelijk uitzien en doen een grote rol bij packaging. Vergeet niet dat je maar één keer de kans krijgt om een eerste indruk te maken. Ik zou liever zien dat het er niet zo oppervlakkig aan toe ging, maar wij stellen de regels niet op (we hoeven ons er alleen maar aan te houden). Hier zijn wat van mijn strategieën die hun waarde hebben bewezen. Neem ze door en verander misschien iets aan je uiterlijk.

Marktonderzoek: vraag om een eerlijke mening

Om er op je best uit te zien, moet je eerst onderzoek doen en erachter zien te komen wat men van je uiterlijk vindt. Het spijt me, maar je moet de waarheid horen. Maak je niet druk om gekwetste gevoelens; je bent op weg naar je doel en moet efficiënt zijn. Het laatste wat je wilt is tijd verspillen aan een geweldig marketingplan als de packaging er meteen al voor zorgt dat er niets verkocht gaat worden.

Kies zes mensen uit (drie vrouwen en drie mannen) die je focusgroep zullen zijn en die je ieder afzonderlijk vertellen wat ze van je uiterlijk vinden. De meeste mensen zijn te beleefd of te bang om je eerlijk hun mening te geven, dus moet je erachter zien te komen wie jou de waarheid durft te zeggen. Dat hoeven geen goede vrienden of familieleden te zijn; het kunnen ook mensen zijn die jou nauwelijks kennen, of die je niet eens mogen. Je kunt je Mentor vragen een van hen te zijn. Een ex is ook prima. Misschien kan er iemand uit een modewinkel bij zijn of een kapper, want vreemden zijn eerder geneigd te zeggen wat ze denken. Met deze zes mensen, die je ieder afzonderlijk hun mening laat geven, moet je toch een goed idee krijgen hoe je er op je best zou kunnen uitzien.

Pas op dat je niet denkt dat je allang weet hoe je je uiterlijk op een gunstige manier kunt veranderen. Dat is een veelvoorkomend probleem. Meestal wanneer vrouwen wordt gevraagd hoe ze hun uiterlijk kunnen verbeteren, krijg je antwoorden over de dingen waar ze zelf mee zitten, en niet de dingen die anderen (vooral mannen) zien. Je zou bijvoorbeeld over jezelf kunnen zeggen: 'Ik heb veel te dikke dijen' of 'Ik moet vijf kilo afvallen' of 'Ik heb zulke kleine borsten'. Dit is meestal niet wat anderen denken. Je moet objectief commentaar van buiten krijgen om echt te kunnen begrijpen hoe anderen je zien.

Hoe naar een eerlijke mening te vragen

Om te zorgen dat mensen je de waarheid over je uiterlijk vertellen, moet je eerst duidelijk maken dat je hun niets kwalijk neemt en dat het heel belangrijk voor je is om een eerlijke mening te krijgen. Je moet laten zien dat je overal voor openstaat. Dus niet je armen over elkaar slaan, niet schuifelen met je voeten en niet zenuwachtig zijn terwijl je vragen stelt. Volg deze drie eenvoudige aanwijzingen voor een waardevol marktonderzoek:

1. Stel niet twee vragen tegelijk (bijvoorbeeld: 'Wat vind je van mijn haar en mijn make-up?). Stel die vragen apart.
2. Leg hun de woorden niet in de mond (bijvoorbeeld: 'Vind je ook dat mijn haar te kort is?').
3. Stel geen irrelevante vragen (bijvoorbeeld: 'Ben ik te lang?'). Heb het over dingen waaraan je iets kunt doen.

Hier is een voorbeeld van een sessie. Misschien helpt het je wanneer je je eerste slachtoffer voor je hebt. We noemen hem Tim.

Jij: 'Tim, jouw mening is belangrijk voor me. Ik heb al vaak gemerkt dat je een goed oordeel hebt en heel opmerkzaam bent. Ik hoop dat je het niet erg vindt dat ik je een paar persoonlijke vragen stel? Ik heb besloten dat ik dit jaar een partner wil vinden met wie ik de rest van mijn leven wil delen. Voordat ik ga zoeken, wil ik iets aan mijn uiterlijk veranderen. Het is echt heel belangrijk voor me en ik wil graag dat je eerlijk je mening geeft. Mag ik je een paar vragen stellen?'
Tim: 'Natuurlijk (misschien klinkt dat aarzelend)... Ik zal mijn best doen behulpzaam te zijn. Maar ik vind dat je er prima uitziet.'
Jij: 'Fijn! Wees alsjeblieft eerlijk; ik beloof dat ik me niet gekwetst zal voelen! Als mijn kleren vreselijk zijn en mijn houding belabberd, dan moet je dat zeggen, hoor! Ik wil eerst iets over mijn haar vragen. Wat zou ik volgens jou moeten doen zodat het aantrekkelijker voor mannen is?'

NB: Begin met een onderdeel, bijvoorbeeld je haar, om warm te lopen. Probeer te beginnen met iets waar je het meest tevreden over bent, want als hij eerst iets positiefs kan zeggen, voelt hij zich minder schuldig wanneer hij iets negatiefs wil zeggen. Vraag ook om te beginnen concreet advies ('Wat kan ik doen om mijn haar aantrekkelijker te maken?'). Dat is beter dan naar een complimentje hengelen ('Vind je dat mijn haar leuk zit?'). Houd het algemeen ('mannen'), vraag niet om zijn persoonlijke opinie (het gaat om wat 'mannen in het algemeen' ervan zouden vinden).

Tim: 'Nou, je haar ziet er goed uit. Eh... Misschien zou het iets langer kunnen.'
Jij: 'Dat is een goede raad! Daar zat ik ook al een tijdje aan te denken. Kun je me laten zien tot hoe lang ik het zou moeten laten groeien?'

NB: Je reageert positief op zijn commentaar en maakt duidelijk dat hij inzicht heeft. Je laat hem ook weten dat je zijn kritiek serieus neemt, en daardoor moedig je hem aan eerlijk te zijn. En dat is wat je wilt, een eerlijk antwoord; daar kun je iets mee.

Jij: 'En nu over mijn kleren. Ik ga volgend weekend kleren kopen en ik weet niet zeker wat het best bij me past. Wat vind jij?'

NB: Dit is een open vraag, je zorgt er zo voor dat je hem niet de woorden in de mond legt, zoals bij: 'Vind je dat korte rokjes me goed staan?'

Tim: 'Eh... Ik heb geen verstand van kleren. Ik ben maar een gewone kerel, hoor.'
Jij: 'O, maar je weet vast wel wat je leuk vindt of niet wanneer er een vrouw voorbij loopt. Wat denk je dat mij goed zou staan? Of welke kleur vind je dat bij me past? Of kun je je iets herinneren wat ik de afgelopen tijd heb gedragen en wat je leuk vond? Of juist vreselijk?'

NB: Help hem een beetje op weg als hij het moeilijk heeft.

Tim: 'Ik weet nog dat je er geweldig uitzag op Janneke's feestje vorige week.'
Jij: 'O ja, toen droeg ik mijn lichtblauwe trui en een spijkerbroek.

Ik kreeg toen veel complimentjes. Goed dat je dat nog weet. Ik zal het vaker dragen. Weet je nog iets belangrijks dat ik kan veranderen? Wat denk je dat andere mannen opvalt wanneer ze me zien?'

NB: Blijf positief, en maak het voor hem gemakkelijker iets onplezierigs te zeggen door het algemeen te houden ('Wat zou andere mannen opvallen?'). Blijf vriendelijk zodat hij niet het gevoel krijgt dat hij je kwetst, ook al is dat wel het geval!

Ga door met vragen stellen over je uiterlijk, en hoe je op anderen overkomt, en treedt indien nodig in detail. Je kunt het ook nog hebben over:

* Make-up
* Parfum
* Sieraden
* Je bril
* Je lach
* Je adem
* Je houding
* Manieren
* Gewoontes (zoals nagelbijten)
* Lichaamstaal
* Manier van praten
* Gespreksonderwerpen
* Stopwoordjes
* Verlegenheid
* Afwerend gedrag
* Houding ten opzichte van anderen
* Bereidheid tot luisteren

Al deze dingen zijn van invloed op hoe je overkomt, ook al besef je dat misschien niet. Je kunt er geweldig uitzien met je nieuwe kapsel en modieuze kleding, maar als je aan je haar friemelt, voorovergebogen loopt of te veel parfum ophebt, stoot je misschien mensen af. Je moet ook opletten hoe je converseert: wil je steeds aan het woord zijn, schep je op, weet je alles beter, val je anderen in de rede of ben je geneigd ruzie te maken? Je moet ook weten of je snel in de verdediging schiet, of stopwoorden gebruikt waarvan anderen helemaal gek worden, zoals: 'Za'k maar zeggen', of: 'Weet je'. En wat als je verlegen bent en anderen dat aanzien voor arrogantie? Misschien gedraag je je heel anders in een één-op-éénsituatie dan op een feestje. Je moet erachter zien te komen hoe je in verschillende situaties overkomt.

Tijdens deze onderzoeksfase moet je verder gaan dan wat zichtbaar is. Goed kunnen luisteren is daar een belangrijk onderdeel van en komt ook van pas wanneer je een afspraakje met iemand hebt. Dit soort vaardigheden kunnen een groot verschil maken of iemand je aardig vindt of niet. Wat maakt iemand tot een goede luisteraar? Geef een teken dat je luistert of houd het oogcontact vast, buig je naar de ander toe, knik, glimlach, borduur erop voort, vraag om voorbeelden, vertel in andere woorden wat je net hebt gehoord, vraag indien gewenst om nog meer details, leid de spreker niet af en gebruik de naam van de ander.

Nadat je van iedereen van je focusgroep informatie hebt ontvangen, kun je die met je Mentor bespreken om te besluiten wat moet worden verbeterd, wat zo kan blijven en wat je met wortel en tak moet uitrukken. Begin er meteen aan en maak een schema zodat je weet wanneer alle veranderingen moeten zijn doorgevoerd.

Wat als je geen nuttige informatie krijgt?

Het is moeilijk eerlijke informatie van anderen te krijgen. Ook al heb je je zes mensen kunnen overtuigen dat je hen niet standrechtelijk neerschiet, ze kunnen toch nog aarzelen. Misschien weten ze eenvoudigweg niet hoe ze het onder woorden moeten brengen. Het kan ook zijn dat je hen ermee hebt overvallen. Als ze langer over je vragen hadden kunnen nadenken en een tactische manier hadden gevonden om antwoord te geven, hadden ze misschien bruikbare suggesties gedaan.

Als je geen bruikbare antwoorden krijgt, probeer dan een follow-up. Stel geen open vragen, maar directe. Dat is beter dan geen respons krijgen. Als je bijvoorbeeld hebt gevraagd of je goed kunt luisteren en daar geen bruikbaar antwoord op hebt gekregen, kun je vragen: 'Als je cijfers mocht geven van 1 tot 10, hoe zou je me dan beoordelen als luisteraar?' 10 is uitstekend en 1 is zwaar onvoldoende.

Als het je zo ook niet lukt nuttige informatie te verkrijgen (iemand wil bijvoorbeeld geen cijfer geven, of hij geeft wel een cijfer maar legt niet uit hoe hij daaraan komt), kan het zijn dat de persoon in kwestie over je vragen nadenkt en dat je een paar dagen later antwoord kunt krijgen. Probeer dat telefonisch te doen, misschien durft hij je in je gezicht niet de akelige waarheid te zeggen. Wat extra tijd kan een groot verschil maken, want misschien wil hij eerst een vriend of zijn vrouw raadplegen. Iemand vertelde me laatst dat een vrouw hem dit soort vragen had gesteld. Hij wilde haar echt graag helpen, maar wist niet hoe hij een bepaald onderwerp moest verwoorden zonder haar te kwetsen. Hij besprak het met zijn vrouw, en zij stelde voor het eerlijk maar aardig te brengen wanneer hij haar weer zag. Later was hij in staat haar iets te vertellen waarvan ze eerst geen flauw benul had gehad: dat ze 'onzeker' overkwam. Ze maakte vaak negatieve opmerkingen over haar uiterlijk en vroeg anderen herhaaldelijk of ze wel de juiste beslissingen had genomen, op welk gebied dan ook. Nadat hij haar dat had verteld, deed ze haar best haar twijfels over haar uiterlijk voor zich te houden en niet iedereen te vragen of ze wel de juiste beslissingen had genomen.

De Dow Jane Index: de basics

Je hebt nu informatie ingezameld bij zes mensen, maar je kunt ook de algemene richtlijnen checken die ik de Dow Jane Index noem. In de zakenwereld geeft de Dow Jones Index aan hoe de beurs ervoor staat. De Dow Jane Index geeft mijn cliënten een indicatie hoe het er met hun uiterlijk voorstaat. Omdat ik niet door dit boek heen kan kijken, weet ik niet hoe het met jou is gesteld, en daarom staat hier een checklist speciaal voor vrouwen van boven de vijfendertig. Misschien is niet alles specifiek op jou van toepassing, richt je aandacht dus op die dingen die je persoonlijk ter harte zou moeten nemen.

Richtlijnen:

Kleding

- Zitten je kleren te strak of te wijd? Ze horen goed te passen.
- Kleed je je te sexy? Je hoort eruit te zien als een serieuze partner, niet als een meisje voor één nacht.
- Kleed je je tuttig? Zie je eruit als een oude vrijster? Koop iets modieus!
- Kleed je je te 'druk'? Wilde patronen staan meestal niet zo leuk. En draag alsjeblieft geen truien waar dingen op genaaid zijn (dat staat of te schattig of te tuttig). Effen kleuren of een klein, eenvoudig patroontje hebben de voorkeur.
- Kleed je je te modieus? Supermoderne kleren zijn niet voor iedereen flatterend, ook al zijn ze duur en staan ze in de modebladen. Pas op voor kleren waarover je alleen complimentjes krijgt *van vrouwen*!
- Draag je uitsluitend zwart? Een zwarte broek of rok zijn oké, maar draag daarop een gekleurde blouse of truitje – in een kleur die past bij je haar en je ogen.
- Kleed je je te zakelijk? Zorg dat je niet mannelijk overkomt, maar benaderbaar.
- Draag je een beugelbeha? Draag *altijd* een beugelbeha; na je vijfendertigste kan dat geen kwaad en je ziet er beter door uit.

In sommige 'betere' winkels hebben ze een adviseuse die je kan vertellen wat je goed zou staan. Je bent niet verplicht iets te kopen en als het in die winkel te duur voor je is, kun je iets dergelijks ergens anders goedkoper krijgen. Vergeet niet de adviseuse te vertellen dat je *niet* op zoek bent naar iets supertrendy, maar iets wat je flatteert.

Denk niet dat je je altijd moet optutten, maar draag buiten de deur liever niet die trainingsboek met gaten of je oudste kleren. Mijn grootmoeder zei altijd: 'Lelijke vrouwen bestaan niet, alleen maar luie!' Je weet nooit waar je De Ware tegen het lijf kunt lopen, dus zorg ervoor dat je er niet slonzig uitziet wanneer hij ineens achter je in de rij bij het postkantoor staat.

Haar (lengte)

Hoe lang is je haar? De meeste mannen houden van lang haar. Dat heb ik niet bedacht; 90 procent van de mannen die ik het heb gevraagd zeiden dat. Toch hebben de meeste vrouwelijke singles boven de vijfendertig kort haar. Vrouwen krijgen vaak complimentjes van *andere vrouwen* over hun trendy nieuwe kapsel, zo uit een modeblad. Maar dat wil nog niet zeggen dat mannen kort haar aantrekkelijk vinden. De mode is niet altijd flatterend; het is alleen maar nieuw, nieuw, nieuw. Dus probeer je haar te laten groeien. Niet tot op je billen, maar halflang in laagjes, of tot op je schouders is meestal heel vrouwelijk en sexy. Vraag het de mannen maar.

Natuurlijk heeft iedere vrouw een heel eigen gezicht, het kan dus zijn dat langer haar je niet staat. Als dat het geval is, probeer dan een 'zacht' kapsel. Kijk wat je het beste staat. Je kunt ook je kapper om zijn of haar mening vragen.

Haar (kleur)

Denk goed na over je haarkleur. Misschien ben je daar zo aan gewend (of het nu je natuurlijke kleur is of geverfd) dat je misschien niet beseft dat dat echt eens veranderd moet worden.

- Past het bij je teint? Je teint verandert in de loop der jaren, dus kijk goed of je haarkleur nog wel bij je past.
- Is je haarkleur niet te streng? Ik zie vrouwen, vooral blondines, die een verschrikkelijke haarkleur hebben.
- Verf je je haar rood? Zorg dan dat het de goede kleur rood is. Het ziet er soms zo kunstmatig uit. En kleur je wenkbrauwen nooit ook rood. Dat staat goedkoop en van al dat rood bij je ogen ga je er moe uitzien. Een warme kleur donkerbruin staat vrouwen met dieprood haar het best, en lichtbruin is beter bij meer rossig haar.
- Ziet je haarkleur er natuurlijk uit? Als je je haar verft, neem dan een zo natuurlijk mogelijke kleur, en vertrouw niet uitsluitend op je eigen oordeel. Vraag je focusgroep ernaar in de fase van het marktonderzoek en ook twee verschillende kappers.

- Verf je je haar omdat je grijs wordt? Doe dat vooral. Zie je er met grijs haar ouder uit? Ik ken vrouwen die nog redelijk jong zijn en toch grijs haar hebben. Meestal zijn ze daar trots op en ze krijgen er vaak complimentjes over (meestal van andere vrouwen). Maar ze zien er wel ouder uit dan ze zijn, en misschien beperken ze het aantal mannen dat zich tot hen aangetrokken voelt. Nadat je een partner hebt gevonden is er nog tijd genoeg om er 'distingeerd' uit te zien.

Haar (textuur)

Wees spaarzaam met haarlak. Mannen houden van haar dat zacht is, niet van haar dat aanvoelt als karton.

Make-up

Het is moeilijk om jezelf op te maken, en nog moeilijker om de tijd te vinden om dat goed te doen. Ik raad meestal aan (als dat in je budget past) om de make-up door een professional te laten aanbrengen wanneer er iets groots staat te gebeuren (voor een belangrijk eerste afspraakje of een groot feest). Je kunt dit in sommige warenhuizen voor niets laten doen, of als dank kun je een lipstick kopen. Natuurlijk zullen ze je proberen allerlei spulletjes aan te smeren, maar laat je niet onder druk zetten. Meestal ben je niet verplicht iets te kopen. Vergeet niet de visagist te zeggen dat je er niet te opgemaakt uit wilt zien. Je wilt een natuurlijke look die je pluspunten laat uitkomen.

Absoluut noodzakelijk voor een vrouw boven de vijfendertig is een vergrotende spiegel, liefst een die zeven keer vergroot. Je kunt je make-up hiermee veel beter aanbrengen en foutjes herstellen, en je kunt ongewenste haartjes verwijderen.

Producten: Ook als je niet veel van make-up weet, zal het je duidelijk zijn dat je kleuren moet kiezen die bij je teint passen. Laat je adviseren door een visagist. Mannen houden niet van een dikke laag make-up, wees daar dus spaarzaam mee. Vaak zie je er met te veel make-up ouder uit, vooral met een dikke laag foundation. Ook hier geldt dat een natuurlijke look het aantrekkelijkst is.

Verkeerd: De meest voorkomende fouten zijn
1. je ogen niet accentueren
2. een lipstick die niet bij je teint past
3. een dikke laag foundation (de plamuurlook)
4. eyeliner die uitloopt
5. mascara die klontert

Om dit te voorkomen, is het verstandig om 'marktonderzoek' te doen in een groot warenhuis. Ga de verschillende counters af, stel vragen en koop goede producten die iets voor je doen.

Wenkbrauwen

Terwijl je je aandacht op je gezicht richt, moet je ook de vorm van je wenkbrauwen eens bekijken. Het is gemakkelijk en niet al te duur om ze professioneel in vorm te laten brengen. Het geeft je een moderne uitstraling, en vaak zie je er opgewekter en gelukkiger uit. Een vuistregel is dat de wenkbrauw een boogje hoort te hebben daar waar je een denkbeeldige diagonaal kunt trekken van je neusvleugel door je pupil naar je wenkbrauw. Epileer of wax je wenkbrauwen niet te dun; wenkbrauwen groeien maar langzaam terug, en volle wenkbrauwen (mits in model gebracht) zijn sexy.

Nagels

Verzorg je nagels goed, maar maak er geen kunstwerk van. Je wilt er niet 'eng' uitzien. Nagels horen schoon en redelijk kort te zijn (als je nagels een klikkend geluid maken als je een telefoonnummer intoetst, zijn ze te lang). Mannen zien lange nagels vaak als klauwen. Vermijd valse nagels, je wilt niet dat er per ongeluk iets afbreekt wanneer een man je hand wil vasthouden. Als je tijd hebt om elke week je nagels te lakken, kies dan een niet te felle kleur (geen knalrood graag – je bent een serieuze partner, geen nachtclubdanseres). Als je het te druk hebt om elke week je nagels te lakken, houd ze dan naturel (lak ze dus niet). Afgebrokkelde nagellak ziet er niet aantrekkelijk uit.

De teennagels moeten er ook goed verzorgd uitzien; kort en schoon. Als je er de tijd voor hebt, lak ze dan in een niet te felle kleur en houdt het goed bij. Je voeten maken deel uit van hoe je overkomt. Misschien word je ergens uitgenodigd waar ze je vragen je schoenen uit te doen, of met mooi weer wil je misschien sandaaltjes dragen. Je voeten moet ook zo zacht mogelijk aanvoelen. Smeer ze elke avond in met een goede voetencrème, en ga zo vaak als je budget je dat toestaat naar de pedicure. Als je problemen met je voeten hebt, ga dan naar een podoloog of een dermatoloog om er iets aan te laten doen. Wanneer het later serieus wordt, weet je nooit wanneer je spontaan een voetmassage aangeboden krijgt. Dan wil je toch je beste voetje voorzetten?

Gewicht

Te zwaar: ik ken maar weinig vrouwen die denken dat ze een perfect lichaam hebben, en nog minder die niet denken dat ze moeten afvallen. Wees gerust, *Het Programma* is niet uitsluitend voor slanke vrouwen bedoeld met de juiste proporties! Ik denk zelfs dat een iets te zware vrouw die *Het Programma* toegewijd volgt, eerder zal trouwen dan een magere vrouw die niet toegewijd is.

Als je tien kilo of minder moet afvallen om het ideale gewicht bij jouw lengte te hebben, maak je dan geen zorgen. Doe maar niets; de meeste mannen zien niet wat jij ziet. Steek je tijd en energie in de stappen van *Het Programma*, niet in afvallen. Ik ben het afgelopen jaar tien kilo afgevallen bij de Weight Watchers, en weet je waar ik achterkwam? Alleen vrouwen viel het op (en nog niet eens veel). Geen enkele man merkte het, zelfs mijn partner niet! Eerst dacht ik dat niemand er iets over wilde zeggen, dus vroeg ik hun: 'Zie je niets aan me?' Sommigen zeiden dat ik er beter uitzag, maar meestal zeiden ze: 'Je lijkt gelukkiger.' En ik was ook gelukkiger; maar als ik had geweten dat het aan mijn uitstraling lag, dan had ik dolgelukkig kunnen zijn met meer toetjes!

En vrouwen die vijftien, dertig of vijftig kilo of meer te zwaar zijn? Probeer iets af te vallen. Probeer dat echt. Maar als je in de loop der jaren al allerlei diëten hebt gevolgd en niets hielp, dan hoef je niet per se single te blijven. Het probleem met te zware vrouwen is gewoonlijk dat ze depressief worden en een negatieve houding krijgen. Ze zijn ontevreden met hun lijf, zijn lethargisch en verliezen snel de moed wanneer mannen hen niet zien staan. Mijn advies is: *'Doe iets aan je negatieve houding, niet aan de pondjes.'*

Het is moeilijk om het tegen een breed publiek over gewicht te hebben, want iedere vrouw verkeert in andere omstandigheden. Lid worden van een club om af te vallen en een fitnessclub zijn altijd goed als je daar klaar voor bent, en je kunt er singles leren kennen. Maar als je dat al zonder resultaat hebt gedaan, steek dan je energie in *Het Programma* en doe extra je best. Ik zou zeggen dat extra toewijding aan *Het Programma* en een positieve houding gelijk staan aan vijfentwintig kilo afvallen. Je hebt vast vaak gezien dat te zware vrouwen wél een partner vinden. Er is geen enkele reden waarom jij daar niet een van zou zijn.

Echt, er lopen genoeg mannen vrij rond, en je hoeft niet per se af te vallen om er een aan de haak te slaan. Je kunt je beter richten op je gezondheid, dat is goed voor het moreel. Eet gezond, misschien minder calorierijk, ga naar buiten om lichaamsbeweging te krijgen (ook al is het maar een wandelingetje van een half uur per dag), en je zult zien dat je lekkerder in je vel zit. En wie weet? Misschien ontmoet je op je wandeling een leuke kerel; misschien probeert hij ook af te vallen en gezond te leven!

Het grootste probleem is dat te zware vrouwen vaak hun gewicht als excuus aanvoeren: 'Ik ben single omdat ik dik ben,' 'Ik ga pas uit als ik ben afgevallen,' of 'Mannen zien een dikkerdje als ik toch niet staan, waarom zou ik moeite doen?' Het leven is maar kort. Ik raad je dringend aan nu met *Het Programma* te beginnen. Geen smoesjes meer. Ik zal heel eerlijk tegen je zijn: jullie te zware vrouwen zullen het moeilijker hebben dan magere vrouwen, maar toch moet je doorzetten. Hij is daar ergens, en je hoeft er maar eentje.

Te dun: Gewicht is ook een heet hangijzer voor vrouwen die te mager zijn. Er zijn veel minder vrouwen die met dit probleem worstelen, maar ik wil het er toch over hebben omdat de meeste mannen de 'anorexia look' niet erg op prijs stellen. Als je denkt dat jij in deze categorie valt, ga dan na of je bij het marktonderzoek als te mager uit de bus kwam. Misschien moet je een kilo of vijf aankomen om er beter uit te zien. De meeste mannen vertelden me dat ze de voorkeur geven aan een vrouw die vijf kilo te zwaar is boven eentje die vijf kilo te licht is. Waarom? Ze zeggen dat het het verschil is tussen weelderig en bottig.

Tip:
Als je te zwaar bent, lees dan *Sexy at Any Size* door Katie Arons. Het is een bemoedigend boek over te zware vrouwen die zonder afvallen de liefde leren kennen. Ik ken veel vrouwen die het boek hebben gelezen en zichzelf beter konden waarderen, en dat op zichzelf maakt hen al aantrekkelijker voor mannen.

Het komt er dus op neer dat niemand een perfect lichaam heeft, ook mannen niet. Mannen kunnen buikjes hebben of kalend zijn. Dus doe wat je kunt om er op je best uit te zien, maar gebruik je gewicht niet om je speurtocht naar een man uit te stellen.

Bijzondere problemen

We hebben allemaal zo onze problemen. Misschien heb je een fors achterste, een grote neus, scheefstaande tanden of een slechte houding. Misschien is er een borst bij je afgezet omdat je borstkanker hebt gehad. Wat het ook is, mijn raad is heel eenvoudig: probeer er iets aan te doen, en als dat niet kan, verhul het dan zo goed mogelijk. Vergeet niet dat de verpakking van het grootste belang is. Misschien moet je oefeningen doen, naar de tandarts voor een beugel, of, in bijzondere gevallen, plastische chirurgie ondergaan. Dat is niet goedkoop of gemakkelijk. *Maar daar draait het bij deze stap allemaal om: er zo goed mogelijk uitzien.* Doe wat je kunt om iets aan je specifieke probleem te doen, en als dat onmogelijk of ongewenst is, raadpleeg dan een verstandige vriendin of een hulpverlener om je te helpen je aandacht te richten op wat er leuk is aan jou, terwijl je het probleem verhult. Als je bijvoorbeeld een fors achterste hebt, kun je lange truien over een rok dragen. Heb je een onderkin, knoop dan een sjaaltje om je hals, of draag een truitje met een V-hals.

Wat je ook doet, *ga door* met *Het Programma* terwijl je iets aan al die dingen doet. Je zult nooit perfect worden, en als je tegen jezelf zegt: 'Ik ga pas verder met de volgende stappen wanneer ik iets aan dit probleem heb gedaan', kom je niet vooruit. Er is altijd wel iets wat je als smoesje kunt gebruiken.

Bovenal vrouwelijk

Als je wilt weten hoe mannen tegen je aankijken, moet je er ook achter zien te komen of je er vrouwelijk uitziet en je vrouwelijk gedraagt. Ik ben een grote fan van vrouwelijkheid. Ja, ik weet dat dat ouderwets is en dat veel vrouwen het niet met me eens zijn, maar steeds weer merk ik dat mannen zich voelen aangetrokken tot vrouwen die rokken dragen in plaats van een broek. Ik bedoel dat zowel letterlijk als figuurlijk. Ik denk dat de meeste mannen op zoek zijn naar vrouwen die vrouwelijkheid uitstralen. Natuurlijk zijn er uitzonderingen, maar in *Het Programma* doe je er alles aan om je kansen te vergroten.

Vergeef het me, maar de vrouwelijke look waarvan mannen zeggen te houden, is die met lang haar, wijde rokken, zachte stoffen, een iets laag uitgesneden hals en goed verzorgde nagels. Ze zeiden dat ze de voorkeur gaven aan vrouwen die er niet alleen vrouwelijk uitzien, maar zich ook vrouwelijk gedragen. Dat wil niet zeggen dat ze een soort giechelende Barbie moeten zijn, maar een charmante vrouw die goed kan luisteren. Ze nemen graag zelf het initiatief (zij bellen of mailen je eerst, zij reserveren het tafeltje in het restaurant, zij halen jou af, zij betalen, etc.). Wat je er ook van wilt denken, dat is het soort vrouw waar mannen graag achteraan zitten. De vrouwen van vandaag mogen dat dan wel ouderwets vinden, maar het is nu eenmaal zo dat mannen liever jagen dan gejaagd worden. En de man zal meer geïnteresseerd zijn in een vrouw op wie hij moet jagen...

Verscheidene vrouwen hebben me verteld dat ze dat hele gedoe beledigend vinden, maar ze gaven ook toe dat ook al vinden ze het niet leuk, het wel de waarheid is. Om met *Het Programma* succes te hebben, hoef je geen vrouwelijkheid uit te stralen; ik wil alleen maar zeggen dat het helpt.

Eén uitzondering op de regels:

Ook al denk ik dat mannen liever de jager zijn, ik wil één uitzondering maken en de regels een beetje aanpassen voor vrouwen van boven de vijfendertig. Omdat er niet meer zo veel single mannen voor jullie rondlopen, vind ik het goed dat je het initiatief neemt voor contact met een man met wie je graag een afspraakje zou willen maken, maar die nog geen blijk heeft gegeven van zijn interesse in jou. Net als in de zakenwereld is er sprake van vraag en aanbod, en als er minder aanbod is (single mannen) dan vraag (single vrouwen die single mannen willen ontmoeten), moet je je toevlucht nemen tot iets minder 'vrouwelijk' gedrag. Je moet je een beetje assertiever opstellen om te krijgen wat je wilt. Ik zeg expres 'een beetje' omdat ik niet wil dat je kort door de bocht gaat en op een agressieve manier alles wel even gaat regelen. Ik heb vaak relaties meegemaakt die op zo'n manier waren begonnen en op niets uitliepen. Wat ik bedoel is een eenmalig gebaar, en ik laat je zien wat ik bedoel aan de hand van een voorbeeld waarbij mijn vriendin Lynne een rol speelt. Lynne is 51 en ze woont in Phoenix, Arizona. Dit is wat er gebeurde toen ze zich niet aan de regels hield:

'Op een feestje leerde ik een man kennen die Ward heette. We praatten ongeveer een kwartier met elkaar. Ik voelde me echt tot hem aangetrokken. Hij was daar met een man die ik door mijn werk kende, en hij stelde ons aan elkaar voor. Maar Ward vroeg niet naar mijn telefoonnummer, en hij zei ook niet dat hij me nog eens wilde zien. Ik wist niet eens of hij wel single was, maar hij droeg in ieder geval geen trouwring.

Twee weken later moest ik nog steeds aan hem denken, en ik

wist dat ik hem waarschijnlijk nooit meer zou zien als ik niet iets ondernam. Ik besloot zijn vriend te bellen, degene die ik door mijn werk kende, en nadat hij me had verteld dat Ward single was, nodigde ik hen allebei uit om bij mij thuis te komen eten. Ik vroeg hem zelf Ward te bellen. Als ze konden komen, zou ik nog wat mensen uitnodigen zodat het niet zo opzichtig was dat het me om hem te doen was. Gelukkig wilden ze allebei komen. Ik had nog vier anderen gevraagd, en Ward en ik konden een paar uur lang praten. Ik wist dat ik de regels overtrad door hem en zijn vriend uit te nodigen, dus als Ward me daarna nog niet belde, moest ik hem maar vergeten.'

In Lynnes geval belde Ward haar na het etentje op, en inmiddels gaan ze al twee maanden samen uit. Maar ik ken natuurlijk ook gevallen waarbij de vrouw het initiatief op zo'n manier nam, en de man er niet op reageerde. Je weet het niet... Het is belangrijk niet twee keer na elkaar de regels te overtreden. Een man weet na de eerste poging dat je in hem bent geïnteresseerd, en als hij daar niet op ingaat, wees dan blij dat je niet meer tijd hebt verspild en kijk nog eens om je heen.

Na hun vijfendertigste worden mannen ineens erg populair, omdat er weinig aanbod is. Ze raken eraan gewend dat vrouwen op hen jagen, vrouwen die denken dat er geen geschikte mannen meer over zijn. Vorige maand at ik met een grote groep en een van de mannelijke singles, een vijftiger, vertelde me dat hij de afgelopen tijd twee keer was uit geweest met vrouwen van begin veertig. Hij had het leuk gevonden, maar verloor zijn interesse toen de vrouwen hem steeds maar belden en mailden. Hij wist dat ze op hun leeftijd waarschijnlijk snel aan de man wilden komen, omdat hun biologische klok doortikte. Hij trok zich terug omdat hij zich in de hoek gedrukt voelde. Vrouwen kunnen in paniek raken wanneer ze 'een goede partij' leren kennen en gaan te agressief op jacht. Maar steeds weer zien we dat mannen gewoonlijk willen hebben wat ze niet kunnen krijgen. Bied je niet op een presenteerblaadje aan. Wees anders dan anderen, laat hem op jacht gaan (nadat je indien nodig voor één keer de regel hebt overtreden).

Consequent gedrag

Het is belangrijk om consequent te zijn. Als je er vrouwelijk uitziet en vrouwelijk doet wanneer er mannen in de buurt zijn, maar anders niet, zal het weinig effect hebben. Hoe klinkt bijvoorbeeld het bericht op je antwoordapparaat? Dat is waarschijnlijk het eerste wat een blind date van je hoort, dus zorg dat je een goede indruk maakt. Ik ken vrouwen die hebben ingesproken: 'Als je de piep hoort, nou, dan weet je wel wat je moet doen', of iets in die trant. Dat klinkt niet erg aardig, en zeker niet warm en verleidelijk. De boodschap is vaak niet uitnodigend ingesproken. Bel jezelf vandaag nog op (thuis, op je mobieltje en op je werk) en luister naar wat je hebt ingesproken en hoe dat klinkt. Laat je Mentor dat ook doen, en spreek zo nodig iets anders in. (Bij Stap 6: Adverteren, gaan we hier dieper op in.)

Zakenvrouwen

Een van de meest voorkomende problemen die ik tegenkom is dat van de zakenvrouw van vijfendertig met een mannelijke uitstraling. Ze heeft kort haar, kleedt zich zakelijk en heeft een stevige zwarte attachékoffer bij zich. Op haar werk is ze vrij agressief en in haar privé-leven houdt ze graag alles in eigen hand. Sommigen mannen vinden dat aantrekkelijk, maar ik denk dat dat er niet veel zijn. Wanneer ik zo'n cliënt krijg, vertel ik haar onomwonden dat haar uitstraling te mannelijk is. Tot mijn verrassing horen de meesten dat voor het eerst. Misschien weten ze wel dat ze assertief en intimiderend zijn, maar ze zien zichzelf niet als mannelijk. Meestal is het voor een zakenvrouw makkelijk om er vrouwelijker uit te zien; wat langer haar, andere bril (ook andere zonnebril), vrouwelijker kleding (geen strakke jasjes met schoudervulling) en een minder streng koffertje, liefst een schoudertas.

Renée, een zakenvrouw, belde me met dit interessante dilemma:

'Ik ga voor de tweede keer uit met een man die ik leuk vind, maar ik weet niet wat ik aan moet. De vorige keer droeg ik een leuk jurkje, maar ik ben nu heel zenuwachtig en draag liever iets waarvan ik meer zelfvertrouwen krijg. Eigenlijk wil ik het zwarte pak met de witte streepjes dragen dat ik van mijn bonus heb gekocht. Daar voel ik me geweldig in! Wanneer ik dat naar mijn werk draag, denk ik dat ik de hele wereld aankan. Ik draag het ook bij presentaties en dan voel ik me erg zelfverzekerd. Wat vind jij?'

Ik zei dat ze haar zwarte pak met de witte streepjes in de kast moest laten! Zoiets draag je niet als je uitgaat, al voel je je er nog zo zelfverzekerd in. Ze dacht als een vrouw die promotie wil, niet als een vrouw die een serieuze relatie wil. Ik hielp haar een jurk uit te zoeken die zacht en vrouwelijk was. Later zei ze dat toen de man haar kwam afhalen en ze de deur opendeed, het eerste wat hij zei was: 'Wat zie je er mooi uit.'

Een man zoeken en toch jezelf niet verloochenen

Bij ieder seminar is er wel een vrouw in een zakelijk pak die haar hand opsteekt en zegt: 'Dit ben ik! Als een man vindt dat ik er intimiderend en mannelijk uitzie, dan hoef ik hem niet.' En dan zeg ik: 'Ik heb tijdens mijn carrière in de marketing geleerd dat als je succes wilt hebben, je de consument moet verkopen wat hij wil.'

Ik heb in de inleiding al gezegd dat *Het Programma* niet is bedoeld om *jou* te veranderen, maar om te veranderen wat je *doet*. Je hoeft je niet anders voor te doen dan je bent, maar je moet je kwaliteiten beter over het voetlicht brengen. Veel vrouwen voelen een spanningsveld tussen 'zijn wie ze zijn' en de veranderingen die nodig zijn om aan de man te komen. Begrijp me goed, ik wil alleen maar iets doen aan je uiterlijk en je gedrag (niet aan hoe je bent) om aantrekkelijk te zijn voor mannen. In de marketing brengen ze met succes het oude product op de markt in een nieuwe, verbeterde verpakking.

Maar het is belangrijk dat jij je lekker voelt in die nieuwe verpakking, anders heeft het weinig effect. Vaak is het een kwestie van tijd; je moet eraan wennen, en aan de complimentjes die je ten deel zullen vallen. Soms is er iets aan de verpakking waardoor je je niet op je gemak voelt, en dat doet meer kwaad dan goed. In dat geval moet je doen wat je het beste lijkt.

Je hebt Stap 3 gezet en bent klaar voor Stap 4 als je:

1. marktonderzoek hebt gedaan door drie mannen en drie vrouwen te vragen hun eerlijke mening over je uiterlijk te geven;
2. je alles met je Mentor hebt geëvalueerd en hebt vastgesteld wat er veranderd moet worden;
3. je mijn checklist hebt doorgenomen over je kleren, je haar, je make-up, je gewicht en eventueel bijzondere problemen, en hebt vastgesteld wat je wilt veranderen;
4. bezig bent iets aan je uiterlijk te doen om er op je best uit te zien, en een schema hebt gemaakt voor de tijd die je daar nog voor hebt. (Wacht niet tot de grote veranderingen helemaal klaar zijn, maar ga vast verder met de volgende stap);
5. goed hebt gekeken of je uiterlijk en gedrag consequent vrouwelijk zijn;
6. niet ontmoedigd bent door negatieve opmerkingen over je uiterlijk, en die niet als smoesje gebruikt om het bijltje erbij neer te gooien.

Hoofdstuk 4

Stap 4: Uitbreiding van de markt: een fijnmaziger net uitwerpen

Wat ik op de Harvard Business School leerde

Een belangrijk doel van marketing is het verkopen van je product aan een zo groot mogelijk segment van de markt. In de marketing wordt de markt opgedeeld in segmenten op demografische basis (bijvoorbeeld geslacht, inkomen, leeftijd, opleiding), op psychografische basis (bijvoorbeeld sociale houding, avontuurlijk of bereid tot het nemen van risico) en geografische basis. Misschien wil BMW een nieuw model auto slijten aan welvarende vrouwen van 35 tot 55 jaar. Een consumentengroep die mogelijk in je product is geïnteresseerd kan worden opgedeeld in twee categorieën: Primary Buyers (mensen op wie je product specifiek is gericht) en Secondary Buyers (degenen die misschien ook in je product zijn geïnteresseerd maar niet tot de doelgroep horen). Het doel van marketing is het product aan groepen consumenten uit zoveel mogelijk segmenten te slijten. Motorola had het mobieltje oorspronkelijk voor de zakelijke markt bedoeld; zakenmensen zijn veel onderweg, het was logisch dat zoiets hen zou aanspreken. Zij waren de Primary Buyers. Maar Motorola kwam er al gauw achter dat mobiele telefonie veel meer mensen aansprak, dus breidden ze de markt uit naar een niet-specifieke doelgroep (de Secondary Buyers): yuppen, moeders, tieners. Je wilt de kans dat je producten verkopen altijd vergroten, en dat doe je door de markt uit te breiden, dat wil zeggen dat je je richt op zoveel mogelijk segmenten.

Waarom een fijnmaziger net?

Zoals ik al zei in de inleiding wordt het moeilijker om na je vijfendertigste een man te vinden. Er zijn gewoon minder mannen beschikbaar, zowel in werkelijkheid (in de VS woonden in 2000 28 miljoen ongehuwde vrouwen ouder dan vijfendertig, maar slechts 18 miljoen ongehuwde mannen ouder dan vijfendertig), als gevoelsmatig ('De leuke zijn allemaal al bezet'). Maar geen paniek, in deze stap ga je De Ware anders benaderen en zul je zien dat er meer mannen beschikbaar zijn dan je dacht. Je werkt met een fijnmaziger net.

Hoe met een fijnmaziger net te werken

Fase 1: De werkelijkheid aanvaarden

Een fijnmaziger net uitwerpen wil zeggen dat je moet zoeken naar een man die misschien niet het type is dat je altijd op het oog hebt gehad. Judith Sills zegt in haar boek *How to Stop Looking for Someone Perfect and Find Someone to Love* dat mannen (en vrouwen) van boven de vijfendertig *echte* mensen zijn. Wanneer je in de twintig bent, 'zoek je een man die veelbelovend is'. Maar later in het leven zoek je iemand met een verhaal, gewoon omdat hij al veel heeft meegemaakt. Hij heeft met problemen geworsteld en hij heeft verhoudingen achter de rug. Het leven laat zijn sporen na... en de meeste beschikbare mannen zullen niet erg lijken op de man over wie je droomde toen je twintig was. Maar achter de wolken schijnt de zon; oudere mannen zijn (hopelijk) volwassener. Het accepteren van de werkelijkheid is de eerste fase van het uitwerpen van een fijnmaziger net.

Fase 2: Vergeet je type

Wanneer vrouwen wordt gevraagd wat voor soort mannen ze zoeken, ratelen de meesten een lijst af met vijf, tien of vijftien criteria waaraan hij moet voldoen. Hij moet minstens 1.90 meter zijn, gevoel voor humor hebben, slim en gevoelig zijn, van de kat houden, goed kunnen skiën, geen kinderen uit een vorig huwelijk hebben, binnen een straal van tien kilometer wonen, van hetzelfde geloof zijn, aardig zijn voor zijn moeder, etc. Ik hoop dat er een glimlach van herkenning op je gezicht verschijnt wanneer je dit allemaal leest. Je volgende taak is al die criteria de deur uit doen en vergeten wie je type is.

Ik geef toe dat dat niet makkelijk is. Je hebt jaren aan 'je type' gedacht. Dat kan slaan op uiterlijke kenmerken (lengte, haarkleur, leeftijd, beroep, etc.) en innerlijke kenmerken (houding, geloof, gedrag, etc.). Zelfs als cliënten me vertellen dat ze geen 'type' hebben en zich tot allerlei soorten mannen aangetrokken voelen, bedoelen ze meestal mannen met allerlei uiterlijke kenmerken (ze komen in alle soorten, maten en kleuren). Deze mannen zien er misschien van buiten niet hetzelfde uit, innerlijk leken ze vaak sterk op elkaar (meestal op dezelfde negatieve manier). Als vrouwen steeds uitgaan met mannen met dezelfde negatieve karaktertrekken (ze leunen op je, zijn egoïstisch of arrogant), is het ook geen wonder dat de relatie steeds stukloopt. Als je denkt dat dit betrekking op jou heeft, is het nu tijd om daar iets aan te doen.

Laat ik heel duidelijk stellen dat het niet mijn bedoeling dat je 'maar wat neemt'. Ik zeg alleen maar dat je je flexibel moet opstellen. Je toekomstige partner is misschien 1.75 meter in plaats van 1.90 meter. Misschien kan hij niet skiën. Misschien is hij twintig jaar ouder dan jij. En o, wat vreselijk, misschien is hij allergisch voor je kat! Maar als hij geweldig is en je stapelverliefd op hem zou kunnen worden, moet je hem dan om die redenen over het hoofd zien?

Ik had een cliënt van 47 jaar die Julie heette. Ze was slim en had het tot onderdirecteur van een groot bedrijf geschopt. Ze was ook actief in een joodse organisatie, dus haar geloof was belangrijk voor haar. Ze was al lang naar haar mannelijke tegenhanger op zoek: een slimme, succesvolle joodse bankier. Dat was haar type. Jarenlang was ze met zulk soort mannen uitgegaan, maar ze werd nooit op iemand verliefd. De jaren gingen voorbij en er waren steeds minder mannen van haar type beschikbaar, of ze waren niet meer in haar geïnteresseerd omdat ze liever met jongere vrouwen uitgingen. Dus toen ze zich aanmeldde voor *Het Programma*, besteedde ik extra veel tijd aan Stap 4. Om de waarheid te zeggen, ik dacht dat ze niet in die stap geloofde, want ze bleef het over haar type hebben.

Op een dag ging ze met een kapot mobieltje terug naar de winkel en vroeg of ze de bedrijfsleider mocht spreken. Toen de bedrijfsleider haar vroeg wat hij voor haar kon doen, keek ze hem recht in de ogen: de ogen van haar aanstaande partner. Een jaar later trouwde ze met de bedrijfsleider! Hij was niet joods, hij was zeker geen bankier zoals al haar vorige vriendjes, en hij was negen jaar jonger dan zij. Maar hij was een lot uit de loterij en ze viel meteen voor hem. Ze voelde zich tot hem aangetrokken, iets wat ze nog nooit had gevoeld. Hij hield zoveel van haar dat hij later joods is geworden. Ze is heel gelukkig en een maand geleden hebben ze hun eerste kind geadopteerd.

Ik zal de bruiloft nooit vergeten. Toen Julie na de plechtigheid iets moest zeggen, zei ze: 'Mijn hele leven was ik op zoek naar iemand als Paul...' Toen zweeg ze en glimlachte om de verwonderde blikken van de gasten, die allemaal wisten dat ze naar iets heel anders op zoek was geweest. En toen ging ze verder: 'Maar de verpakking was heel anders dan ik me had voorgesteld.'

Zomaar iemand vinden die niet helemaal je type is en toch met hem trouwen is niet voor iedereen weggelegd, maar nu de kansen tegen je zijn, is het goed om overal voor open te staan. Vergeet niet dat je maar één leuke kerel hoeft te vinden, wat voor type het ook is.

Fase 3: Verkondigen

Dus hoe breek je met je oude gewoonte en vergeet je je type? Begin met mondeling het nieuws te verspreiden. De volgende keer dat iemand je vraagt wat voor man je zoekt, zeg dan: 'Een leuke man.' Dat is alles. Drie woordjes maar. Als een kennis je aan een afspraakje wil helpen en je vraagt de ideale man te beschrijven, dreun dan niet je oude lijstje met criteria op. Kijk wat er gebeurt als je alleen die drie woordjes zegt, en laat iemand anders verder kijken dan jij tot nu toe hebt gedaan.

En al die vrienden aan wie je hebt verteld dat jouw type een hartstochtelijk kunstenaar uit Italië is met grote bruine ogen? Bel hen op en neem dat terug!

Deze fase is niet alleen mondeling, maar ook schriftelijk. Wanneer je in Stap 7 on line gaat, moet je een profiel schetsen van de man die je zoekt. En raad eens wat jij invult? Drie woordjes: Een leuke man.

Fase 4: Oefenen met de *Programma*-scan

Er zijn twee eenvoudige oefeningen die ik wil dat je doet. Je maakt gebruik van een techniek die ik de *Programma*-scan noem, en de bedoeling is dat je beseft met wat een grofmazig net je tot nu toe hebt gevist, en wat de mogelijkheden zijn wanneer je een fijnmaziger net neemt.

De eerste oefening heeft met kleur te maken. De volgende keer dat je een druk bezochte ruimte betreedt, bijvoorbeeld op een feestje, een restaurant of een conferentiezaal, scan je de ruimte op mensen die iets roods dragen (wat dan ook; een rood overhemd, een rood petje, een rode jas, etc.). Kijk goed rond en schenk geen aandacht aan de mensen die niets roods dragen. Je hebt een halve minuut om je rode doel te lokaliseren. Misschien waren het tien personen. Nu doe je hetzelfde, maar dan met zwart, een kleur die veel wordt gedragen. Deze keer kwam je misschien tot vijftig. De mensen met iets roods staan voor je type. De mensen met iets zwarts voor je fijnmazige net. Deze oefening maakt je duidelijk hoe er door een kleine verandering een heel nieuwe wereld aan mogelijkheden voor je opengaat. Met een fijnmazig net vang je meer vissen.

Herhaal de *Programma*-scan met meer zwaarwegende criteria dan kleur. Zoek naar mannen die het tegenovergestelde zijn van jouw type. Als je je altijd aangetrokken hebt gevoeld tot lange blonde mannen, kijk dan uit naar kleine mannen met donker haar. Richt je aandacht op hen, ga bij hen in de buurt staan, vang hun blik en begin een gesprekje. Dit is maar een oefening. Geen van deze mannen hoeft De Ware te zijn, maar je deprogrammeert jezelf en je stelt je ergens voor open. Misschien maakt de kleine man met donker haar je wel vreselijk aan het lachen met zijn rake opmerkingen, of kom je onder de indruk van zijn intelligentie. Je weet nooit wat er achter een uiterlijk schuilgaat!

Quiz

Situatie: Een vriendin benadert je op een feestje en zegt dat ze je graag aan een collega wil voorstellen die single is. Ze vraagt: 'Wat is je type?'
Vraag: Wat zeg je dan?
Antwoord: 'Een leuke man.'

Fase 5: Blindemannetje

De oefeningen hierboven zijn bedoeld om je geest open te stellen. Nu ben je klaar voor het echte werk: ik wil dat je op een blind date gaat met drie mannen die *niet* je type zijn. Eerst moet je duidelijk maken wat je type is, dan kun je een fijnmazig net uitwerpen om de drie mannen te selecteren. In de *Programma*-uitbreidingstabel hieronder heb ik de parameters aangegeven aan de hand waarvan de meeste vrouwen hun type bepalen. Daarnaast staan drie lege kolommen; in de eerste kolom vul je je vroegere voorkeuren in voor de mannen die je zocht toen je dit hoofdstuk nog niet had gelezen (je type). In de tweede en derde kolom vul je een uitgebreide versie van je voorkeuren in, steeds verder af

Parameters	Mijn type	Fijnmazig net	Fijnstmazig net
Leeftijd	50-55	48-60	43-68
Lengte	1.90	1.80	Maakt niet uit
Huidskleur	Blank	Blank of mediterraan	Maakt niet uit
Lichaamsbouw	Atletisch	Iets te zwaar	Maakt niet uit
Karakter	Opgewekt, extravert	Opgewekt, rustig	Serieus, rustig
Beroep	Hogere functie	Kleine zaak	Lagere functie
Inkomen	Zeer hoog	Hoog	Modaal
Opleiding	Universitair geschoold	HBO	Middelbare School
Geloof	RK	Geen geloof	Maakt niet uit
Huwelijkse staat	Nooit getrouwd geweest, of gescheiden. Geen thuiswonende kinderen	Gescheiden, met kinderen die gedeeltelijk bij hem wonen	Gescheiden of weduwnaar. Kinderen wonen bij hem
Woonplaats	In de buurt	Binnen een straal van 50 km	Maakt niet uit
Hobby's	Reizen, wandelen	Lezen	TV-kijken

van je favoriete type in de eerste kolom (Fijnmazig net en Fijnstmazig net).

Programma *Uitbreidingstabel van Jou*

Parameters	Mijn type	Fijnmazig net	Fijnstmazig net
Leeftijd			
Lengte			
Huidskleur			
Lichaamsbouw			
Karakter			
Beroep			
Inkomen			
Opleiding			
Geloof			
Huwelijkse staat			
Woonplaats			
Hobby's			

Nadat je de tabel hebt ingevuld, omcirkel je ten minste een van de parameters waarbij je het meest bereid bent een compromis te maken tot het Fijnstmazig net. Dan kies je twee onderdelen van het Fijnmazig net, en de rest komt uit de kolom van Mijn type. In Annes tabel kun je zien op welke gebieden ze het meest bereid was tot een compromis (wat ze heeft omcirkeld in de kolommen voor fijnmazig net en fijnstmazig net). Voor iemand die zijn blik heeft verwijd, kan het een uitdaging zijn om nog meer in de kolom voor fijnstmazig net te omcirkelen, indien mogelijk. Kijk nu naar wat je hebt omcirkeld; dit is jouw fijnstmazig net.

Nu wil ik dat je afspraakjes maakt met ten minste drie mannen die ten minste een van de eigenschappen hebben die je hebt omcirkeld in de kolom Fijnmazig net of Fijnstmazig net. Anne omcirkelde bijvoorbeeld Lengte en Hobby's in de kolom Fijnmazig net en Leeftijd in de kolom Fijnstmazig net. Ze gaf altijd de voorkeur aan mannen die meer van haar eigen leeftijd waren, die lang waren en echt reislustige buitenmensen. Dus ging ze op zoek naar mannen die bij de criteria van de andere kolommen pasten; eentje die veel ouder of jonger was (tien jaar jonger of vijftien jaar ouder), eentje die kleiner was (1.80 meter) en eentje die een rustige hobby had (lezen).

Hoe mannen te vinden die niet je type zijn

Hoe maak je afspraakjes met mannen uit het Fijn- en Fijnstmazig net? Kijk om je heen. Nu je naar verschillende types op zoek bent, zie je misschien iemand die je vroeger niet zag staan. Misschien de loodgieter, je buurman of je salsaleraar. Vraag je vriendinnen en je Mentor je te helpen, knoop daarna met de geselecteerde mannen een gesprekje aan en kijk wat ervan komt. Misschien vragen ze je mee naar een interessante voorstelling. Als je al on line bent, kun je iemand met een paar muisklikken vinden. Ben je nog niet on line: we hebben het er nog over in Stap 7 (On line marketing). Normaal gesproken ben ik er geen voorstander van dat vrouwen mannen uit vragen (niet vrouwelijk, weet je nog?), maar als je de drie mannen hebt geselecteerd en ze je na twee weken nog niet hebben uit gevraagd, stap er dan maar zelf op af. Het is maar een experiment, je hebt niets te verliezen. Er bestaat een kleine kans dat een van de mannen die je hebt geselecteerd je aanstaande partner is, maar deze ervaring is vooral leerzaam, dus zeker de moeite waard.

Het draait erom dat je inziet dat uiterlijk niet alles is. Misschien denk je dat je dat al weet, maar de theorie is anders dan de praktijk. De tijd die je besteedt aan afspraakjes met mannen die je anders over het hoofd zou hebben gezien, is goed besteed als je daardoor meer openstaat voor verschillende mogelijkheden, maar misschien springt er wel een vonk over als je iemand beter leert kennen. Je bent bezig een belangrijke grondsteen te leggen voor de volgende stappen van *Het Programma.*

Het verhaal van Anne

Wat gebeurde er met Anne, een cliënte van me, toen ze de *Programma* Uitbreidingstabel had ingevuld? Ze ging uit met drie mannen die niet haar type waren, en ze had het best naar haar zin. Maar er sprong geen vonk over; gewoon een paar gezellige avonden. Ze is een spontane, actieve vrouw van drieënvijftig die altijd naar opgewekte en avontuurlijke mannen zocht. Het was vooral belangrijk dat de mannen van activiteiten buitenshuis hielden (vooral lange wandelingen), dat ze reislustig waren en avontuurlijk aangelegd. Jarenlang ging ze met dit soort mannen om, en geen van haar relaties hield stand. Toen ze met *Het Programma* begon, maakte ze afspraakjes met mannen die ze als saai bestempelde. Ze bezwoer me dat ze liever alleen bleef dan met zo'n saaie man een vaste relatie aan te gaan. Ik heb dat zelfs nog ergens opgeschreven. Vier maanden later bracht ze me telefonisch op de hoogte.

'Drie maanden geleden zette ik Stap 7 (On line Marketing) en begon ik een correspondentie met een man van 64 jaar. Hij heet Phil en ik leerde hem kennen via internet. Hij schreef dat hij van lezen en tv-kijken houdt en graag op visite gaat bij zijn kleinkinderen. Brr! Hij klonk erg saai. Maar ik stelde me ervoor open, en we hadden een paar leuke telefoongesprekken. Uiteindelijk stemde ik aarzelend in met een ontmoeting. Hij bleek helemaal niet saai te zijn! Goed, hij is minder actief dan ik, maar hij maakt me aan het lachen. En ik moet toegeven, hij is heel goed in bed.'

Anne had succes met het fijnmazige net, maar dat betekende niet dat Phil perfect was. Ze gaan inmiddels drie maanden met elkaar om. Ze zou graag willen dat hij lange wandelingen met haar maakte, of samen met haar op tangoles ging, of een weekendje naar Las Vegas. Soms doet hij mee aan haar activiteiten en vindt dat ook leuk, maar wanneer hij geen zin heeft, vraagt ze een vriendin om mee te gaan en heeft ze een fijne tijd zonder hem. Hij staat klaar voor haar wanneer ze terugkomt. Dit is niet de situatie die ze voor ogen had, maar ze is van hem gaan houden; wat ze dacht dat essentieel was, bleek dat niet te zijn.

Je hebt Stap 4 gezet en bent klaar voor Stap 5 als je:

1. begrijpt dat het belangrijk is met een fijnmazig net te vissen;
2. vergeet wat je type is;
3. het antwoord kent op de vraag: 'Welk type man zoek je?' (Antwoord: 'Een leuke man.');
4. de *Programma*-scan hebt gedaan: een fijnmazig net in een volle ruimte hebt gebruikt, eerst op zoek bent gegaan naar iets roods en dan naar heel andere mannen dan die je als jouw type beschouwt;
5. de *Programma*-uitbreidingstabel hebt ingevuld;
6. drie parameters hebt geselecteerd waarbij je bereid bent tot een compromis, en vervolgens uit bent geweest met drie mannen uit de groep Fijnmazig Net of Fijnstmazig Net.

Hoofdstuk 5

Stap 5: Branding: laat zien waarom jij anders bent

Wat ik op de Harvard Business School leerde

Een goed, herkenbaar merk is absoluut noodzakelijk wil een product succesvol zijn. Een merk met een slogan heeft vier functies: 1. het helpt de consument het product te herkennen; 2. het brengt de ingewikkelde boodschap snel over; 3. het laat de consument het verschil zien tussen het ene en het andere product, en 4. een positieve indruk verleidt de consument het product aan te schaffen. Tegenwoordig zijn er tal van producten te koop, we kunnen kiezen. Dertig jaar geleden waren er bijvoorbeeld maar zestien merken mineraalwater. Nu zijn dat er meer dan zestig. Een merk moet geprofileerd worden, want de consument baseert zijn keuze op de verschillen, of die nu duidelijk zijn of niet.

Branding leidt vaak tot succes. Denk aan: *Miele, er is geen betere*; *L'Oréal, omdat je het waard bent*; en *Bang en Olufsen, ooit kies je voor kwaliteit*. Dit is wat ik heb geleerd van deze voorbeelden: 1. een product moet herkenbaar zijn (anders verkoopt het niet); en 2. als het te vaag in de markt wordt gezet (probeert van alles te betekenen voor iedereen) schiet het zijn doel voorbij.

Wat is een persoonlijk merk?

Een persoonlijk merk is dat waarin jij van anderen verschilt. Het zijn de karakteristieke dingen die typisch voor jou zijn en waaraan men je herkent. Net als producten hebben mensen een merk, maar meestal kun je dat niet met één woord of concept verhelderen. De slogan van Madonna zou kunnen zijn: Wild, Sexy, Popster. Die van Moeder Theresa had kunnen zijn: Edelmoedig, Onzelfzuchtig, Liefdadigheid. Hoe mensen jou in het kort samenvatten is belangrijk. Je kunt hen helpen jouw kwaliteiten aan anderen duidelijk te maken door suggesties te doen over wat jij op de voorgrond wilt plaatsen. Die kun je ook op de voorgrond plaatsen wanneer je iemand voor de eerste keer ontmoet, want al tijdens de eerste minuten vellen mensen een oordeel over jou. Bij deze eerste stap leer je hoe je drie bijvoeglijk naamwoorden of korte zinnetjes kunt uitkiezen die jouw slogan zullen zijn. Die laat snel zien wie je bent en onderscheidt je van andere vrouwen.

Waarom je een persoonlijk merk nodig hebt

Iedere vrouw van boven de vijfendertig die single is heeft een persoonlijk merk nodig. Hier lees je waarom

1. Je moet tussen al die andere singles uitspringen.
2. Het helpt je je doelgroep te bereiken. Een vrouw die beschreven wordt als intelligent, zal aantrekkelijk zijn voor intelligente mannen, of in ieder geval mannen die intelligentie in een vrouw op prijs stellen.
3. Als je zelf geen merk creëert, zal iemand anders dat voor je doen (en dat zou je wel eens niet kunnen bevallen). Je zou er versteld van staan als je wist hoe je vrienden en kennissen je beschrijven als je er niet bij bent. Het hoeft niet per se negatief te zijn, maar het kan niet kloppen met, of gewoon anders zijn dan hoe jij jezelf ziet. Je toekomstige partner kan iemand zijn die je toevallig ontmoet en misschien heeft hij maar heel even de tijd om te beslissen of hij je beter wil leren kennen of niet. Je kunt hem helpen door hem te laten zien wat je wilt dat hij ziet (dat wil zeggen, je merk), dat is beter dan dat hij tot een overhaast oordeel komt dat misschien niet gunstig voor je is.

Samenwerking

Het creëren van een persoonlijk merk vraagt veel denkwerk over jezelf, en dat kun je niet alleen. Daar heb je een team voor nodig. Jouw slogan moet voor jou de waarheid zijn, maar ook voor anderen. Net zoals je bij Stap 3 hebt gedaan (Packaging), moet je ook hier feedback zoeken. Je wilt weten welke indruk je op anderen maakt, zowel op mensen die je goed kennen als op mensen die je nauwelijks kennen. Dat kunnen degenen zijn met wie je eerder hebt overlegd, of anderen. Je wilt dat ze eerlijk zijn, maar deze keer wil je weten wat jou anders dan anderen maakt. Dus oppervlakkig (van degenen die je nauwelijks kent) en diepgaander (van degenen die jou goed kennen). Je doel is het bij elkaar zoeken van creatieve mensen met inzicht die bereid zijn je te helpen. Je persoonlijke merk moet een combinatie zijn van je uiterlijke en innerlijke kwaliteiten. Maar de uniekste kwaliteiten zijn niet altijd de meest voor de hand liggende, of ze zijn moeilijk te omschrijven. De richtlijnen in drie fasen hieronder zullen je helpen je persoonlijke merk te creëren.

Hoe creëer je je persoonlijke merk

Eerste Fase: Maak een lijstje

Pak een vel papier en teken drie kolommen. Zet boven de kolommen: Lichamelijk, Karakter en Overige.

In de kolom Lichamelijk schrijf je alle bijvoeglijke naamwoorden of korte zinnetjes waarvan je denkt dat ze je voorkomen beschrijven. Je kunt bijvoorbeeld schrijven: lang, kort, lief, te zwaar, mager, blond, weelderige vormen, sportief, Aziatisch uiterlijk, elegant of lieve glimlach.
In de kolom Karakter schrijf je de bijvoeglijke naamwoorden of korte zinnetjes waarvan je denkt dat ze je karakter omschrijven. Je kunt bijvoorbeeld schrijven: gevat, serieus, kunstzinnig, belezen, verlegen, sociaal, assertief, zachtaardig, eerlijk of met een klein hartje.
In de kolom Overige schrijf je de bijvoeglijke naamwoorden of korte zinnetjes waarvan je denkt dat ze belangrijk zijn om te weten wie je bent, maar die niet goed passen in de vorige twee kolommen (bijvoorbeeld wat voor werk je doet, je geloof, interesses, waar je woont, je burgelijke staat, bijzondere talenten, etc.). Hier zou je kunnen schrijven: accountant, katholiek, dol op skiën, Ajax-fan, woont in Amsterdam, alleenstaande moeder, gescheiden, bridgekampioen.

Tips

* De bijvoeglijke naamwoorden of korte zinnetjes hoeven niet allemaal positief te zijn. Sommige zijn misschien negatief of worden als een zwakheid beschouwd. Wees vooral eerlijk.

* Neem de tijd om de lijst op te stellen en gebruik je fantasie. Het is moeilijk een schets van jezelf te maken, ook al ben je er trots op dat je weet wie je bent. Ga de komende dagen je lijstje nog eens na voordat je het afrondt.

* Wees zo duidelijk mogelijk bij het kiezen van de bijvoeglijke naamwoorden of korte zinnetjes. Vermijd grof taalgebruik. In plaats van mooi, kun je misschien zeggen: schattig, geweldig, exotisch, of grote blauwe ogen. In plaats van slim, kun je zeggen intellectueel, belezen, hoogopgeleid, gespecialiseerd in de Antieke Oudheid.

* Probeer ongewone woorden te gebruiken. Pak het woordenboek erbij. Zo kun je in plaats van te zwaar, Rubensiaans zeggen. Een alledaags woord als 'grappig' kan gevat worden. Zorg dat anderen je karakteristieken kunnen onthouden.

Tweede fase: Vraag feedback

Zodra je tevreden bent met je lijstje, ga je op zoek naar de feedback van vier personen: twee mannen en twee vrouwen. In Stap 3 (Packaging) heb je geleerd goed marktonderzoek te doen; pas je opgedane kennis nu toe. Je hoeft deze mensen je lijstje niet te laten zien, dat is voor jou om wat jij vindt te kunnen vergelijken met wat anderen zeggen. Wat je zoekt is datgene wat jou anders maakt dan andere vrouwen.

Je kunt het gesprek zo beginnen: 'Ik ben een interessant boek over relaties aan het lezen. Er staat een oefening in die me duidelijk kan maken hoe anderen me zien, vooral of en op welke manier ik anders ben dan andere vrouwen. Zou jij wat bijvoeglijke naamwoorden of korte zinnetjes kunnen verzinnen die me lichamelijk beschrijven? Wees alsjeblieft eerlijk!' Nadat hij of zij je lichamelijk heeft beschreven, vraag je naar je karakter en dingen die bij Overige passen. Denk erom dat je hun geen woorden in de mond legt, zoals: 'Vind je dat ik gevoel voor humor heb?' Je kunt wel uitleggen wat precies de bedoeling is door opmerkingen als: 'Is er iets bijzonders aan mijn uiterlijk? Mijn karakter? Mijn beroep? Mijn hobby's?'

Nadat je alle vier hun mening hebt gevraagd, bel je je Mentor om jouw lijst te bespreken en de feedback die je van de vier personen hebt gekregen.

Derde Fase: Kies je persoonlijke merk

Zodra jij en je Mentor alles hebben besproken, kies je drie bijvoeglijke naamwoorden of korte zinnetjes uit die *jou uniek maken*. Ze hoeven niet uit drie verschillende kolommen te komen; ze kunnen allemaal uit dezelfde kolom komen, of uit alle drie één. Zoek naar unieke kwaliteiten die bij elkaar een intrigerend en aantrekkelijk merk vormen. Goede criteria om je aan te houden zijn:

1. het merk klinkt echt zoals jij bent, zowel zoals jij jezelf ziet, als hoe anderen je zien
2. het merk moet een grote verscheidenheid aan mannen aanspreken
3. het merk moet herkenbaar en uniek zijn
4. het merk moet je profileren als iemand die op een vaste relatie uit is

Mensen zitten ingewikkeld in elkaar, we zijn een complex bouwwerk van persoonlijke trekjes, stemmingen en vaardigheden. Het zal moeilijk zijn om te kiezen welke dingen je over het voetlicht wilt brengen, vooral omdat we in iedere situatie anders zijn, afhankelijk van met wie we zijn en wat we doen. Je moet eerlijk kiezen, maar je hoeft niet iets te kiezen wat in iedere situatie geldt.

Denk eraan dat je keuze niet per se je beste kwaliteiten hoeven te beschrijven, en ook niet die waarmee je je het vertrouwdst of meest op je gemak voelt. Je moet ze zo kiezen dat ze samen iets *gunstigs* over je zeggen dat veel mannen aanspreekt die op een vaste relatie uit zijn. Een merk met de slogan 'Mooi en Slim' is te algemeen. Een merk met de slogan 'Gescheiden, huismus, te zwaar' is te negatief. Een merk met de slogan: Sensueel, Avontuurlijk, 'Babe' roept het beeld op van een vrouw die liever een nachtje blijft slapen dan naar een serieuze relatie op zoek is.

Wanneer je eenmaal een merk hebt gevonden dat aan de bovenstaande criteria voldoet, raadpleeg dan je Mentor nog eens. Als ze het met je merk eens is (en het voldoet aan de bovenstaande criteria), ziet het er goed voor je uit.

Hieronder vind je een casestudy van mijn cliënt Sarah, die bedoeld is om je op weg te helpen.

Casestudy: Een persoonlijk merk creëren voor Sarah

Sarahs Lijst:

Lichamelijk
42 jaar
Rood haar
Sproeten
Klein van stuk
Gaat sexy gekleed
Geen mooie huid

Karakter	Overig
Spontaan	Werkt op reisbureau
Houdt van pret	Katholiek
Avontuurlijk	Tennis
Opgewekt	Komt uit Doetinchem
Kan goed luisteren	Kan goed koken
Temperamentvol	Gescheiden
Gevoelig	Geen kinderen
Verveelt zich snel	Uit gezin met 8 kinderen

– Gekozen slogan voor persoonlijk merk: 'Rood haar, avontuurlijk, kan goed koken'

Nadat ze feedback van twee mannen, twee vrouwen en haar Mentor had gekregen, stelde Sarah de bovenstaande lijst op, en koos als slogan voor haar persoonlijke merk: 'Rood haar, avontuurlijk, kan goed koken'. Ze dacht dat dat de juiste omschrijving voor haar persoonlijke merk was omdat:

1. Het de waarheid is, het is een goede beschrijving van haar. Deze dingen had ze zelf opgeschreven en haar vrienden noemden die ook. Bij elkaar zijn ze uniek en spreken ze een grote verscheidenheid aan mannen aan.

2. Er zijn kwaliteiten bij die veel mannen aanspreken: Avontuurlijk suggereert dat het leven met haar opwindend kan zijn, en wie wil niet getrouwd zijn met iemand die Goed kan koken? Misschien een man die zich aan een streng dieet moet houden, maar voor alle anderen is het mooi meegenomen.

3. Er is iets herkenbaars en unieks bij: rood haar komt maar weinig voor, en is een in het oog springend kenmerk van Sarah.

4. Het toont aan dat ze op een serieuze relatie uit is; geen van de onderdelen van de slogan suggereert dat ze een meisje voor één nacht is.

De wijze waarop je jouw karakteristieken tot een merk samenvoegt, is de sleutel tot een succesvol persoonlijk merk. Woorden zijn meestal niet uniek, totdat ze met elkaar iets betekenen. Sarahs slogan is onderscheidend en aantrekkelijk.

Wat Sarah niet koos

Hieronder geef ik je als voorbeeld wat andere slogans die Sarah en haar Mentor hadden kunnen maken, maar die ze niet hebben gekozen:

1. Rood haar, temperamentvol. Waarom niet? Het is te stereotiep (meisjes met rode haren zijn temperamentvol). Je wilt een *intrigerend* merk zodat mannen meer over je te weten willen komen, niet dat ze wel kunnen raden hoe je bent.

2. Komt uit Doetinchem, tennis. Waarom niet? Het klinkt een beetje saai (vooral voor iemand als Sarah). Ze is spannend, en

het merk moet bij haar passen. Deze slogan zegt niets spannends over haar.

3. Avontuurlijk, spontaan, werkt op Reisbureau. Waarom niet? Deze combinatie zegt niets over haar oogmerk: een vaste relatie. Het suggereert eerder een meisje met wie je pret kunt hebben, niet zozeer een echtgenote en moeder. Het kan de verkeerde mannen aantrekken (die uit zijn op pretjes, niet op een serieuze relatie).

4. Gaat sexy gekleed. Waarom niet? Sexy kleding suggereert misschien dat ze een meisje voor één nacht is, niet een toekomstige partner. Je wilt dat jouw merk mannen aanspreekt die een vaste relatie willen.

5. Klein van stuk. Waarom niet? Hoewel het leuk klinkt en veel mannen zal aanspreken die klein van stuk zijn (goed voor het fijnmazige net) heeft Sarah meer om haar uniek te maken.

6. Gevoelig, kan goed luisteren. Waarom niet? Sarah heeft veel vriendjes gehad die van haar verwachtten dat ze begrip zou tonen voor hun problemen en hen zou troosten. Ze wilde deze eigenschap niet benadrukken, in de hoop meer stabiele, zelfverzekerde mannen aan te spreken.

7. Temperamentvol, gescheiden. Waarom niet? Dit klinkt als een waarschuwing. Gescheiden duidt op een verleden (en daar hoor je een merk niet mee te belasten) en Temperamentvol suggereert dat ze moeilijk in de omgang is.

8. Katholiek. Waarom niet? Sarah is wel katholiek, maar doet er weinig aan. Heel soms maar gaat ze naar de kerk, en ze staat open voor mannen met een andere geloofsovertuiging. Ze wil niet dat haar merk haar in de weg staat.

9. Tennis. Sarah tennist, maar ze is zeker geen kampioene. Het zou geen goed onderdeel van haar slogan zijn omdat ze niet echt om tennis geeft en niet beter speelt dan ieder ander.

Zo, nu begrijp je waarom het draait! Kies je combinatie zorgvuldig uit en maak daarbij gebruik van bovenstaande voorbeelden.

Je vraagt je misschien af

1. Kan ik mijn merk nog veranderen?

Ja, maar alleen als je merk niets voor je doet (met andere woorden, het is niet opmerkelijk en trekt niet de juiste mannen aan). Juist het feit dat je merk steeds hetzelfde uitstraalt, maakt het effectief. Wanneer je volgend jaar een vaste relatie hebt en je leven is veranderd, zal je merk met je mee moeten veranderen. Maar in dit snelle en efficiënte *Programma* moet je je merk onmiddellijk veranderen zodra je merkt dat het niet werkt.

Ik had bijvoorbeeld een cliënt van 54 jaar die Lisa heette. Ze had twintig jaar voor de klas gestaan. Ineens nam ze ontslag om bij de rodeo te gaan werken. Toen we haar merk creëerden, moedigde ik haar aan die rodeo te vermelden, omdat het zo uniek was. Haar slogan werd: Zachtaardig, Blauwe ogen, Werkt bij de rodeo. Dit profiel ging on line en de volgende keer dat ze bij me kwam vertelde ze me dit:

'Ik nam als schuilnaam RodeoSchatje. Dat vond ik eruit springen, en het is heel uniek. Maar ik schrok toen de eerste reacties binnenkwamen. Dit merk trok de verkeerde mannen aan! Ik kreeg een paar schunnige mailtjes, waaronder een van een man die me zijn Kleine Kalfje noemde... hij wilde me vastbinden!'

We wisten niet hoe snel we de slogan moesten veranderen (Onderwijzeres in plaats van Werkt bij de Rodeo) en we veranderden haar schuilnaam in: KlasseVerrassing. Al gauw kreeg Lisa reacties van meer geschikte kandidaten.

2. Als ik een belangrijk kenmerk heb dat als negatief kan worden beschouwd (bijvoorbeeld te zwaar, of alleenstaande moeder met zes kinderen, of workaholic), moet ik dat dan niet juist in mijn slogan vermelden zodat niet-geschikte mannen niet reageren, en ik dus geen tijd verknoei?

Omdat een merk ervoor moet zorgen dat je er in gunstige zin uitspringt, zou ik hier met nee op moeten antwoorden. Iedereen heeft aspecten die als negatief kunnen worden ervaren, of als 'bagage', maar wat voor de één een probleem is, hoeft dat voor de ander niet te zijn. Als je vijfentwintig kilo te zwaar bent, selecteer je toch drie dingen die de meeste mannen als positief zullen beschouwen, omdat je je goede eigenschappen wilt benadrukken. Je wilt niet dat mannen je als een getal op de weegschaal zien. Sommige mannen worden misschien door je gewicht afgeschrikt, maar er zijn zeker ook mannen bij wie dat niet het geval is, en op hen moet je je richten. Geef hun de drie positieve eigenschappen, dat helpt hen om door iets als je uiterlijk heen te kijken.

Dat geldt ook voor alleenstaande moeders. Ik hoor vaak klachten als: 'Toen hij erachter kwam dat ik drie kleine kinderen heb, ging hij er als een haas vandoor.' Wat voor de één een probleem is, is voor de ander een voordeel (of in ieder geval neutraal). Er zijn mannen die dol op kinderen zijn, en misschien zelf kinderen uit een vorig huwelijk hebben. Deze mannen voelen zich vaak aangetrokken tot alleenstaande moeders omdat ze begrijpen wat het is om een kind liefdevol op te voeden. Een gescheiden man met kinderen vertelde een cliënt (een alleenstaande moeder van 43 jaar) dat hij in eerste instantie alleen maar met haar uitging omdat hij wist dat ze kinderen had. Hij wilde niet weer door de babyfase, en hij wist dat vrouwen tussen de vijfendertig en de vijfenveertig meestal graag kinderen willen krijgen. Dat ze alleenstaande moeder was, stond niet in haar slogan, maar 'Heeft ze kinderen?' was de vraag die hij standaard stelde als iemand hem probeerde te koppelen. Als een man het belangrijk vindt, zal hij er zeker zelf naar vragen.

Of je zíjn kinderen wilt opvoeden als hij een alleenstaande vader is, is natuurlijk een heel ander verhaal. Ik speel je alleen maar de bal toe. Zodra je weet dat hij bereid is jóuw kinderen op te voeden, kun je zijn situatie eens bekijken om erachter te komen of je daarmee kunt leven. Veel van mijn cliënten zeggen dat het moeilijk is zijn kinderen in hun eigen gezin te integreren en dat daar veel ruzie van komt, maar als het erop aankomt willen ze proberen er iets van te maken omdat ze een geweldige man hebben gevonden.

Wat te doen met je persoonlijke merk

Nu je je persoonlijke merk hebt ontwikkeld, wat moet je er mee doen? Je hebt weer een grondsteen gelegd die je zult gebruiken bij de volgende stappen van *Het Programma*. Je leert reclame te maken, je merk tot in detail aan te passen aan je verpakking, en je merk sterk in de markt te zetten door on line te gaan en op andere manieren gebruik te maken van bemiddeling. Van nu af aan moet alles wat je doet, alles wat je draagt, alles wat je over jezelf zegt en schrijft, bij je merk passen. Als je effectief je merk over het voetlicht brengt, zul je eruit springen... En dat zijn de tactieken die je in Stap 6 leert.

Je hebt Stap 5 gezet en bent klaar voor Stap 6 als je:

1. hebt nagedacht over de dingen die in de kolom Lichamelijk, Karakter en Overig passen en een lijst hebt gemaakt;
2. dingen uit de lijst hebt geselecteerd die eerlijk, specifiek en herkenbaar zijn;
3. feedback hebt gezocht bij twee vrouwen en twee mannen om je te helpen objectief naar je eigenschappen te kijken;
4. drie bijvoeglijke naamwoorden of korte zinnetjes hebt geselecteerd om een merk mee te creëren;
5. je merk met je Mentor hebt besproken om zeker te weten dat het bij je past en veel mannen zal aanspreken, je onderscheidt van andere vrouwen en duidelijk maakt dat je op een vaste relatie uit bent.

Hoofdstuk 6

Stap 6: Adverteren: je eigen merk promoten

Wat ik op de Harvard Business School leerde

Een product kan absoluut geweldig zijn, maar als er geen effectieve reclamecampagne komt, blijft het op het schap staan. Niemand behalve de marketingafdeling weet hoe fantastisch het product is, als de boodschap niet effectief aan de consument wordt overgebracht. Veel bedrijven beschouwen adverteren als een noodzakelijk kwaad; het is duur en er gaat veel tijd in zitten. Maar het is de enige manier om de consument met het product kennis te laten maken. De consument moet worden voorgelicht om de goede keus te kunnen maken. Twee lessen springen eruit: 1. Merkherkenning. Weet de consument waar het merk voor staat? Dat is essentieel voor een goede reclamecampagne. Als die er niet voor zorgt dat je merk wordt herkend, is het weggegooid geld. Als ik zeg: Heineken, denk je meteen: Heerlijk, Helder. 2. Consequent. Het is van het grootste belang dat het merk hetzelfde blijft. Anders wordt het verwarrend en ineffectief. Als ik zeg: 'Rolls Royce,' denk je onmiddellijk aan een luxe auto. Rolls Royce profileert zich altijd consequent als luxe auto.

Er zijn vele manieren om reclame te maken (televisie, tijdschriften, kranten, reclameborden, etc.), maar soms hebben goedkope manieren het meest effect: direct mail, mond-tot-mondreclame, imagebuilding.

Waarom het belangrijk is reclame te maken voor je persoonlijke merk

In Stap 5 (Branding) heb je een persoonlijk merk gecreëerd; nu moet je er reclame voor maken. Denk aan je merk als aan een nieuwe naam; iedereen moet het weten. Je hebt er niets aan dat jij weet wat je merk is, of dat het ergens op een papiertje staat; je moet ervoor zorgen dat iedereen in je omgeving ervan op de hoogte is. Dat is niet abnormaal. Ook al ben je je er niet van bewust, je maakt voortdurend reclame voor jezelf. Elke dag weer vormen mensen zich een mening over je; tijdens een gesprekje, tijdens een afspraakje, op feestjes en bij een sollicitatie. Je vertelt mensen wat je wilt dat ze over je horen (zelfs als je dat onbewust doet). Omdat ze zich een mening vormen aan de hand van wat jij hun laat zien, is het mogelijk dat te sturen door je bewust te zijn van de signalen die je afgeeft.

Er zijn twee groepen die zich van je merk bewust moeten zijn: degenen die afspraakjes voor je kunnen regelen, en degenen met wie je afspraakjes maakt. Wat volgt zijn tactieken die je zou moeten gebruiken om deze twee groepen te helpen bij het jou beschrijven en zien volgens je persoonlijke merk. Dit helpt je op weg om in contact te komen met mannen die de punten waarop jij van anderen verschilt aantrekkelijk vinden.

Veel vrouwen zeggen dat ze het vervelend vinden om zichzelf en hun unieke kwaliteiten te promoten. Dat komt omdat we zijn opgevoed met het idee dat het een goede eigenschap is om jezelf niet op de voorgrond te plaatsen. Niemand houdt van opscheppers. Maar je laat alleen maar weten waarin jij van anderen verschilt, niet waarom je zo geweldig bent. Dat is geen opscheppen of zelfvoldaan gedrag, je helpt mensen je in hun geheugen te prenten. Je moet er maar aan wennen dat er niets mis is met adverteren. Dat zal je niet een, twee, drie lukken. Hoe meer mensen je over je nieuwe label vertelt, hoe gemakkelijker het zal gaan. Het zal zeker zijn vruchten afwerpen, maar alleen als je het vol zelfvertrouwen brengt.

Je staat op het punt je reclamecampagne te beginnen. Begrijp goed dat ik niet bedoel dat je moet liegen of mensen op het verkeerde been zetten. Het gaat erom dat je je beste beentje voorzet om in eerste instantie onder de aandacht van zoveel mogelijk mannen te komen. Zodra je hen gaat ontmoeten en afspraakjes met hen hebt, kunnen ze je echt leren kennen. Daar zijn afspraakjes voor. Je kunt raak schieten of mis, maar in ieder geval heb je balcontact gehad.

Caveat Emptor (Pas op, koper!)

Door branding en adverteren benadruk je bepaalde aspecten van jou. Natuurlijk ben je nog dezelfde die je was voordat je de term 'persoonlijk merk' hoorde, en het is aan de mannen met wie je uitgaat om erachter te komen over welke kwaliteiten je allemaal beschikt, zowel positieve als negatieve. Zo is het ook aan jou erachter te komen welk vlees je in de kuip hebt als je een man leert kennen met wie je een levenslange relatie zou willen aangaan. Iedereen probeert in het begin een goede indruk te maken, dus wees op je hoede voor wat reclame kan doen (laten zien waarin jij je van anderen onderscheidt) en wat het niet kan doen (iets wat in de plaats komt van elkaar echt leren kennen).

Hoe reclame te maken voor je persoonlijke merk

Maak je niet druk, je hoeft geen tv-spotje te maken of je eigen merk op reclameborden te plakken. Ik stel drie andere (goedkopere) manieren van reclame maken voor die beter bij je passen: direct mail, mond-tot-mondreclame en imagebuilding.

Direct mail

Direct mail is een vorm van reclame waarbij de doelgroep individueel wordt bereikt door aan hen gerichte brieven. Op deze manier kun je iedereen die je kent benaderen om je nieuwe image onder ogen te brengen. Het is ook een geweldige mogelijkheid om afspraakjes te regelen.

Ik wil dat je een slimme *Programma*-wenskaart maakt. Het geeft niet voor welke gelegenheid, als het maar geen kerstkaart is. Je wilt niet de concurrentie aangaan met al die andere wenskaarten die rond Kerstmis in de brievenbus vallen. Misschien maak je een nieuwjaarskaart (die je na 5 januari stuurt, wanneer iedereen terug is van vakantie), of om de val van de Bastille te gedenken, Koninginnedag of Pinksteren. Je kunt ook een ander soort kaartje bedenken, bijvoorbeeld een adreswijziging. Neem de eerstvolgende feestdag vanaf het moment dat je aan Stap 6 begint.

Denk nu na over de boodschap die je wilt overbrengen. Je wilt op een subtiele manier laten weten wie de nieuwe jij is. Dus maak je een kaart die je persoonlijke merk over het voetlicht brengt. Anita (44) koos de slogan 'Gevat, Prettig om mee te praten, Kan uitstekend koken'. Ze maakte een Thanksgivingskaart. Ze zocht drie foto's van zichzelf uit (twee daarvan moest ze speciaal laten maken). Op de eerste foto stond ze met vrienden te lachen (Gevat), op een andere glimlachte ze warm (Prettig om mee te praten) en op de laatste stond ze met een koksmuts op achter het fornuis.

Ze bracht de foto's naar een copyrette. Daar werden de foto's op een kaart in de vorm van een grote pan geschikt, en aan de rand kwam de tekst: Waar is het dekseltje? In de kaart zelf stond 'Happy Thanksgiving'. Ze liet er honderdvijftig drukken, voor haar familie, vrienden en kennissen, en haar collega's. Ze deed er een geprint briefje bij waarin ze vertelde hoe het haar verging, en ze zorgde ervoor vooral activiteiten te vermelden die met haar persoonlijke merk te maken hadden (zoals dat ze voor een moeilijke kookcursus was geslaagd). Ze vertelde alles op een grappige manier, wat paste bij Gevat.

Maar de kaart was nog niet klaar om verstuurd te worden! Op iedere kaart schreef ze een persoonlijke boodschap, en daar was ze drie weken lang iedere avond een uur mee bezig. In de persoonlijke boodschap vroeg ze heel direct of de ontvanger een afspraakje kon regelen. Het zag er zo uit:

Lieve Sandy,

Vind je je nieuwe baan nog leuk? Het klonk mij in ieder geval geweldig in de oren! Ik wil je een gunst vragen. Dit jaar wil ik graag een leuke man vinden om met hem de rest van mijn leven door te brengen. Ken jij nog een single die je aan mij zou kunnen voorstellen? Ik zou het zeer op prijs stellen. Bel me op nummer 012-3456789.

Happy Thanksgiving,
Anita

Een andere vrouw, Joanne, stuurde een nieuwjaarskaart met fotootjes van toen ze 3 jaar was, 13, 21 en zoals ze er nu uitzag op haar 38ste. Ze zette de leeftijden er echter niet bij. Op iedere foto lachte ze breed, want in haar slogan stond Levendig. Boven de foto van nu stond 'Dit is mijn jaar!' Ze begon de persoonlijke boodschap in de kaart met: 'Dit is het jaar waarin ik een leuke man wil vinden...'

Met het versturen van kaarten als direct mail bereik je twee belangrijke doelen: je verkondigt je persoonlijke merk geheel of gedeeltelijk, en je vraagt je vrienden een afspraakje voor je te regelen.

Tip

Als je geen tijd of geld hebt om een professioneel ogende kaart te maken voor je direct-mailcampagne, of als je sowieso niet creatief bent, of het onplezierig vindt je foto op een kaart af te drukken, kun je overal voorgedrukte kaarten krijgen. Kies een kaart uit met een afbeelding of concept dat bij je persoonlijke merk past. Je kunt ook op internet zoeken naar e-cards. Of kijk eens bij www.Find AHusbandAfter35.com.

Cynthia had een geweldig idee. Zo beschreef ze me haar kaart voor de direct-mailcampagne:

'De meeste mensen die ik ken hebben het druk. Ik wilde het hun gemakkelijk maken om iets voor me te regelen, mochten ze iemand weten. Dus stopte ik een antwoordkaart bij mijn kaart, met een gefrankeerde envelop aan mij geadresseerd. Op die kaart stond een checklist zoals deze:

– Ja! Bel me! Ik ken iemand die je graag zou willen ontmoeten.
Hij is mijn:
– dokter
– tandarts
– loodgieter
– accountant

- buurman
- neef
- kapper
- makelaar
- ex-vriend
- instructeur
- vrijwilliger
- vader
- collega van mijn man
- vriend
- vriend van een vriend
- anders

- Nee, het spijt me, ik kan niemand bedenken, maar ik houd mijn ogen open!

Met deze antwoordkaart maakte ik het niet alleen makkelijk voor iemand die iets voor me wilde regelen, ik liet ook zien dat ik een fijnmazig net uitwierp. Ik verstuurde negentig kaarten, en binnen drie maanden kreeg ik veertien antwoordkaarten terug van personen die iets voor me konden regelen. Het werkte echt – ik was overdonderd!'

Mond-tot-mondreclame

Mond-tot-mondreclame is een krachtig middel om mee te adverteren, maar je hebt het niet zelf in de hand. Het gebeurt wanneer iemand een product heeft geprobeerd dat hem beviel en er dan zijn kennissenkring over vertelt. Bij *Het Programma* kun je dat net als in de zakenwereld niet zelf initiëren, maar je kunt wel je best doen om het aan te moedigen. Hoe? Eerst selecteer je tien mensen van wie je weet dat ze een uitgebreide kennissenkring hebben, zodat je boodschap wijd verspreid wordt. Deze tien mensen (vrienden, familie, collega's, kennissen etc.) zijn een subgroep van degenen die je een direct-mailkaart stuurt, en ze moeten je kaart al hebben gekregen. Het is dus een poging zelf het effect van de kaart te vergroten bij mensen die je kaart al hebben gezien.

Deze methode is vooral geschikt bij mensen die je niet rechtstreeks zouden benaderen om een afspraakje voor je te regelen, zoals bijvoorbeeld je collega's. Je moet je merk subtiel aan de man brengen en dan een forse hint geven dat je graag iets geregeld zou zien. Geef jezelf twee weken om de boodschap aan deze tien mensen over te brengen. Je kunt alleen maar hopen dat ze het oppikken en de boodschap doorgeven aan anderen, die dan rechtstreeks een afspraakje kunnen regelen, of indirect via vrienden die een vrijgezel kennen.

De beste manier om je te laten zien hoe het werkt, is aan de hand van het voorbeeld van Ellen, die het zo aanpakte:

Casestudy: Een dag uit het leven van Ellens mond-tot-mondcampagne

Achtergrond

Ellen is negenendertig jaar oud en haar persoonlijke merk is Architect, Charmant, Internationaal. Ze koos voor Architect omdat ze dat is, en omdat het geen alledaags beroep is. Charmant was naar aanleiding van de feedback die ze van vier mensen kreeg tijdens Stap 5 (Branding). Dat was haar aantrekkelijkste karaktertrek. Ze kon met iedereen overweg, maakte altijd een goede indruk en liet mensen voelen dat ze belangrijk voor haar waren. Ze koos voor Internationaal als derde kenmerk, omdat ze in vier landen in Zuid-Amerika en Azië had gewoond; een nogal ongewoon aspect voor een Amerikaanse vrouw. Bovendien creëerde ze zo een fijnmazig net omdat het ook buitenlanders aansprak.

Hoe Ellen voor mond-tot-mondreclame zorgde

Eerst koos ze tien mensen uit die een grote kennissenkring hadden en die haar waarschijnlijk aan singles konden voorstellen. Ze besloot dat ze iedere dag, twee weken lang, een van de tien zou aanschieten om over haar persoonlijke merk te vertellen. Ze laste vier extra dagen in, omdat ze misschien met sommigen niet meteen contact kon maken. Natuurlijk moest ze subtiel zijn; ze kon niet zomaar op iemand afstappen en zeggen wat haar persoonlijke merk was. Ze liet dus af en toe een opmerking vallen. Op een dag liep ze bijvoorbeeld na de lunch met een collega terug naar kantoor, toen ze een schitterend handtasje in een etalage zagen. Ellen zei: 'Toen ik nog in Argentinië woonde, zag ik daar net zulke tasjes, die nog niet de helft van deze kosten.' 'O?' reageerde haar collega. 'Ik wist niet dat je in Argentinië had gewoond.' 'Ja,' zei Ellen. 'En in nog drie andere landen ook! Ik ben heel internationaal.'

Later tijdens het gesprek vertelde Ellen over het telefoontje dat ze de vorige avond van een vriendin had gekregen. Ze verwoordde haar reclameboodschap heel subtiel: 'Ik had gisteren mijn vriendin Melissa aan de telefoon, en ze zei dat ze me wilde voorstellen aan een man die bij haar op de cursus zit. Ze had hem verteld dat ik een charmante architect ben met een internationale achtergrond. Hij zei dat hij zo iemand graag zou ontmoeten, en ik wacht met spanning op een telefoontje van hem.' In één zin heeft Ellen haar collega laten weten hoe anderen haar beschrijven. 'Trouwens,' ging Ellen verder, alsof ze er nu pas aan dacht, 'weet jij geen single die je aan me kunt voorstellen?'

Tijdens dit gesprek met haar collega gebruikte ze mond-tot-mondreclame voor haar merk; ze vertelde dat ze een internationale achtergrond had en gebruikte haar vriendin Melissa om haar slogan te verwoorden: Internationaal, Charmant, Architect. Ellen vertelde ook dat ze openstaat voor afspraakjes toen ze het over Melissa had die haar wilde voorstellen aan de man van haar cursus. Daarna sloeg ze toe en vroeg of haar collega geen single kende.

Als Ellens collega een vrijgezel kent of er binnenkort een ontmoet en bereid is hem aan Ellen voor te stellen, dan is het zaad gezaaid; de collega weet hoe ze Ellen moet beschrijven. Natuurlijk heb je geen controle over wat anderen over je zeggen, vooral wanneer je er niet bij bent, maar Ellen had haar best gedaan door met mond-tot-mondreclame subtiele aanwijzingen te geven.

Als je niet je merk van de daken wilt schreeuwen, hoe moet je dan de mensen bereiken die eventueel iets voor je kunnen doen? Je moet zoeken naar een gelegenheid tijdens een gesprek en ze dan op de hoogte stellen van de drie eigenschappen die jou uniek maken.

Imagebuilding

Bij Stap 3 (Packaging) heb je geleerd dat het image dat een product door middel van de verpakking verspreidt, heel belangrijk is. Je bent nu klaar om je merk consequent in de markt te zetten door je packaging te perfectioneren, en alles op één lijn te brengen met je persoonlijke merk. Als je niet consequent bent, zend je verschillende boodschappen uit en weet de consument niet meer waar je voor staat. Gebruik deze checklist om een effectief image te creëren voor je reclamecampagne.

Checklist:

- Kleding: Zie je eruit als een nerd? Een kunstenaar? Een verpleegster? Is dat in overeenstemming met je persoonlijke merk? Als je slogan bijvoorbeeld is 'Intellectueel, Katholiek, Verpleegster', dan kun je misschien beter geen leren minirokje en doorzichtige blouse dragen, maar wel een gewone zwarte broek met een zacht truitje.
- Bril: Wat zegt je bril of je zonnebril over je? Conservatief? Artistiek? Tuttig? Als je slogan bijvoorbeeld is 'Creatief, Rood haar, Grafisch ontwerper' kun je misschien beter geen bril met grote ronde glazen zoals Harry Potter dragen, maar wel een trendy bril met rood glittermontuur.
- Accessoires: Wat voor schoenen, hoeden en sieraden draag je? Als je slogan bijvoorbeeld is 'Diepblauwe ogen, Veluwe, Paardenfokker', kun je beter geen hoge naaldhakken dragen, maar wel leuke laarzen.
- Decor: Horen je auto, je sleutelring, de foto's in je portemonnee en je tas bij je merk? Als je slogan bijvoorbeeld is 'Spontaan, Modieus, Snel', kun je misschien beter geen veilige Volvo rijden, maar een sportwagentje.
- Gespreksonderwerpen: Heb je gesprekken die je merk versterken? Als je slogan bijvoorbeeld is 'Avontuurlijk, Braziliaanse,

Arts', kun je op je eerste afspraakje beter niet over koekjes bakken of aquarelleren praten, maar wel over je tocht door het regenwoud van het Amazonegebied, en je laatste reis naar São Paulo om medicijnen te brengen.

- Antwoordapparaat: In Stap 3 (Packaging) heb je gekeken of de boodschap die je op je antwoordapparaat hebt ingesproken, wel vrouwelijk was (en op je mobieltje en je voicemail op kantoor). Luister er nu nog eens naar. Klinkt het opgewekt? Intrigerend? Gevat? Als je slogan bijvoorbeeld is 'Gevat, Limburg, Lerares', kun je misschien beter geen zakelijk bericht vol grammaticale fouten inspreken, maar wel een grapje over waarom je de telefoon nu niet kunt opnemen, met je mooiste zachte g.
- E-mailadres: Wat voor image straalt je e-mailadres uit? Gebruik dat om je merk te versterken. Als je slogan bijvoorbeeld is 'Lief, Hartstochtelijk, Binnenhuisarchitect', kun je een e-mailadres hebben als MiekeSmit@xxx.com, maar het is beter een nieuw adres aan te maken zoals LiefBinnenhuis@xxx.com.

Aanpassingen maken

Hoewel je je reclame in overeenstemming moet brengen met je persoonlijk merk, is er nog iets wat ik onder je aandacht moet brengen. Er is niets mis mee om je boodschap zo te brengen dat die mannen emotioneel aanspreekt. Een goede marketeer kijkt eerst naar wat de consument wil, daarna ontwerpt hij een product dat daaraan voldoet. Iedereen heeft zijn of haar unieke emotionele kanten, en een man kan zich in eerste instantie tot je aangetrokken voelen door je persoonlijke merk, maar het is iets emotioneels dat ervoor zorgt dat de kennismaking een vervolg krijgt. Een gescheiden man die een vrouw had die hem bedroog, zal bijvoorbeeld een nieuwe vrouw willen die trouw is en die hij kan vertrouwen. Dus als je een man beter leert kennen en erachter komt waar hij op emotioneel gebied naar zoekt, kun je je reclameboodschap subtiel op hem afstemmen door er een vierde karaktertrek aan toe te voegen, mits het de waarheid is. In dit geval zou je Trouw kunnen kiezen – als dat bij je past – want dat is waarnaar de man in dit geval verlangt. De vierde karaktertrek kan bij iedere man met wie je uitgaat anders zijn. Het is een bekende marktstrategie: 'Zoek de wens en probeer die te vervullen!'

Maar je moet natuurlijk wel eerlijk blijven, niet alleen tegenover jezelf, maar ook tegenover hem. Kun je hem echt wel geven wat hij wil? Als je bazig bent en de vorige relatie van de man is stukgelopen omdat hij zijn vriendin te dominant vond, dan pas je waarschijnlijk niet goed bij hem. Hij voelt zich misschien meer op zijn gemak bij een passief type. Zorg dat je reclameboodschap de waarheid vertelt, want leugens komen altijd uit. Als je foute informatie verstrekt, verspil je je tijd aan een verhouding die toch dood zal bloeden.

Het is handig om bedenken hoe je je image aan kunt passen voordat je dat op je volgende afspraakje probeert te doen. Stel eens een lijstje op van drie mannen, bijvoorbeeld ex-vriendjes, iemand met wie je pas bent uitgegaan of zelfs je ex-man. Stel vast waar iedere man op emotioneel gebied behoefte aan had. Kijk dan naar het lijstje met eigenschappen dat je bij Stap 5 (Branding) hebt opgesteld om te zien of je beschikt over de eigenschappen waaraan de drie mannen behoefte hebben. De lijst van mijn cliënt Nora zag er zo uit:

Naam	Waar hij op emotioneel gebied behoefte aan had	De karaktertrek waarover ik (eventueel) beschik die daarbij past
Colin	Iemand die van hem houdt om wie hij is, niet omdat hij rijk is	Niet materialistisch
Michael	Een stabiele vrouw, geen onredelijke	Volwassen, consistent
Sam	Iemand die hem bemoedert, voor hem zorgt	Geen (ik ben geen verzorgend type)

Zodra Nora erachter was dat Colin het meest behoefte had aan iemand die van hem hield om wie hij was en niet om zijn geld, had ze haar best kunnen doen duidelijk te maken dat ze niet materialistisch was. Dit kan vaak al met een gebaar. Wanneer ze samen zouden uitgaan, had ze een lange wandeling of een picknick kunnen voorstellen in plaats van gaan eten in een duur restaurant. Ze zou kunnen zeggen dat ze gek was op een Mars, in plaats van het over dure bonbons te hebben. Het zou makkelijk voor haar zijn om dit soort dingen te benadrukken omdat ze echt niet materialistisch is. Ze vertelde me dat ze dacht dat het verschil zou hebben gemaakt als Colin al vroeg had geweten dat ze niet om geld en goederen geeft. Helaas belde Colin haar niet meer, dus had Nora geen gelegenheid hem die karaktertrek te laten zien.

Wat leer je hiervan? Probeer zo vroeg mogelijk uit te vinden waaraan hij behoefte heeft en waar hij gevoelig voor is, kijk of je daaraan kunt voldoen, en indien dat het geval is, kun je je reclameboodschap aanpassen. Ik denk dat een man die wil trouwen, op zoek is naar een vrouw die in emotioneel opzicht bij hem past, en dat hij al snel besluit haar nog eens te bellen of niet. Dat besluit maakt hij waarschijnlijk op basis van de eerste indrukken die misschien toevallig zijn (bijvoorbeeld een gebaar of opmerking die misschien iets duidelijk maken over haar ware persoonlijkheid).

Nadat je Nora's lijst hebt bestudeerd, stel je zelf een lijst op van drie mannen die je kent en hun emotionele behoeftes. Denk er een tijdje over na. De volgende keer dat je een afspraakje hebt, oefen je met gebruik van je opgedane kennis om iets aan je image te doen (dat wil zeggen, je probeert hem te laten weten dat je aan zijn belangrijkste emotionele behoefte kunt voldoen). Misschien moet je een soort detective zijn om erachter te komen waaruit die behoefte bestaat. Vaak komt die behoefte voort uit een reactie op zijn laatste vriendin, zijn moeder of ex-vrouw. Het kan ook voortkomen uit positieve relaties die hij met vrouwen heeft gehad. Of soms ligt het aan zijn eigen onzekerheid. Maar de meeste mannen hebben een behoefte waar je al vroeg achter zou moeten komen (op de eerste paar afspraakjes). Indien je aan zijn behoefte kunt voldoen, moet je hem dat subtiel laten weten. Als je er niet aan kunt voldoen, moet je hem dat ook laten weten. Je wilt je tijd niet verspillen.

Het merk terughalen

Wanneer je de adverteermethoden probeert die je in dit hoofdstuk hebt leren kennen, zul je al snel zien of je een goed merk hebt gekozen of niet. Mensen zouden je merk gemakkelijk moeten herkennen en het accuraat aan anderen doorvertellen. Natuurlijk moet je merk geloofwaardig klinken. Als je een karaktertrek hebt gekozen die niet overeenkomt met hoe jij jezelf ziet of hoe anderen je zien, zul je dat tijdens deze stap gauw merken. De eerste aanwijzingen dat er iets niet klopt, is als mensen verbaasd reageren wanneer je je merk beschrijft, of het zich niet kunnen herinneren. Misschien klopt de karaktertrek wel in de basis, maar heb je een uitdrukking gebruikt die moeilijk te onthouden is. Als je bijvoorbeeld Rubensiaans hebt gekozen en erachter komt dat mensen je beschrijven als Dik, is die uitdrukking te hoog gegrepen.

Als je tijdens deze stap merkt dat je een ongeschikt merk hebt (niemand herinnert zich de reclameboodschap), ga dan terug naar Stap 5 (Branding) en breng de noodzakelijke veranderingen aan voordat je verder gaat met de drie reclametactieken die ik in dit hoofdstuk heb beschreven.

Hoe weet je of je merkt het goed doet?

Je weet het wanneer je merk het niet goed doet (mensen zijn er bijvoorbeeld verbaasd over, ze herinneren het zich niet of het trekt het verkeerde soort mannen aan). Je weet dat je merk het wel goed doet wanneer het tegenovergestelde gebeurt (mensen reageren enthousiast wanneer ze over je merk horen omdat ze jou erin herkennen, ze herinneren zich je merk goed en het merk spreekt de juiste mannen aan). Je merkt dat mensen je meevragen naar een bepaald soort evenementen of je betrekken bij een gesprek dat relevant is voor een van je merkeigenschappen.

Anne (die je kent uit Stap 4: Uitbreiding van de markt) koos Lange wandelingen als onderdeel van haar merk. Op een dag belde ze me enthousiast op (voordat ze Phil had leren kennen) om me dit te vertellen: 'Ik liep op mijn werk door de gang. Er stonden een paar collega's te praten. Een man riep me en zei:

"Anne, kom eens! We hebben het net over Joe's tocht naar Pikes Peak. Dit moet je horen!" Het werkt dus echt! Niemand op mijn werk wist dat ik van wandeltochten hou totdat ik een maand geleden reclame begon te maken voor mijn merk. Kennelijk luisteren ze ernaar, en wanneer ze een verhaal over trektochten horen, denken ze aan mij. Misschien nodigt iemand me nog eens voor zo'n tocht uit, en ontmoet ik leuke mensen.'

Je hebt Stap 6 gezet en bent klaar voor Stap 7 als je:

1. je op je gemak voelt wanneer je je persoonlijke merk promoot;
2. persoonlijke kaarten hebt gemaakt en verstuurd voor je direct-mailcampagne om je merk te adverteren en mensen hebt gevraagd iets voor je te regelen;
3. subtiel mond-tot-mondreclame kunt maken en je persoonlijke merk bij tien verschillende mensen hebt gepromoot gedurende twee weken;
4. je image in overeenstemming hebt gebracht met je persoonlijke merk aan de hand van de checklist in dit hoofdstuk;
5. geprobeerd hebt op je eerstvolgende afspraakje je reclameboodschap aan te passen;
6. het niet nodig is je merk terug te roepen.

Hoofdstuk 7

Stap 7: On line marketing: wees Efficiënt

Wat ik op de Harvard Business School leerde

Als je in het zakenleven succes wilt hebben, moet je je product efficiënt verkopen. Dat betekent dat je je product en je boodschap zo snel en kosteneffectief mogelijk aan zoveel mogelijk mensen bekend moet maken. Bedrijven hebben gemerkt dat het internet een efficiënte manier is om producten te slijten. De on line markt heeft een groot publiek en kost weinig; je kunt er gewoon niet omheen. Waar anders bereik je voor bijna niets zo'n grote groep mensen? Waar anders kun je op verschillende locaties een virtuele etalage inrichten, 24 uur per dag bestellingen noteren en verschillende boodschappen doen uitgaan naar verschillende groepen mensen (en meteen weten welke boodschap effect heeft en welke niet)? On line kun je je zakelijke kennis beter gebruiken dan waar ook en je hoeft niet diep in de marketingbuidel te tasten. Maar in deze gigantische cyberwereld is succes niet verzekerd. Zoals altijd moet je gebruikmaken van slimme marketingtechnieken, aangepast aan de nuances van het on line zaken doen.

Waarom on line dating cruciaal is na je vijfendertigste

Sommigen weten het natuurlijk allang; jullie hebben al on line afspraakjes gemaakt en kennen de voordelen (en nadelen) daarvan. Anderen (vooral als je boven de vijftig bent) vinden het internet eng en vreemd. Of misschien vind je mensen die on line naar een partner op zoek gaan wanhopige losers. Of heb je negatieve verhalen gehoord van mensen die er ervaring mee hebben.

Maar ik vind het dom van je als je niet meteen on line gaat zoeken. Het is het beste wat je kunt doen als je de kans op een partner wilt vergroten. On line dating wordt alom geaccepteerd, het is populair en wordt door vrouwen en mannen van alle leeftijden gebruikt. Ongeveer de helft van de mensen die tegenwoordig on line zijn, is boven de dertig. En belangrijker nog, ongeveer 53 procent van de opstellers van persoonlijke advertenties op internet is op zoek naar een serieuze relatie. Voor vrouwen van boven de vijfendertig is het een absolute must! Als je maar één stap uit *Het Programma* wilt zetten, dan zou het deze moeten zijn. Nu weet je dat ik er echt een groot voorstander van ben. Je leest dit boek toch omdat je iets aan je situatie wilt veranderen? Nou dan, on line dating is een krachtig medium.

Ik kan de vrouwen niet eens meer tellen die bij me kwamen en zeiden: 'Ik heb on line dating geprobeerd, maar het werkt niet.' Bij ieder van hen kwam ik erachter dat het niet werkte omdat ze het niet op de goede manier gebruikten. In dit hoofdstuk leer je hoe je het wél moet doen.

Maar voor degenen die nog steeds huiverig staan ten opzichte van on line dating, wil ik nog even vertellen waarom ik het als cruciaal beschouw:

1. *Aantallen:* er is geen andere manier om zo snel en gemakkelijk grote aantallen mannen te bereiken. Als je in een grote stad woont, kun je op een on line datingsite wel 20.000 single mannen vinden die binnen een straal van 25 kilometer van jou wonen... en allemaal willen ze jou graag leren kennen!
2. *Snel:* voor degenen die haast hebben met een ontmoeting en het erg druk hebben, is on line dating supersnel. Je leert veel mannen kennen en kunt met hen chatten.
3. *Goedkoop:* het is goedkoper je in te schrijven bij een on line datingservice dan bij een ander soort bemiddelingsbureau.
4. *Gemakkelijk:* als je moe bent na een lange dag werken (op kantoor of als alleenstaande moeder thuis) kun je ontspannen kijken wie er beschikbaar is terwijl je heerlijk thuis zit. En je hoeft niet alleen in het weekend mannen te ontmoeten; je kunt overdag met hen omgaan, zelfs vanuit je werk. On line dating is dag en nacht open. Je kunt je oudste trainingspak erbij aantrekken! Je kunt zelfs je mobieltje gebruiken om on line afspraakjes te maken. De drukbezette *Programma*-vrouw kan sms-jes uitwisselen terwijl ze vastzit in de file of in de vergaderzaal zit.

5. *Fijnmazig net:* dit is echt een fijnmazig net. Bij on line dating kun je in contact komen met mannen die je anders nooit zou ontmoeten. Je kunt de anonimiteit van het Net gebruiken om eens rond te snuffelen bij andere soorten mannen.

6. *Niet per se oppervlakkig:* eigenlijk is dit een oude manier om contact te leggen. Mannen en vrouwen gebruiken het geschreven woord om elkaar eerst beter te leren kennen. Natuurlijk zie je in het begin zo'n fotootje van elkaar, maar uiterlijk mag geen belemmering zijn om elkaar beter te leren kennen. Je kunt wat diepgaander met iemand omgaan (gevoelens, gedachten), niet per se alleen oppervlakkig (uiterlijk).

Tip:

Geen smoesjes meer. Zoals je bij de vorige stappen al hebt gezien, is er in Het Programma geen plaats voor smoesjes. Heb je geen computer? Koop er dan een van het geld dat je op de speciale rekening hebt gezet, blijf na werktijd op kantoor, ga naar de bibliotheek, ga naar een vriendin of naar een internetcafé. Weet je niet hoe je de foto voor je profiel moet scannen? Er zijn sites die daar stap voor stap instructies voor geven. Ik ben niet erg technisch aangelegd, en ik kon het in vijf minuten voor een van mijn cliënten. Vraag iemand je te helpen, of stuur een foto per post (de meeste sites bieden daar de mogelijkheid toe).

7. *Beter gemiddelde:* wist je dat meer mannen dan vrouwen gebruikmaken van on line dating? Het zal nog wel veranderen, maar op het ogenblik ligt de verhouding 55 procent mannen tegen 45 procent vrouwen. Omdat de gemiddelde verhoudingen met betrekking tot single mannen na je vijfendertigste niet in jouw voordeel uitvallen, zou je wel gek zijn om je kansen niet on line te vergroten.

8. *Anoniem:* mannen kunnen je mailen, maar ze weten nooit je echte naam, je echte e-mailadres, of iets van jou dat je niet zelf in je profiel hebt gezet. Dat heet dubbelblind mailen. Sommige datingsites hebben ook een service voor dubbelblind telefoneren, waarbij je anoniem per telefoon afspraakjes kunt maken. Natuurlijk ben je niet helemaal anoniem als je je foto op de site

hebt gezet, maar niemand kan erachter komen waar je woont of wie je in werkelijkheid bent als je daar geen toestemming voor geeft. Je kunt zelf beslissen of je wilt reageren, over wat je de ander wilt laten weten over jezelf en over wanneer en waar je iemand wilt ontmoeten.

Ik heb je acht goede redenen gegeven om vandaag naar een on line datingsite te gaan. Denk je nog steeds dat het een wanhoopsdaad is om on line een berichtje te posten? Ik begrijp dat je er misschien aarzelend tegenover staat omdat het zo onbekend is, maar wanneer je de stap eenmaal hebt gezet, vergeet je dat, en zul je beseffen dat het er tegenwoordig nu eenmaal bij hoort. De interessante mannen die je kunt ontmoeten hebben ook allemaal de stap gezet om on line te gaan, dus jullie zitten allemaal in hetzelfde schuitje. Mijn cliënten vertellen me hoe goed het voor het ego is als er allemaal mailtjes binnenfloepen van mannen die meer over hen willen weten. Aarzel je nog? Ga dan terug naar Stap 1 en vraag je af of je er alles voor overhebt om een man te vinden, mits het door de beugel kan en niet strafbaar is. Deze tactiek is niet eens de ergste (wacht maar tot je bij Stap 10 komt: Telemarketing!). Laatst las ik in de krant: 'De enige reden waarom het zo lang duurde voordat on line dating een succes werd, is dat we in onze cultuur denken dat liefde je overkomt – dat het lot het zo beschikt en je er zelf niet de hand in hebt.' Nou, hier is dan *Het Programma*!

Het doel van on line dating

Er zijn vier dingen waarop je je aandacht moet richten als je succes wilt hebben met on line dating. Vergeet ze niet als je je in cyberspace begeeft:

1. *Wees uniek:* omdat er zo veel vrouwen gebruikmaken van on line dating, moet je proberen eruit te springen.
2. *Wees intrigerend:* mannen surfen snel door de profielen heen. Je moet intrigerend zijn zodat hij langer bij het jouwe blijft hangen, meer van je wil weten en contact met je maakt na een vluchtige blik op je foto.

3. *Zorg voor volume:* hoe meer mannen naar je schrijven, des te meer keus je hebt. Je wilt de bal op jouw helft hebben. Later in dit hoofdstuk hebben we het over de vraag of het in orde is dat jij eerst schrijft.
4. *Wees efficiënt:* on line dating kan veel tijd kosten. Je moet strategieën ontwikkelen om snel door de hoeveelheid mannen te bladeren en een goede keus te maken. Ga naar een datingsite met een goede, geavanceerde zoekmachine. Ga on line daten wanneer je er tijd voor hebt, post je profiel dus niet als het op je werk de drukste tijd van het jaar is.
5. *Vind een man:* Natuurlijk!

Marktonderzoek

Ja, alweer! Ik hoop dat je er nog niet genoeg van krijgt zoveel tijd in goede research te stoppen, want dat is altijd cruciaal wil een zaak tot een goed einde worden gebracht. Je moet nieuw onderzoek verrichten om belangrijke informatie te verkrijgen over de concurrentie. Je moet de on line markt leren begrijpen. Wat is er allemaal? Wat is goed en waar heb je niets aan? Dat betekent dat je nogal wat tijd achter je computer zult moeten zitten (misschien wel twee uur of meer) terwijl je bladert door de verschillende profielen van zowel mannen als vrouwen op de on line datingsite.

Ik stel voor dat je met een grote on line datingsite begint omdat je daar de meeste mensen aantreft die je onder de loep gaat nemen. Dat onderzoek is trouwens helemaal gratis. Op de meeste datingsites kun je de profielen voor niets bekijken; je betaalt pas iets als je besluit met een van de ingeschrevenen te corresponderen. Log eerst in als man die op zoek is naar een vrouw. Je wilt weten of er veel profielen van vrouwen zijn van tien jaar ouder en jonger dan jij bent, en je moet je postcode intikken. Kijk minstens een uur naar de profielen van vrouwen die op je scherm verschijnen. Als je een man was, wat zou je dan bevallen en wat juist niet? Waarom springt die ene vrouw eruit? Waarom las je dat ene profiel aandachtiger dan het andere? Schrijf je conclusies op.

Herhaal je onderzoek, maar nu met een andere postcode. Probeer de postcode van grote steden om de meeste profielen te kunnen bekijken en zoek binnen een straal van vijftig kilometer. Je wilt weten welke creatieve benaderingen vrouwen in andere regio's hebben. Ga dan terug naar de homepage en log in als vrouw die een man zoekt. Nu moet je kijken naar wat de mannen hopen aan te treffen. Het zal je verbazen, kijk zelf dus maar. Zetten de mannen zich op dezelfde manier in de markt als de vrouwen? Wat is het verschil? Hoe beschrijven mannen de vrouw naar wie ze op zoek zijn? Bekijk minstens een uur de profielen van de mannen en schrijf op wat je hebt geleerd.

Ook als je al gebruikmaakt van on line dating, is het belangrijk om je kennis van het medium te vergroten en te verdiepen. Het verandert snel en er zijn subtiele nuances waardoor je je kans op succes kunt vergroten.

Hoe on line resultaat te behalen

Het Programma werkt volgens het principe van de grote getallen, dus wil je zijn waar de meeste mannen zijn. www.volkskrant.nl/single, www.iwannadate.nl en www.relatieplanet.nl zijn drie sites voor zoekende singles. Schrijf je hier dus in. Zo heb je een maximale kans om een partner te vinden door je net uit te werpen daar waar de meeste mannen zijn. Kosten en voorwaarden bij bemiddeling vind je op betreffende sites.

Je profiel dient te bestaan uit een schuilnaam, een foto, een beschrijving van jezelf en een beschrijving van het soort man dat je zoekt. Je belangrijkste strategie bestaat eruit dat je de informatie zo brengt dat je wordt opgemerkt door surfende mannen. De meeste mannen aan wie ik het heb gevraagd, gaan op ongeveer dezelfde wijze te werk wanneer ze een datingsite bezoeken. Ze gebruiken een tamelijk eenvoudige manier om erachter te komen welke vrouwen in aanmerking komen om een reactie aan te sturen. Ze: 1. tikken de leeftijdscategorie in van de vrouwen die ze willen ontmoeten, en de regio; 2. kijken naar de foto (Vind ik haar aantrekkelijk?); en 3. kijken naar haar schuilnaam en trefwoord (Interessant genoeg om verder te lezen?). Als het antwoord op vraag 2 en 3 bevestigend is, lezen ze meer over de vrouw (haar profiel en 'zijn' profiel, dat wil zeggen: waarnaar ze op zoek is) en besluiten dan om wel of niet met haar via e-mail contact op te nemen. Dus om resultaat te behalen, moet je je foto, schuilnaam en trefwoord, jouw profiel en 'zijn' profiel goed in de markt zetten.

Je foto

Laten we met het belangrijkste beginnen: je foto. Ik zou willen dat het niet zo was (neem het me dus niet kwalijk) maar mannen zijn sterk visueel aangelegd en je uiterlijk is dus van het grootste belang. Je foto is het eerste screeningmechanisme wanneer een man zoekt.

Bij Stap 3 (Packaging) heb je al gehoord dat het uiterlijk belangrijk is, en dat zul je in je leven ook hebben ondervonden. Wat doe je daarmee? Nou, nadat je tot de conclusie bent gekomen dat mannen oppervlakkig zijn, zorg je ervoor dat je de aller-, aller-, allerbeste foto van jezelf gebruikt! Misschien heb je geen recente foto waar je geweldig op staat, dus besteed er geld (van je marketingbudget) en tijd aan en laat er eentje maken door een beroepsfotograaf (duur) of in een fotostudio (iets minder duur), of misschien ken je iemand die goed kan fotograferen (bijna gratis).

Voor de fotosessie trek je iets leuks en vrouwelijks aan (geen schoudervullingen; niets zakelijks) in een kleur die goed bij je haar en ogen past (geen wit, dan ga je op in de achtergrond), je laat je kappen en opmaken (of je doet het zelf, maar trek er dan ten minste een uur voor uit). Een portret waarop je zelfverzekerd en warm lacht, is perfect. Neem geen foto waar je van top tot teen op staat, dan kan niemand je gezicht goed zien. De foto komt in eerste instantie heel klein op het scherm, dus als je er van top tot teen op staat, is je gezicht zo klein als een speldenknop! Ook al heb je een goed figuur, dit is niet de plaats om dat te laten zien (je zoekt een vaste partner, niet een man voor één nacht). Dus geen zwoele blikken en geen diep decolleté.

Al deze elementen zijn van vitaal belang voor een effectieve foto op internet. Je moet snel een positieve indruk maken, want surfende mannen komen in een paar seconden tot het besluit meer te lezen of verder te klikken. Je hoeft niet mooi te zijn om een goede foto van jezelf te krijgen (op ieder potje past een dekseltje, zoals het spreekwoord zegt), maar besteed er tijd en moeite aan zodat je er op je best op uitziet.

Ik hoor de protesten al: 'Maar moet ik er niet uitzien zoals ik ben? Ik wil er niet te mooi uitzien op de foto, zo zie ik er maar heel af en toe uit. Ik wil niet dat hij teleurgesteld is wanneer we elkaar voor het eerst ontmoeten en ik er gewoon uitzie.' Je hebt groot gelijk! Daarom gebruik je niet maar één foto, maar een paar. De meeste sites hebben een foto voor bij je profiel (daarvoor gebruik je je 'mooie' foto), en meestal kun je doorklikken voor meer foto's. Hier zet je de andere foto's op, die waar je er meer uitziet zoals je dat gewoonlijk doet.

Maar je moet natuurlijk een goede eerste indruk

Tip:

Een overzicht van do's en dont's met betrekking tot je on line foto:

Goed:

- Gebruik een mooie foto voor bij je profiel
- Laat je kappen en opmaken voor deze foto
- Zie er vrouwelijk uit
- Lach warm en zelfverzekerd
- Draag iets met een sprekende kleur
- Gebruik twee of drie foto's waar je goed op staat voor de back-up
- Integreer je merk in de back-up-foto's, indien mogelijk

Fout:

- Draag zakelijke of mannelijk aandoende kleding
- Draag 'blote' kleding
- Kijk zwoel
- Neem een foto waar je kinderen of huisdieren ook op staan
- Gebruik een foto waar je van kop tot teen op staat
- Gebruik wazige foto's
- Gebruik een foto waarop je rode ogen hebt

maken, dus ook deze foto's moeten goed zijn. Je hoeft je er niet voor te laten kappen en opmaken zoals bij die andere foto, maar ze moeten wel gewicht in de schaal leggen. Als je te zwaar bent, kun je denken aan een foto waar je geheel of bijna helemaal op staat, zodat hij weet wat hij kan verwachten. Zorg dat de foto's scherp zijn en dat je er geen rode ogen op hebt. Je kunt goede reacties krijgen op een set foto's die flatterend en realistisch zijn. Vergeet ook je persoonlijke merk niet. Je foto's moeten in overeenstemming zijn met je kenmerken; een foto van jezelf op de golfbaan is uitstekend als er Golf in je slogan staat, foto's op een besneeuwde helling zijn prima voor de Skiliefhebber, en foto's van jou bij de boekenkast passen goed bij de Intellectueel.

Ik raad je niet aan foto's te gebruiken waar je met je kinderen of je huisdieren op staat. Denk eraan dat je een fijnmazig net uitwerpt en veel geschikte reacties wilt krijgen om een grote keus aan mannen te hebben. Stel dat je een foto van jou met je hond hebt gepost, en De Ware ziet dat; hij vindt je leuk, maar hij houdt niet van honden. Misschien zeg je nu: 'Maar dan is hij voor mij De Ware niet!' Maar als hij je had leren kennen en meteen verliefd op je werd, zou hij ook wel gesteld zijn geraakt op je hond. Misschien houdt hij niet van honden in het algemeen, maar hij kan van jouw hond gaan houden. Werp geen barrières op die De Ware bij je uit de buurt kunnen houden.

Terminologie

Voor het geval je nieuw bent op internet, je schuilnaam (of gebruikersnaam) is de naam die je op het internet gebruikt om je privacy te beschermen en e-mail te ontvangen. Je trefwoord (of tag line) is een kort zinnetje dat boven je foto komt te staan en dat in een oogwenk iets over je zegt. De meeste sites staan een maximum van (meestal) vijftien tekens toe voor een schuilnaam, en (meestal) honderdvijfentwintig voor je trefwoord, dus je moet beknopt zijn.

Je schuilnaam

Jullie hebben allemaal Stap 5 gezet, dus jullie begrijpen hoe belangrijk het is je van anderen te onderscheiden. Dit is misschien nog wel belangrijker bij on linedating omdat mannen honderden profielen tegelijk scannen en snel tot een besluit komen. Er is weinig vindingrijkheid op het net, het is veelal saai. Ik ga je leren hoe je door goede marketing eruit springt wanneer de man zijn blik over de pagina's laat gaan.

Hoe spring ik eruit

Wat is slechte marketing? Of, beter gezegd, wat vindt het juiste soort mannen *niet* intrigerend? Schuilnamen die te gewoon zijn (MiekeSmit24) of te onduidelijk (MiesVanderohe), te sexy (Decolletétje) of te zoetig (InHarmonie). En logo's kunnen ook saai zijn (leuke vrouw zoekt leuke man), te cynisch (Zijn er nog trouwe mannen ergens?), te duidelijk op een huwelijk gericht (Op Zoek naar De Ware), te vreemd (Breng me die schoenlepel) of te opschepperig (Intelligent, Mooi meisje). Trouwens, dit zijn allemaal echte schuilnamen en logo's, ik ben ze allemaal op internet tegengekomen!

Wat is goede marketing? Of, wat intrigeert mannen wél? Schuilnamen die uniek zijn (Sterrenstof), intrigerend (Aalsmeerse-Pracht), en aantrekkelijk (AquaOog). Trefwoorden kunnen eruit springen (1 m. 70, Ogen zo blauw), vrolijk zijn (Leven in de brouwerij), humoristisch (Wat krijg je als je Katherine Hepburn en Lucille Ball combineert?) en opwindend (Snel, stroomversnelling, weelderig).

Ga niet te snel te werk om het maar gehad te hebben. Misschien duurt het een paar dagen voordat je iets echt goeds kunt verzinnen. Denk aan je merk, vraag creatieve kennissen om hulp, en kijk nog eens naar de aantekeningen die je hebt gemaakt toen je op internet marktonderzoek deed. Misschien kun je de schuilnaam van een ander persifleren om zo een eigen schuilnaam en logo te creëren.

Je profiel

Het profiel is net een klein opstel waarin je iets over jezelf vertelt. Je hebt bij het schrijven van je profiel een paar dingen voor ogen.

Meestal is een minimum van honderd lettertekens een vereiste, maar tweehonderdvijftig vind ik precies goed (niet te gedetailleerd, maar ook niet te kort). Je zou versteld staan als je wist hoeveel vrouwen duizend tot drieduizend lettertekens gebruiken! Hier onthul je niet je diepste gevoelens, je maakt geen lijst van je voor- en afkeuren, en je hebt het vooral niet over wat je dwarszit. Ik heb al vaak profielen van vrouwen gezien waarin stond: 'Ik moet een paar pondjes kwijt', of: 'Als je denkt dat je mijn tienerdochter aankunt', of: 'Ik ben in mijn leven vaak teleurgesteld'. Werp geen barrière op die mannen niet graag willen nemen. Daar heb je nog alle tijd voor wanneer hij om je is gaan geven. Schrijf ook niet wat *vrouwen* graag willen horen (Ik ben dol op zonsondergangen en knuffelen); als je een man zoekt, schrijf je voor een mannelijk publiek.

Hoe benader je dit nu het beste? Houd het gewoon kort en wees positief en uniek. Probeer bovenal intrigerend te zijn, zodat mannen meer over je willen weten. Hier is een profiel dat me bevalt:

Beschrijf jezelf

Ik ben geen gewone Scheveningse. Ik ga liever naar de schouwburg dan naar het strand, en ik lees liever op zondagmorgen dan dat ik ga fietsen. Het zal je misschien verbazen, maar ik heb vroeger een prijs gewonnen met hoelahoepen! Mannen noemen me: Aantrekkelijk, Creatief en Werelds. Vrienden weten dat ik hun geheimen kan bewaren.

Dit profiel doet veel voor deze vrouw. Het onderscheidt haar van anderen: ze is niet een alledaags type, zegt ze, maar haar hobby's zijn niet zo ongewoon dat ze er veel mannen door zou afschrikken (ze zegt bijvoorbeeld niet dat ze gek is op sumoworstelen of spelen met haar leguaan). Ze richt de aandacht op waarom ze in haar regio niet alledaags is (voor Scheveningen is het misschien bijzonder om naar de schouwburg te gaan en graag te lezen, terwijl dat in Amsterdam veel meer de regel is), en haar interesses klinken oprecht. Dan gooit ze er iets grappigs tussen: niet veel vrouwen hebben met de hoelahoep een prijs gewonnen. Ze gebruikt derden om de aandacht op haar unieke kwaliteiten te richten en blijft zo bescheiden (Mannen noemen me...). En ze eindigt met te zeggen dat ze te vertrouwen is, en dat is geruststellend voor iemand die je via internet leert kennen, en iets wat je graag in een partner ziet. Haar boodschap is niet zoetig en klinkt zelfverzekerd. Persoonlijk zou ik graag meer over haar willen weten!

Probeer niet in algemeenheden te vervallen. Als je hobby's nogal algemeen zijn, zoals lezen of fitness, maak het dan interessanter door details te vermelden. Zeg niet gewoon dat je van lezen houdt, maar zet erbij welke auteurs je vooral op prijs stelt. Maar vergeet niet dat je je op mannen richt, dus noem geen auteurs van typische vrouwenboeken. NB: Het profiel van de Scheveningse vermeldt alleen maar lezen omdat dat niet stereotiep is voor iemand die daar woont, daarom vond ik het niet nodig dat ze meer in detail ging.

Bekijk zelf de profielen en bedenk welke je effectief vindt en welke niet terwijl je je marktonderzoek verricht. Iedereen is anders en iedereen moet zijn eigen stijl vinden. Zorg ervoor dat je de drie kenmerken van je merk onder de aandacht brengt. Zorg dat ze verder willen lezen!

Zijn profiel

In dit gedeelte wordt je gevraagd te beschrijven wat je in een man zoekt. De meest voorkomende fout is dat er een droomlijst wordt gemaakt. Zoals je in Stap 4 hebt geleerd (Een fijnmazig net uitwerpen), zijn mannen echt en hebben ze net als jij een verleden en hun hebbelijkheden. Waarom een droomlijst sturen als je maar 1 procent kans hebt dat zo iemand bestaat? Je zult niet veel reacties krijgen als je te veel noten op je zang hebt of de lat te hoog legt. Je stoot een heleboel mannen af aan wie je je hart zou kunnen verliezen. Als je op zoek bent naar liefde en geluk, moet je zoeken naar een emotionele band, en die kan uit een heel andere verpakking komen dan jij had gedroomd. Als je volume wilt creëren, moet je veel opties evalueren, je kunt later altijd nog op de deletetoets drukken. Hier is een profiel van Hem dat me bevalt:

Wat je zoekt

Ik zoek een leuke man. Ik sta voor van alles open, het gaat me niet om de verpakking, maar om de inhoud. Ik bewonder vriendelijkheid en een sterk karakter. Toen ik vorige maand een auto kocht, nam ik een Ford Explorer in plaats van een Corvette.

Dit profiel zal een degelijke man aanspreken, denk je niet? Het is fijnmazig en er zouden veel reacties op moeten komen. Het is kort (ongeveer 200 lettertekens) maar duidelijk. Het is goed geschreven, niet saai of te algemeen. Mannen zullen het geval met de auto begrijpen: je verkiest degelijk boven trendy. En het laat zien dat je inhoud hebt (en spoort dus mannen die inhoud hebben aan te reageren). Ik denk dat dit profiel voor veel reacties zal zorgen die de moeite waard zijn. Wees dus kort en creatief, en jaag geen potentiële kandidaten weg. Je hoeft niet met iedereen die reageert een afspraak te maken.

Meer tips

In deze stap heb je gezien dat je niet zo een, twee, drie aan on line dating kunt beginnen. Zoals bij de meeste belangrijke dingen in het leven moet je het voorbereiden, en dat moet je goed doen. Hier zijn nog wat nuttige tips voor wanneer je je cyberdebuut voorbereidt:

1. **Neem er de tijd voor.** Ik heb cliënten die zeggen: 'Ik heb me zondagavond even ingeschreven bij een on line datingsite.' Dan weet ik meteen dat het niet erg effectief zal zijn. Wanneer je aan on line dating begint, moet je goed doordacht te werk gaan. Een onderscheidende, aansprekende schuilnaam verzin je niet zomaar, en dat geldt ook voor je trefwoord en je profiel. En dan hebben we het nog niet eens over je foto, waar je je goed op moet voorbereiden. Bespreek alles dus eerst met je Mentor, en misschien met wat mannen uit je vriendenkring.
2. **Maak tijd vrij.** Wanneer je je inschrijft, staat er meestal een paar weken NIEUW bij je profiel. Veel mannen kijken iedere week of er nog nieuwe vrouwen op de site staan. Ineens krijg

je een berg reacties, vooral als je foto aantrekkelijk is. Een cliënt kreeg in de eerste twee dagen veertig mailtjes, en daar reken ik niet de matches bij die je automatisch van de site krijgt (de profielen van mannen die bij jouw criteria passen). Bij de meeste vrouwen duurt die stortvloed aan reacties een week of twee, daarna druppelt er af en toe nog wat binnen. Je hebt tijd nodig om alles te lezen, sommige mannen te beantwoorden en misschien een paar van hen te ontmoeten. De aantallen kunnen overweldigend zijn, dus zorg dat je agenda leeg is en kies een voor jou rustige tijd uit om je debuut te maken.

3. **Werk breed.** Je wilt niet al je geld op één paard zetten. Als je een beetje aan al die mailtjes gewend bent, of als je meer keuze wilt hebben, schrijf je je bij meer on line datingsites in (zie ook achter in dit boek). Je weet nooit waar je toekomstige partner zich heeft ingeschreven, dus concentreer je niet op één site. Het is het beste om bij twee of drie sites ingeschreven te staan, zolang je ook maar bij de grootste staat ingeschreven waar je de meeste kans hebt. Het geld ervoor komt uit je marketingbudget. Als je een leuke man ontmoet en het wordt serieus, kun je altijd je profiel 'verbergen' (dat houdt in dat je de datingservice vraagt je profiel tijdelijk van de site te halen), dat scheelt weer geld.

4. **Overdrijf niet.** Je moet er wel voor zorgen uniek en aantrekkelijk over te komen, maar probeer te vermijden dat een man zich teleurgesteld voelt wanneer hij je ontmoet. Bovendien zijn opscheppers niet erg geliefd. Probeer een evenwicht te vinden. Hoe aantrekkelijk het ook klinkt, vergelijk jezelf niet met Katja Schuurman of Monique van de Ven. Het beste wat je kan gebeuren tijdens 'date zero' (een uitdrukking die wordt gebruikt wanneer twee mensen die elkaar van internet kennen, elkaar persoonlijk ontmoeten) is dat hij aangenaam verrast is. Dat is een mooi begin voor je eerste afspraakje.

5. **Maak gebruik van alles.** On line dating ontwikkelt zich met de snelheid van het licht. Topsites maken het je steeds gemakkelijker om zo snel mogelijk informatie van de site te plukken. Wanneer je je bij een site inschrijft, kijk dan goed naar alle mogelijkheden die je worden geboden, en vergelijk die met ande-

re sites. Zo zijn er mensen die zeggen dat video de toekomst heeft bij on line dating. Sommige sites bieden de mogelijkheid een video bij het profiel te zetten, naast de foto. Als je ziet dat er bij het profiel van een man een video hoort, kijk daar dan naar. Je krijgt dan meteen een indruk van zijn stem en gedrag, en dat is handig als je je door stapels reacties moet worstelen (maar oordeel niet te snel!). Sommige mogelijkheden, zoals sms of dubbelblind bellen kunnen ook heel efficiënt zijn.

6. **Houd een logboek bij.** Het is moeilijk om alles goed bij te houden! Omdat je met vele mannen tegelijk contact onderhoudt (via e-mail, de telefoon en afspraakjes) moet je absoluut een logboek bijhouden. Gewoon een schrift met lijntjespapier is prima. Print de mailtjes waarop je reageert uit en niet die vast in je logboek, en maak aantekeningen van je telefoongesprekken en na je afspraakjes. Zet de informatie uit zijn profiel bij zijn schuilnaam, maak een lijstje van zijn hobby's en schrijf op waarover jullie hebben gepraat. Noteer alles wat uniek aan hem is, en wat je leuk en niet leuk aan hem vindt. Het komt niet erg serieus over als je mannen door elkaar haalt. Iemand die echt georganiseerd is, zal een dossier bijhouden met gekleurde labels, geordend op schuilnaam. Sommige sites maken het mogelijk om een logboek bij te houden zodat je weet welke profielen je aanspraken. Daar kun je dan zelf informatie aan toevoegen.

Hoog risico, hoge opbrengst

On line dating geeft heel wat mogelijkheden, maar helemaal perfect is het niet. Er zijn nogal wat risico's aan verbonden. Die moet je kennen zodat je je erop kunt voorbereiden, en je moet je strategieën aanpassen om deze valkuilen te vermijden:

1. **Veiligheid voor alles.** Hoewel je op zoek bent naar een man, moet je toch zeer voorzichtig zijn, vooral op de digitale snelweg. Blijf anoniem totdat je je echt op je gemak voelt bij de man met wie je correspondeert. Geef hem het nummer van je mobieltje in plaats van je telefoon thuis, want aan de hand van je

telefoonnummer zou iemand je adres kunnen achterhalen. Vertel vrienden en familie dat je een *'date zero'* met iemand hebt, en vertel hun precies waar je zult zijn. Spreek af in een openbare gelegenheid. Houd je ogen open voor verontrustende signalen, zoals woede, akelig commentaar of ongewenst gedrag. De meeste sites hebben een sectie over veiligheid, lees die alsjeblieft aandachtig door; het is voor je eigen veiligheid.

2. **Geloof niet alles wat je leest.** Net als wanneer je iemand voor het eerst ontmoet op een feestje of in een café, zou je hoopvol moeten zijn, maar ook wat hij zegt met een korreltje zout nemen. Kijk uit voor mannen die overdrijven, liegen, of een droombeeld van zichzelf hebben. Zoek naar dingen die niet in overeenstemming zijn met wat hij eerder vertelde, een te mooie beschrijving van zichzelf of verhalen die wel een beetje al te toevallig zijn. Mannen die je geen foto willen sturen of niet in een openbare gelegenheid willen afspreken, hebben meestal iets te verbergen (misschien een echtgenote of extreem overgewicht!). Zodra je iemands echte naam kent, kun je hem op Google opzoeken (surf naar www.Google.nl en tik zijn naam in in het zoekvenster), of je kunt kijken of hij misschien een strafblad heeft. Probeer erachter te komen of wat hij jou heeft verteld, wel de waarheid is.

Een vrouw die ik ken correspondeerde met 'een geslaagde dokter' die ze via internet had leren kennen, maar toen ze op Google keek, kwam ze erachter dat hij bestraft was door het Medisch Tuchtcollege en zijn vak niet meer mocht uitoefenen. Hij had allang geen praktijk meer, maar toch vertelde hij haar van alles over zijn patiënten!

3. **Geloof niet alles wat je ziet.** Een mooie foto van een man hoeft niet altijd goed gelijkend te zijn, maar dat geldt ook voor een slechte foto. Mannen hebben dit boek niet gelezen en weten dus misschien niet hoe belangrijk het is een mooie foto te posten. Ik weet uit ervaring alles van slechte foto's. Toen ik single was bestond er nog geen on line dating, ik zag de foto van mijn latere echtgenoot voor het eerst in een zakengids. We kenden elkaar al van telefoongesprekken, en omdat ik zijn stem zo aardig vond klinken, probeerde ik een foto van hem te

pakken te krijgen. Ik bladerde in een zakengids waar pasfoto-'s bij stonden. Toen ik zijn foto zag, zonk de moed me in de schoenen. Tot iemand die er zo uitzag, kon ik me nooit aangetrokken voelen (ik had het concept van Fijnmazig Net nog niet helemaal door)! Het was een vreselijke foto. Ik zette hem meteen uit mijn hoofd... Totdat we elkaar een jaar later in levenden lijve ontmoetten bij Stap 12 (Eventmarketing), en hij was enig! Hij leek helemaal niet op die foto, en de vonk sprong over.

4. **Liefde op het eerste type.** Het is gemakkelijk om verliefd te worden op een gefantaseerde on line man. Je vindt zijn foto aantrekkelijk, je geniet van zijn mailtjes en hij zegt wat je graag wilt horen. Dit gaat weken en maanden zo door en je hebt hem nog nooit in het echt ontmoet. Je verspilt je tijd, vooral als je binnen de anderhalf jaar een vaste relatie wilt hebben. Vergeet niet dat on line dating een *tactiek* uit *Het Programma* is omdat het zo efficiënt is. Je doel moet zijn de man in het echt te ontmoeten (al is het maar voor een kopje koffie), en wel zo snel mogelijk nadat je hebt gemerkt dat het via e-mail en telefoongesprekken klikt. Stel voor elkaar binnen twee weken te ontmoeten als hij dat nog niet heeft gedaan (de regel van de vrouwelijkheid die je voor één keer mag verbreken). Als hij het steeds maar uitstelt, kijk dan eens verder. Als je hem in het echt ontmoet en hij is het niet voor jou, kijk ook dan verder.

Als je gaat dromen over een toekomst samen voordat je hem ooit hebt ontmoet, zul je liever thuis achter de computer blijven zitten dan uitgaan om nieuwe mannen te leren kennen. Misschien is hij De Ware, maar als hij twee weken nadat je zijn eerste mailtje hebt ontvangen geen aanstalten maakt een afspraak met je te maken, kijk dan verder.

Wanneer je hem eindelijk ontmoet, is het heel belangrijk geen oordeel te vellen zodra hij binnenkomt. Als hij aardig lijkt, raad ik altijd aan nog een keer af te spreken. Misschien springt de vonk niet meteen de eerste keer over, maar moet het even de tijd hebben.

5. **Zet niet al je geld op één paard.** Mannen komen en gaan op het internet. Je zou met verschillende mannen tegelijk moeten

mailen en bellen, als je de kans krijgt. Op die manier wordt het risico dat je bij de een wordt teleurgesteld, opgevangen door de anderen.

6. **Geef het niet op na één (of een paar) slechte ervaringen.** Veel vrouwen staan er eerst aarzelend tegenover, maar beginnen dan toch aan on line dating. Dan hebben ze een slechte ervaring (de man bleek te liegen, zag er nog erger uit dan op de foto, deed zo aardig maar belde niet terug, kwam niet opdagen voor het afspraakje, er kwamen geen mailtjes van leuke mannen, etc.), en zweren het internet af. Nou, dat is niet erg verstandig. Je bent van tevoren gewaarschuwd voor de risico's inherent aan het medium. Natuurlijk krijg je af en toe een teleurstelling te verwerken (net als in het echte leven, en toch ben je geen non geworden!), maar je moet doorzetten. Ik ken veel vrouwen die leuke mannen hebben leren kennen via het internet, en vele van hen hebben nu een vaste relatie. Misschien zit het daar vol kikkers, maar een daarvan is je prins.

Waar het op neerkomt

Hoe weet je of on line dating voor jou een succes is? Dat is makkelijk te beantwoorden als je je een vaste relatie hebt met de man die je via internet hebt leren kennen, maar voor het zover is, zou je deze resultaten moeten hebben behaald:

1. Je krijgt minstens twee reacties per e-mail per week van leuke mannen (mannen die je genoeg aanspreken om meer over hen te weten te komen).
2. Je schrijft minstens twee mannen per week terug.
3. Je spreekt minstens drie keer per maand af met mannen die je via internet hebt leren kennen.
4. Uit een slecht verlopen afspraakje sleep je toch nog iets leuks: misschien een aanbeveling voor een boek dat je wilt lezen, een tip over evenementen voor singles waar je naartoe zou kunnen gaan, of je hebt een aardige man leren kennen die niet De Ware was (maar die je wel kunt uitnodigen voor je *Programma*-feest uit Stap 12 (en vraag zijn single vrienden dan meteen ook). Dit

geldt trouwens voor alle afspraakjes, niet alleen voor die via internet.

6. Je hebt geleerd dat je na iedere ervaring on line efficiënter wordt.

Wat te doen als het niet het verwachte resultaat oplevert

Als de resultaten niet naar verwachting zijn, moet je meteen veranderingen in je profiel aanbrengen. Dat is zo fijn aan dit medium: alles kan worden veranderd. Misschien ligt het aan iets simpels, en krijg je geen reacties omdat je de laatste bent van een lange rij profielen als de man een zoekopdracht uitvoert. Bij veel sites word je naar boven verplaatst als je je profiel update of verandert, al is het maar een enkel woord. Daarom moet je regelmatig een update van je profiel maken (een of twee keer per maand).

Er kan ook meer aan de hand zijn. Vraag feedback over wat je op de site hebt gezet, bijvoorbeeld aan je Mentor en een paar opmerkzame vrienden, vooral mannen. Misschien kom je te algemeen over, of te kil, serieus, veeleisend, sexy of iets waar je helemaal niet bij hebt stilgestaan. Misschien is je foto niet erg flatteus. Je moet erachter zien te komen wat er mis is, dus vraag anderen ernaar. Als marketingdeskundige kun je ook de techniek van *trial and error* proberen. Zet een foto een week lang op de site en kijk wat voor reacties je krijgt. Als dat tegenvalt, zet dan de volgende week een andere foto op de site, met andere houding of achtergrond, en kijk wat er gebeurt. Verander je logo, de leeftijdscategorie die je zoekt, of verander iets aan de beschrijving van de man naar wie je op zoek bent. Als je wel veel eerste reacties krijgt, maar geen antwoord op jouw reactie, laat de correspondentie dan aan je Mentor zien, misschien ziet die waar de fout zit. Blijf het proberen totdat je resultaat hebt.

Misschien vraag je je iets af

Er zijn zoveel dingen te bespreken dat ik wel een boek vol zou kunnen schrijven over on line dating alleen. Als je er inderdaad meer over wilt weten, zou je er een speciaal boek over kunnen lezen. Maar hier zijn de vijf meest gestelde vragen. Ze zijn afkomstig van vrouwen die mijn seminar bijwoonden.

MAG JE EERST IN DE PROFIELEN VAN DE MANNEN ZOEKEN EN DAAROP REAGEREN?

Over het algemeen niet. On line geldt hetzelfde principe als off line: vrouwelijkheid voor alles. Mannen willen graag de jager zijn. Volgens de statistieken neemt 80 procent van de mannen bij on line dating het initiatief tot contact. Als de man niet on line jacht op je gaat maken, kunnen de verhoudingen later scheefgroeien. Als jij in een relatie gekoesterd wilt worden en jij jaagt op hem (door iets eenvoudigs als contact met hem opnemen), voorspelt dat weinig goeds voor de dynamiek in jullie verhouding. Een 'normale' man die zijn profiel on line heeft gezet, zoekt op die site ook naar vrouwen. Dus als je er niet uit bent gesprongen toen hij zocht, is hij waarschijnlijk niet in je geïnteresseerd.

Er zijn echter twee uitzonderingen. Ten eerste sturen sommige sites een match naar je inbox. Dat gaat automatisch, profielen van mannen die aan jouw criteria voldoen (leeftijd, lengte, geloof, etc.) worden naar jou verzonden. Als je een fijnmazig net hebt uitgegooid, worden er veel matches gevonden. Als je een profiel van je datingsite krijgt toegestuurd dat je aanspreekt, mag je een kort mailtje naar die man sturen omdat je technisch gesproken niet zelf iets initieert (dat heeft de datingsite gedaan, jij reageert daar alleen maar op). Houd het kort, bijvoorbeeld: 'Ik kreeg je profiel toegestuurd omdat de site denkt dat we een match zijn. Wie ben ik om het lot te tarten?'

Er is nog iets dat je als on line flirten zou kunnen beschouwen. Sommige sites hebben de mogelijkheid de man die je aanspreekt een symbooltje te sturen als teken dat je geïnteresseerd bent. Het symbool (bijvoorbeeld een knipoog, het kan bij iedere site wat anders zijn) laat hem zien dat zijn profiel je aanspreekt en je graag een e-mail van hem zou krijgen, maar het is niet zo gewaagd als het sturen van een mailtje. Beschouw het als oogcontact maken, de man kan daarop reageren volgens de traditie en jou schrijven. Dat is wat een man op een feestje ook zou doen: hij ziet dat je naar hem lacht en dat vat hij op als een uitnodiging om een praatje met je te maken.

Ten tweede: er zijn vrouwen die weinig reacties van het juiste soort mannen hebben gekregen en zoals aangeraden hun profiel hebben veranderd. Zij mogen de regel overtreden zoals beschreven in Stap 3 (Packaging). Je kunt ook actief naar profielen van mannen zoeken en degenen die je aanspreken een kort berichtje sturen. Dat is een manier om meer contacten te leggen. Misschien kun je reageren op iets specifieks in zijn profiel, bijvoorbeeld een kort mailtje met: 'Wat interessant! Stephen Frey is de auteur die ik ook het liefst lees.' Een link naar jouw profiel wordt automatisch gegenereerd, dus hij kan op zijn gemak jouw profiel lezen.

Maar wees gewaarschuwd als je het contact initieert: misschien reageert de man niet, maar voel je daardoor niet gekwetst. Dat hij niet geïnteresseerd is, mag geen reden voor jou zijn om maar helemaal met on line dating op te houden. Schrijf hem niet nog eens als hij niet reageert, en laat hem het initiatief nemen als jullie regelmatig gaan mailen en afspraakjes maken.

MOET IK ON LINE OVER MIJN LEEFTIJD LIEGEN?

Je mag nooit liegen. Dat komt uiteindelijk altijd uit. Maar leeftijd is natuurlijk wel een heet hangijzer, zowel on line als off line. Op een datingsite tikken mannen een leeftijdscategorie in waarbinnen de vrouw moet vallen, en ben je ook maar één jaar te oud of te jong, dan krijgt hij je profiel niet onder ogen na een zoekopdracht. En dan zijn er nog de stereotiepen die aan verschillende leeftijden worden verbonden. Mannen denken dat vrouwen van rond de veertig onmiddellijk kinderen willen. Mannen willen met jongere vrouwen uitgaan. Wat moet je dus doen?

Kijk naar je doel: je wilt een partner. En je wilt ondertussen geen tijd verknoeien. Als je over je leeftijd liegt (off line of on line), loop je het risico je tijd te verspillen aan een relatie die toch op niets kan uitlopen omdat die is gebaseerd op een leugen. Dus moet je op zoek gaan naar mannen die jouw leeftijd juist wel aantrekkelijk vinden. Als je eind dertig bent, klink je jong voor mannen van in de veertig. Ben je in de veertig, dan vinden mannelijke vijftigers je jong. Als je in de vijftig bent, ben je jong voor mannen van in de zestig. Enzovoort, enzovoort. Zolang jij bereid bent een fijnmazig net uit te werpen met betrekking tot leeftijd, kun je best toegeven wat je werkelijke leeftijd is.

Vooral vrouwen van boven de vijftig maken zich druk om hun leeftijd. Maar als je een rijpere man wilt, kom daar dan voor uit. Rijpere mannen zoeken iemand als jij; ze willen een gelijkwaardige partner, geen vrouw die hen aan hun dochter doet denken. Waarschijnlijk willen ze niet nog een gezin stichten, ze willen niet uitleggen wie Buddy Holly was, en ze willen niet de hele avond hun buik inhouden wanneer ze een afspraakje hebben. Als je je toch nog zorgen over je leeftijd maakt, kun je altijd bij je profiel zetten: 'Ik ben 61, maar voel me jong', of: 'Ik ben 73 jaar jong.' Daarmee benadruk je dat je jong van geest bent.

WAT IS DE BESTE MANIER OM DE MEERKEUZEVRAGEN IN TE VULLEN OP DE SITE VAN DE ON LINE DATINGSERVICE?

Wanneer je je profiel opstelt, moet je meerkeuzevragen beantwoorden over je werk, je inkomen, je hobby's en je lifestyle. Wees eerlijk, maar kijk nog eens naar wat er eerder in dit hoofdstuk over je schuilnaam, trefwoord en profiel stond. Veel kun je toepassen bij het invullen van de vragen. Mijn cliënten vergeten nogal eens alles in overeenstemming met hun persoonlijke merk te houden. Als jouw merk is: Elegant, Intellectueel, Antiek verzamelen, dan past het bij je om bij je muziekvoorkeur 'klassiek' in te vullen in plaats van 'gangstarap'. Als je niet weet wat je moet invullen, kun je altijd kiezen voor de optie: 'Dat vertel ik je nog wel.' Daar is niets mis mee.

MOET IK REAGEREN OP MAILTJES VAN MANNEN DIE ME NIET INTERESSEREN?

Het is geen wet van Meden en Perzen dat je moet reageren op mailtjes van mannen die je niet interessant vindt, maar het kan in jouw voordeel uitpakken als je het wel doet! Het is aardig om op iedereen te reageren die de moeite heeft genomen jou te schrijven, ook al lijkt de desbetreffende man niet De Ware te zijn. Niet veel vrouwen doen dat; als jij het wel doet, spring je er in gunstig opzicht uit. Om tijd te besparen kun je een standaardbriefje maken dat je kopieert en plakt bij je reactie. Houd het kort, zoiets als: 'Dank je voor je reactie. Ik geloof niet dat we een match zijn, maar ik stelde je mailtje toch zeer op prijs.' Als je vriendinnen hebt die ook ingeschreven staan bij een on line datingservice, en je denkt dat hij interessant voor een van hen kan zijn, kun je hem voorstellen eens naar het profiel van je vriendin te kijken. Je kunt dan verder nog schrijven: 'Als jij iemand kent die mij misschien wil ontmoeten, mag je hem mijn profiel sturen.' Door zo te antwoorden bereik je drie dingen. Ten eerste was je zo beleefd om te reageren. Ten tweede heb je je vriendin een dienst bewezen als zij wel in deze man is geïnteresseerd, en misschien stelt zij jou ooit aan iemand voor. Ten derde, als deze man je profiel doorstuurt, leer je misschien een leuke man kennen. Er gebeuren wel vreemdere dingen!

ALS IK MET IEMAND UITGA, WANNEER MOET IK DAN MIJN PROFIEL WEGHALEN?

De meeste sites vinden het goed als je tijdelijk je profiel weghaalt, je hoeft dan niet door te betalen. Je moet zelf beslissen of je dit wilt doen, maar pas als je zeker weet dat de man met wie je uitgaat, ook echt De Ware is. Je hebt haast, weet je nog? Je zoekt snel een man en je wilt niets missen. De man met wie je uitgaat kan De Ware zijn, en in dat geval hoef je niet verder te zoeken en begin je een relatie, maar totdat je zeker weet dat hij hetzelfde op het oog heeft, laat je je profiel staan en blijf je de reacties lezen die je krijgt. Je hoeft hem dat niet te vertellen, tenzij hij ernaar vraagt en aangeeft dat hij de enige wil zijn. Als hij je profiel nog ziet staan en opmerkt dat hem dat niet bevalt, maar je niet vraagt een relatie met hem te beginnen, behandelt hij je niet fair. Hij kan niet voor een dubbeltje op de eerste rang zitten. Je leert hier meer over in Stap 15: Exitstrategieën: 'Man'agement.

En waarom surfde hij eigenlijk op de site met de profielen van vrouwen?

Je hebt Stap 7 gezet en bent klaar voor Stap 8 als je:

1. marktonderzoek op on line datingsites hebt verricht;
2. een zorgvuldig genomen foto hebt gepost, plus een paar foto's die meer naar de werkelijkheid zijn, maar ook goed;
3. een strategisch gekozen schuilnaam, trefwoord en profiel hebt gemaakt voordat je alles op de site zet;
4. je vrienden en Mentor hebt gevraagd of ze je profiel aantrekkelijk vinden, of het eruit springt en of het intrigerend is;
5. begrijpt wat de gevaren van on line dating zijn;
6. bent ingeschreven bij een van de grotere on line datingsites;
7. het verwachte resultaat oogst.

Hoofdstuk 8

Stap 8: Guerrillamarketing: doe het anders!

Wat ik op de Harvard Business School leerde

Guerrillamarketing is het gebruik maken van onconventionele, kosteneffectieve, ongewone tactieken om de consument te bereiken. Deze techniek is vooral geschikt voor kleine bedrijven die geen groot marketingbudget kunnen vrijmaken, maar de concurrentie met grote bedrijven moeten aangaan. Bij guerrillamarketing hebben kleine tactieken grote resultaten. In een winkel zal een reclamebordje of een nieuw product in het schap de verkoop niet drastisch verhogen. Maar wanneer de eigenaar regelmatig en consequent nieuwe dingen doet om de klant te bereiken, krikt dat de omzet op.

Er zijn veel voorbeelden van deze alternatieve marketingtechnieken. Een kleine platenmaatschappij zou trendy tieners in de grote stad bijvoorbeeld een klein bedrag kunnen betalen om hun vrienden op school gratis demo's van de nieuwste rap te geven in de hoop dat het aanslaat. Of een kleine bierbrouwerij kan café-eigenaars gratis menustandaardjes geven. De klant ziet dan het logo van het biermerk en bestelt dat hopelijk ook.

Deze voorbeelden tonen aan dat je een product eenvoudig kunt promoten door effectieve tactieken toe te passen. De meeste bedrijven maken op dezelfde, oude vertrouwde manier reclame; ze gebruiken niet alle creatieve, goedkope mogelijkheden die hun ter beschikking staan. Bedrijven die een andere, directe benadering hebben, zijn vaak in het voordeel. Guerrillamarketing gaat uit van de gedachte dat doorzetten en slimmigheidjes belangrijker zijn dan een fors budget.

Doe het anders!

Doe je uit gewoonte steeds weer dezelfde dingen? Heb je een vertrouwde routine opgebouwd? Misschien zit je in een sleur. Als het op een partner vinden aankomt, moet je die sleur doorbreken.

Misschien heb je hem nog niet gevonden omdat hij niet in je kringetje van kantoor, buurtje, cafeetje of vrienden hoort. De meeste mensen weten niet eens dat ze in een sleur zitten omdat de dingen die ze doen, hen bevallen. Maar het doorbreken van de sleur kan iets aan je status van single te veranderen. Sleur is op zich niet erg, maar het maakt je wereldje beperkt en voorkomt dat je je doel bereikt: het vinden van een man. Bij deze stap breng je daar verandering in met kleine, slimme guerrilla-marketingtechnieken.

Quiz: zit je in een sleur?

Kijk eens goed naar wat je doet, wanneer je het doet, waar je het doet en met wie je het doet. Is daar een bepaalde reden voor, of is het een ingesleten gewoonte? Doe de quiz en kijk of je in een sleur zit.

1. Ga je iedere dag op dezelfde manier naar je werk?
2. Drink je iedere dag op dezelfde plek koffie?
3. Eet je altijd je lunch op dezelfde plek of thuis of op de werkplek?
4. Ga je al jaren naar dezelfde stomerij?
5. Heb je een paar favoriete restaurants en cafés waar je altijd naartoe gaat?
6. Als je een boek koopt, doe je dat dan altijd bij dezelfde boekhandel?
7. Heb je een hobby waaraan je het grootste deel van je vrije tijd besteedt?
8. Heb je een paar goede vriendinnen om wie je sociale leven draait?
9. Heb je altijd hetzelfde *soort* vrienden, ook al zijn het misschien andere dan vroeger?
10. Wanneer iemand je vraagt hoe het met je is, geef je dan meestal min of meer hetzelfde antwoord?
11. Begin je maar uiterst zelden een praatje met iemand die je niet kent?

Als je vijf of meer vragen met ja hebt beantwoord, zit je absoluut in een sleur. En daar zul je je aanstaande partner waarschijnlijk niet vinden. Gelukkig is daar iets aan te doen en het aanbrengen van veranderingen vergroot de kans dat je De Ware tegen het lijf zult lopen.

De nooduitgang

Bij succesvolle marketing wordt niets gedaan omdat het nu eenmaal altijd zo wordt gedaan. Kijk goed naar je leventje en doe sommige dingen anders om de sleur te doorbreken. Je moet je leven nu strategisch benaderen, net zoals je dat bij je speurtocht naar een man doet. Alles moet een doel hebben, zelfs het boodschappen doen! Niets is meer heilig. Zoek de nooduitgang en ontsnap aan de sleur.

Neem drie velletjes papier. Op het eerste schrijf je de plekken op waar je naartoe gaat. Je lijst zou er zo uit kunnen zien:

Waar ik naartoe ga:

Boodschappen: de Edah op het pleintje
Stomerij: Tegenover mijn werk.
Gereedschap: Gamma
Drogist: Het Kruidvat naast de Edah
Pompstation: Shell bij de oprit naar de snelweg
Fitness: Drie straten verder
Koffie: Cafeetje om de hoek
Uit eten: De Italiaan naast het cafeetje
Hond uitlaten: Plantsoentje aan de overkant
Vakantie: De Veluwe, of bij mijn ouders

... et cetera. Misschien staan er wel vijfentwintig dingen op je lijst van plaatsen waar je regelmatig komt.

Op het tweede vel papier maak je een lijst van de dingen die je voor je werk en je plezier doet. Je lijst zou er zo uit kunnen zien:

Wat ik doe:

Werk: Makelaar
Lichaamsbeweging: Yoga (op de fitnessclub drie straten verder)
Sport: Tennis
Vrijdagavond: Een video huren of met vrienden naar het cafeetje om de hoek
Hobby: Gedichten schrijven
Cursus: Spaans
Vrijwilligerswerk: Boodschappen doen voor bejaarden

... et cetera. Misschien staan er tien dingen op je lijst.

Op het derde vel papier maak je een lijst van de mensen om je heen.

Wie heb ik om mij heen:

Werk: Ineke, Agnes, Oscar
Telefoon: Alina, Sarah, Mirthe
E-mail: Marion, Marijke, Gert-Jan
Weekend: Carla en Daan, Alina, Froukje
Fitness: Carla
Reizen: Anna
Shoppen: Alina
Spaanse les: Loes
Familie: Mam, mijn zus Anna

... et cetera. Waarschijnlijk staan er tien tot twintig namen op de lijst van mensen met wie je het meest omgaat.

Bekijk de lijsten een paar minuten. Misschien valt het je op hoe klein je wereldje is geworden doordat je aldoor dezelfde dingen doet, en hoe klein de kans is dat je in dat wereldje De Ware ontmoet. Het gaat niet om de *kwantiteit* van de plaatsen waar je vaak komt, wat je doet of met wie, maar het *herhalende*. Na de vijfendertig krijgen we allemaal ingesleten gewoontes. Stel je eens voor hoeveel toevallige ontmoetingen je kunt hebben als je je dagelijkse routine verandert.

Als je hiervoor inspiratie nodig hebt, lees dan eens hoe het Allison (36) verging toen ze iets kleins aan haar dagelijkse routine veranderde. Jarenlang ging ze naar hetzelfde café omdat ze de koffie daar zo lekker vond. Die moest ze elke dag hebben. Toen ik haar dagelijkse patroon onder de loep nam, vroeg ik of er geen ander café bij haar in de buurt was. Meteen begon ze te steigeren. Die koffie was heilig! Maar later kreeg ik een mailtje van haar:

'Afgelopen donderdag was het heel druk in mijn café, en ik had nogal haast. Toen herinnerde ik me wat je had gezegd over het veranderen van mijn dagelijkse routine, en dit leek me een goed moment om dat eens te proberen. Een paar huizen verder is nog een café en daar ben ik naartoe gegaan. Ik hield mijn hart vast, maar de koffie was goed. Toen ik de zoetjes haalde, merkte ik dat er een man naast me stond. Hij had koffie over zijn kleren gekregen en zocht servetjes. Ik stond dicht bij de servetjes, dus pakte ik er een paar en gaf hem die. Misschien vind je het raar, maar ik vond het leuk dat hij er zo rustig onder bleef. Hij was helemaal niet kwaad of zo. Ik had een boek onder mijn arm, en hij vroeg of het een goed boek was. Zo raakten we in gesprek. Ik vond hem meteen aardig! Hij heet Ron. Maar hij ging al snel weg, en hij had niet gevraagd naar mijn achternaam of waar ik werk. Daarom ging ik de volgende dag om dezelfde tijd weer naar die koffieshop, in de hoop hem tegen het lijf te lopen, en ja hoor, hij was er! Hij las de krant en volgens mij was hij blij me te zien!'

Allison en Ron dronken die dag samen koffie, maakten een afspraakje en zijn nu al twee jaar getrouwd. Op de huwelijksreceptie werd koffie geschonken, omdat ze elkaar via de koffie hadden leren kennen. Allison vraagt zich vaak af hoe het zou zijn gelopen als het die dag niet zo druk was geweest in 'haar' café!

Blauwdruk voor veranderingen

Het eerste deel van je plan voor guerrillamarketing is wel duidelijk: doorbreek de sleur en krijg zo meer mogelijkheden om mannen te ontmoeten. Denk goed na over wat je hebt opgeschreven over waar je naartoe gaat, wat je doet en met wie... en verander dat allemaal (steeds weer). Pak het methodisch aan en stel jezelf iedere dag een doel. Doe niet alleen af en toe wat anders. Soms gebeurt er spontaan iets en daar moet je gebruik van maken, maar dat is te sporadisch en doorbreekt de sleur maar even. Je moet georganiseerd te werk gaan.

In eerste instantie kun je iedere dag iets veranderen. Wanneer je daar wat meer aan bent gewend, verander je twee of drie dingen per dag. Stel dat je wekelijkse agenda er zo uitziet:

Maandag: Boodschappen doen bij de Aldi (in plaats van bij de Edah).

Dinsdag: Naar die nieuwe stomerij iets verder weg dan die waar je altijd naartoe gaat.

Woensdag: Koffie drinken in een lunchroom in plaats van het cafeetje om de hoek. Neef Arnout bellen (die je al het hele jaar niet meer hebt gesproken).

Donderdag: Vraag die nieuwe collega om met je te gaan lunchen. Volg een cursus Gehoorzaamheidstraining voor honden.

Vrijdag: Ga met de bus naar je werk in plaats van met de auto. Ga naar de fitnessclub en doe mee aan een ander programma dan yoga. Drink daarna iets aan het barretje (in plaats van meteen naar huis te gaan zodra de yoga is afgelopen).

Zaterdag: Laat de hond uit in het park in plaats van in het plantsoentje. Koop lampen bij Karwei (in plaats van bij de Gamma). Doe boodschappen bij C1000 (in plaats van bij de Edah of de Aldi).

Zondag: Koop iets lekkers bij de zondagswinkel. Nodig je buurvrouw Margot uit voor de lunch (in plaats van je beste vriendin Alina).

Neem iedere week de lijst door en breng daar steeds ergens veranderingen in aan zodat je routine verandert. Misschien vind je dat het niet veel uitmaakt of je nu maandag bij de Aldi inkopen doet en zaterdag bij C1000, maar in ieder geval is het eens iets anders dan de Edah. Je creëert nieuwe mogelijkheden om mannen te ontmoeten. En daar gaat het om! En zoals het bij guerrilla-marketingtechnieken hoort, duur hoeft het niet te zijn.

Openers

Benodigdheden

Daar sta je dan maandag in de Aldi, je hebt braaf de sleur doorbroken en bent in een geheel nieuwe omgeving beland. Je ziet een leuke man bij de diepvriesafdeling staan. Wat doe je? Er bestaat een goede guerrillatactiek die een toevallige ontmoeting omzet in iets meer: neem iets mee waarover een praatje kan worden aangeknoopt, iets wat de nieuwsgierigheid opwekt en interactie aanmoedigt. Je neemt het overal mee naartoe zodat je overal in gesprek kunt raken met interessante onbekenden. De achterliggende gedachte is dat een man die je 'opener' ziet, gemakkelijk een gesprek kan beginnen. Veel mannen zijn verlegen en geen enkele man wil graag voor stom worden versleten. Dus je 'opener' geeft hem een excuus om je aan te spreken zonder dat hij zijn toevlucht hoeft te nemen tot oubollige trucjes. Kies iets uit wat in overeenstemming is met je persoonlijke merk en zorg dat het altijd en overal goed zichtbaar is.

Boeken zijn bijvoorbeeld goede 'openers'. Diane woonde in Maine, maar kwam oorspronkelijk uit Texas. Haar slogan was: Texas, Spontaan, Fotograaf. Dat ze uit Texas kwam, was bijzonder omdat ze in Maine woonde. Ze had een boek over fotografie bij zich met de titel: *Texas On My Mind*. Zorg ervoor dat je boek een duidelijke foto op het omslag heeft, of dat de titel goed te lezen is. Als de man niet meteen weet waar het boek over gaat, heb je er niets aan. Als je in je slogan hebt staan: Beginnend schrijfster, kun je een boek over de kunst van het schrijven bij je hebben. Als je uit Zeeland komt, kun je een button dragen met: 'Ik Worstel En Kom Boven'. Als je de hele wereld afreist, kun je beter niet de laatste *Vogue* onder je arm hebben, maar wel een blad over reizen.

Een andere goede 'opener' kan een T-shirt, hoed of speld zijn met een buitenlandse tekst. Een man die jou wil leren kennen, kan je vragen wat dat betekent. Of je kunt iets dragen met de naam van je favoriete sportclub erop, of de naam van een universiteit of een andere stad. Dit zijn allemaal dingen waarover een man een praatje kan maken. Vrouwen zouden altijd een 'opener' bij zich moeten hebben om het maximale uit toevallige ontmoetingen te halen.

Kijk ook uit naar 'openers' van anderen. Misschien heeft degene die in de rij achter je staat niet *opzettelijk* een 'opener' bij zich, maar de meeste mensen hebben wel iets waarover je een geïnteresseerde vraag kunt stellen.

IJsbrekers

Wat als die intrigerende man bij de diepvriesafdeling je 'opener', die je toch zo opvallend bij je draagt, niet opmerkt? Of als hij het wel ziet, maar er niets over zegt? In dat geval moet je zelf actie ondernemen en het gesprek beginnen. Wat je zegt, doet er niet zoveel toe. Een man die opkijkt en je aantrekkelijk vindt, oordeelt niet zo snel over wat je zei. Hij gebruikt non-verbale dingen om te besluiten wel of niet in dialoog te treden. Dat is toch wel leuk van mannen! Misschien kun je het ijs snel breken met een luchthartig: 'Wat vind jij hier het lekkerste dessert?' of: 'Waarom denk je dat het hier vandaag zo druk is?' *Het gaat erom dat je een vraag stelt die niet louter met ja of nee beantwoord kan worden.* Je moet een bruggetje bouwen.

Als je te verlegen bent om iemand die je niet kent iets te vragen, of dat nu in een winkel is of op een feestje, kun je altijd je toevlucht nemen tot die oude, vertrouwde glimlach en 'Hallo'. Dit kan nergens toe leiden, vooral als hij ook verlegen is en ook alleen maar 'Hallo' weet te zeggen. Maar het is altijd beter dan niets.

Je zult al gauw aan zijn reactie merken dat hij niet geïnteresseerd is in een praatje met jou (misschien is hij getrouwd, heeft hij haast, is hij homo of vindt hij je gewoon niet aantrekkelijk). Dan is er geen man overboord, je loopt gewoon door. Als jij niets doet, gebeurt er ook niets.

Zoek altijd naar een gespreksonderwerp met een man die je wel wat lijkt. Verstop je niet achter de krant en loop niet rond als een zombie. Je wilt uit toevallige ontmoetingen halen wat er te halen valt. Je hebt niets te verliezen als je een gesprekje aanknoopt. Natuurlijk zijn er ook onbeleefde mensen die geen antwoord geven, of die alleen maar met rust willen worden gelaten, maar met hoe meer mensen je contact maakt, des te groter de kans dat je er iets voor terugkrijgt (een idee, nuttige informatie, een contact).

Follow-ups

Heb het over de toekomst

Wanneer je eenmaal in gesprek bent, en je de man met wie je praat aardig vindt, hoe kun je je er dan van verzekeren dat je hem nog eens zult ontmoeten? Eén tactiek is het over de toekomst te hebben zodat hij misschien vraagt hoe hij contact met je kan opnemen voor de follow-up. Cecile had bijvoorbeeld een grappig gesprekje met de man die achter haar in de rij stond bij de broodjeszaak. Ze vertelde hem een grapje dat ze net op haar werk had gehoord. Daarna zei ze: 'Verder ken ik alleen maar vieze moppen, en die bewaar ik voor een andere keer.' De man reageerde door te vragen hoe hij haar kon bereiken 'om de andere moppen te horen'. Goed, erg subtiel is dat niet, maar het werkt wel.

Als je het over de toekomst hebt en de man reageert niet, kun je dit proberen:

* Laat per ongeluk iets vallen: je kunt iets over jezelf laten vallen (bijvoorbeeld wat je achternaam is, waar je werkt, etc,) als je wilt dat hij weet waar hij je kan vinden.
* Vraag hem je door te verwijzen: 'Weet jij misschien een goede garage? Kun je me dan vertellen waar ik je kan bereiken zodat je me hun telefoonnummer kunt geven?'
* Bied aan hem van informatie te voorzien: 'Ik heb daar net een interessant boek over gelezen, maar ik kan me zo gauw niet herinneren hoe het heet. Zal ik je straks de titel van het boek e-mailen?'

Visitekaartjes

Een andere handige manier om het gesprek voort te zetten is een visitekaartje laten maken met je naam en telefoonnummer erop. Je kunt dat aan sommige mannen geven en ook aan vrouwen die misschien een afspraakje voor je kunnen regelen. In het zakenleven zou je nooit zonder je visitekaartjes de deur uit gaan. Bij het daten heb je ook altijd een paar kaartjes bij je. Dat is praktisch, niet overdreven. Je kunt er je visitekaartjes van je werk voor gebruiken, mits die niet te intimiderend zijn, of niet in overeenstemming met je persoonlijke merk. Als je kaartjes laat maken, kun je dat voor weinig geld bij een copyrette laten doen. Schrijf je naam, telefoonnummer en e-mailadres op een papiertje en geef dat aan de man achter de toonbank. Hij zal je helpen met de lay-out, de papiersoort en het lettertype. Als je gedrukte visitekaartjes te formeel vindt, kun je wel altijd een leuk opschrijfboekje bij je hebben waarin je de benodigde informatie kunt noteren, mocht de gelegenheid zich voordoen.

Sleur bij gesprekken

Heb je er weleens aan gedacht dat de dingen die je zegt ook onderdeel zijn van de sleur? Denk hier eens aan: wat zou er gebeuren als je een geheel onverwacht antwoord geeft als iemand je vraagt hoe het met je is? Ik heb het niet over die man die je net hebt ontmoet; ik heb het over wat je de mensen antwoordt die je al kent. Misschien zeg je altijd: 'Gewoon,' of: 'Het gaat,' of: 'Goed hoor, en met jou?' Misschien weet je wel iets te vertellen: 'Goed, ik heb net een nieuwe poes. Hier is een foto van haar!' of: 'Goed, ik train voor de marathon van de komende lente. Dat is hard werken, hoor!' Wat je ook antwoordt, ook al verandert het keer op keer, het kan zijn dat je zonder het te weten deuren dichtslaat.

Deze gesprekken op de automatische piloot zijn gemiste kansen. Als je op zoek bent naar een man, zorg dan dat dat in je gesprekken tot uiting komt. In plaats van weer die vertrouwde gespreksstof, hetzelfde vertrouwde antwoord of zelfs een antwoord dat iets over jezelf zegt, zou je grootste prioriteit strategisch voorop moeten staan.

Zoals iedere slimme verkoper je zal vertellen, moet de koop snel gesloten worden. Een vriendin ziet je bijvoorbeeld bij de kapper en komt naar je toe om je te begroeten. Jullie hebben elkaar al weken niet meer gezien. Ze zegt: 'Hallo, hoe is het met je?' Als je eraan denkt uit de sleur te breken en dit gesprek beschouwt ls een mogelijkheid om een man te vinden, zou je kunnen antwoorden: 'Goed, dank je. Sinds ik je voor het laatst heb gezien, heb ik besloten op zoek naar een man te gaan met wie ik mijn verdere leven wil delen. Ik wil graag zoveel mogelijk mannen leren kennen. Zeg, weet jij misschien nog singles?'

Stel je voor wat je allemaal zou missen als je alleen maar had gezegd: 'Goed, dank je. En hoe is het met jou?'

Zet de deur wagenwijd open

Wat als je een man hebt gezien maar niet weet hoe je een gesprek moet beginnen? Je kunt gewoon wachten tot hij je aanspreekt, of je kunt de sleur doorbreken zonder de regel van de vrouwelijkheid te overtreden. Als je hem al een tijdje van verre bewondert, is hij waarschijnlijk niet helemaal een onbekende. Misschien heb je hem in de kantine op je werk gezien. Dan weet je dat hij ook bij jouw bedrijf werkt, maar dat je hem nog nooit bent opgevallen. Of misschien woont hij ook in de flat en heb je hem een paar keer bij de lift gezien, maar was je niet alleen en wilde je geen gesprekje aanknopen waar anderen bij waren. Nou, hier is een guerrilla-marketingtechniek voor dit soort gelegenheden.

Er zijn stapels legitieme redenen om een man aan te spreken die je graag wilt leren kennen. Laten we het over die man in de kantine hebben; hoe trek je zijn aandacht? Je kunt je bijvoorbeeld als vrijwilliger opgegeven bij een liefdadigheidsinstelling die evenementen organiseert om geld op te halen. Je krijgt hiervoor formulieren waar sponsors zich mee kunnen aanmelden. Je vraagt mensen op je werk om je bijvoorbeeld op je wandeltocht voor een euro per kilometer te sponsoren. En raad eens aan wie je het ook gaat vragen? Precies! Het is voor een goed doel, hoor!

Spreek hem in de kantine aan en leg uit waar je mee bezig bent. Je kunt wat vertellen over de wandeltocht, over het goede doel en hoeveel sponsors je al hebt, etc. Als hij hierna nog niet in je geïnteresseerd is, heb je in ieder geval nog een mogelijkheid hem te benaderen wanneer je je geld na de wandeltocht komt ophalen (als hij je sponsor niet wilde zijn, is hij toch niet De Ware; wie heeft er nu niet een paar eurootjes over voor een goed doel?). Maar als hij dan nog geen tekenen van interesse vertoont, nou ja, dan heb je het in ieder geval geprobeerd, en je hebt iets voor het goede doel gedaan. Zet hem uit je hoofd en kijk verder.

Als je je aangetrokken voelt tot een man bij de lift van je flat, wat kun je dan doen? Misschien kun je in het bewonerscomité plaatsnemen en geld ophalen voor een cadeautje voor de schoonmaker. Daarvoor moet je bij iedereen aanbellen. Ook bij hem! Probeer een goede reden te verzinnen (voor deze ene keer) om de man aan te spreken die je al een tijdje leuk vindt. Als hij niet vermoedt dat je achter hem aan zit, heb je de regel niet overtreden. Soms moet je guerrilla-marketingtechnieken toepassen en je deur wijd open zetten.

Grote veranderingen

Tot nu toe hebben we het over kleine veranderingen in de dagelijkse routine gehad, zoals ergens anders boodschappen inslaan, andere antwoorden geven dan je gewoonlijk doet en legitieme smoezen bedenken om een man te leren kennen. Het spijt me, maar er zijn ook GROTE veranderingen waar je eens over na zou moeten denken. Deze veranderingen zijn zo groot, dat je geneigd zult zijn ze te verwerpen. 'Dat kan ik niet, hoor!' roep je misschien uit. Maar luister eens heel goed naar me...

Je werk: Hier komt een eenvoudige vraag: heb je op je werk de gelegenheid om interessante mannen te leren kennen? Ja of nee? Als het antwoord nee is, kun je erover denken van baan te veranderen. Misschien is je werk er wel de oorzaak van dat je in een sleur zit. Ik begrijp dat ik nogal wat van je vraag en sommige vrouwen zullen niet van baan kunnen veranderen, maar denk er toch eens over na. Weet je nog wat je hebt geantwoord op de vragen bij Stap 1 (Marketingfocus), vooral vraag 2: Heb je er alles voor over om een man te vinden? Als je naar waarheid ja hebt geantwoord, dan is je speurtocht naar een man belangrijker dan je baan. Waarschijnlijk ben je de helft van de tijd dat je wakker bent op je werk. Dat is veel verspilde tijd als je daar geen geschikte mannen leert kennen. Bekijk wat je kans is om op je huidige werk een man te vinden, en weeg dat af tegen de kans dat je een nieuwe baan kunt krijgen. Natuurlijk brengt niet elke baan je naar het Mekka van de ongetrouwde mannen, maar beoordeel je huidige situatie eens goed. Als je bijvoorbeeld uitsluitend vrouwelijke collega's hebt, kan dat toch een netwerk zijn om afspraakjes te regelen. Of misschien heb je veel mannelijke klanten. Of misschien moet je vaak op zakenreis en leer je op die manier nieuwe mannen kennen. Dat is geen slechte situatie. Maar wat als je thuis achter de computer zit, of in een klein kantoor waar maar twee anderen werken en waar je alleen iemand ontmoet als de reparateur van de kopieermachine komt? Of misschien werk je in een café waar veel mannen komen, maar niet van het juiste soort en niet in de juiste omstandigheden. Denk eens goed na over andere opties. Wees bereid van baan te veranderen als je er een kunt krijgen waar je betere kansen krijgt om een man te vinden, ook als dat minder betaalt.

Een cliënt van mij ging heel radicaal te werk. Ze had een drukke baan en nooit genoeg tijd voor *Het Programma*. Daarom nam ze een jaartje vrij om zich te richten op het vinden van een man. Hiervoor heb je natuurlijk een flinke spaarrekening nodig, maar als je het je kunt veroorloven, kan het de moeite waard zijn. Je moet er alleen bij bedenken dat als je aan het eind van dat jaar resultaat wilt zien, je *Het Programma* als een dagtaak moet beschouwen. Het is geen vakantie, je moet iedere dag netwerken, plannen maken en meedoen aan alle *Programma*-activiteiten.

Je huis: Woon je ergens waar je nieuwe mannen kunt ontmoeten? Bieden de stad en de buurt waar je woont je de maximale kans om een man te vinden? Denk hier eens goed over na. Sommige buurten liggen afgelegen en bieden je weinig gelegenheid iemand te leren kennen, of je woont in een wijk waar nauwelijks singles wonen. In sommige steden is het moeilijk om aan de man te komen. Als dat bij jouw woonplaats het geval is, hoef je niet meteen je koffers te pakken, maar als je de mogelijkheid krijgt (leuke baan in andere stad, je beste vriendin verhuist en vraagt of je ook daar wilt wonen, of je wilde toch al weg uit je huis), overweeg het dan serieus.

Kate (60) woonde al tien jaar in New York. Daar merkte ze dat er meer single vrouwen waren dan single mannen. Ze zag al die jonge vrouwen in hun glossy verpakking, en een heleboel vrouwen zoals zij. Ze sprong er niet uit. Op een avond viel het kwartje: in Manhattan was de kans klein dat ze De Ware tegen het lijf zou lopen. Ze keek in de atlas en dacht na over waar ze wilde gaan wonen. Het moest ergens zijn waar ze eruit sprong. En het moest ergens zijn waar ze een wat minder drukke baan kon vinden (zodat ze meer tijd had om een man te zoeken), maar ze wilde wel redelijk verdienen. Ze koos Minneapolis, waar ze vrienden had (een getrouwd stel). Ze zegde de huur op en vroeg iedereen of ze iemand kenden die in Minneapolis woonde, of vrienden hadden die iemand kenden die daar woonde. Ze nam ontslag en verhuisde. Dat was dapper van haar en misschien ook gewaagd, want ze had nog geen nieuwe baan gevonden. Ze wist niet of het in Minneapolis beter was dan in New York, maar in ieder geval had ze een groot gebied om uit te kammen en iedereen die ze tegenkwam was nieuw voor haar.

Kate woont inmiddels in haar nieuwe woonplaats. Doordat ze haar vrienden om connecties heeft gevraagd, is ze al verschillende keren uit geweest met iemand die ze via via leerde kennen, en een paar keer via on line dating. Ze zegt dat haar net zo fijnmazig is, dat het enige criterium waaraan de man moet voldoen, is dat hij met mes en vork eet. Ze heeft twee ongehuwde vriendinnen ontmoet en die konden haar vertellen welke organisatie voor singles de beste is en waar ze het best vrijwilligerswerk kan doen. Ze heeft ongeveer twee sollicitatiegesprekken per week. Tijdens zo'n sollicitatiegesprek vertelde ze eerlijk dat ze naar Minneapolis was verhuisd omdat ze hoopt dat ze daar meer kans heeft single mannen te leren kennen. Daarop reageerde de personeelschef: 'Mijn vrouw is altijd aan het koppelen. Als ik haar dit vertel, kan ze wel tien afspraakjes voor je regelen!' Misschien was Kate op het juiste moment op de juiste plaats.

Je hebt Stap 8 gezet en bent klaar voor Stap 9 als je:

1. je dagelijkse routine onder de loep hebt genomen en lijstjes hebt gemaakt van waar je naartoe gaat, wat je doet en met wie;
2. je lijst nauwgezet hebt bekeken en alles hebt veranderd, steeds maar weer;
3. je tot doel hebt gesteld iedere dag iets anders te doen;
4. een 'opener' hebt uitgekozen die in overeenstemming is met je merk en die altijd bij je hebt;
5. nagedacht hebt over sleur in de conversatie en probeert strategisch antwoord te geven op alledaagse vragen;
6. een legitiem excuus hebt bedacht om een gesprekje aan te knopen met een man die je van een afstandje bewondert;
7. nagedacht hebt of werkelijk grote veranderingen (andere baan of verhuizen) nodig zijn, en indien dat het geval is, uitkijkt naar mogelijkheden.

Hoofdstuk 9

Stap 9: Niche-marketing: ga met vrouwen uit

Wat ik op de Harvard Business School leerde

Niche-marketing is een belangrijk hulpmiddel bij de verkoop van producten. De achterliggende gedachte is dat jouw product geschikt is voor een kleine groep consumenten die een segment vormen van de markt. Deze groep (of niche) bestaat uit potentiële kopers omdat ze over bepaalde kenmerken beschikken waarbij jouw product perfect past. Natuurlijk wil je je product aan het grote publiek slijten, maar je kunt overwegen je ook sterk op dit veelbelovende segment te richten. Cosmeticaproducenten hebben bijvoorbeeld hypoallergene crèmes die overal verkocht worden, maar sommige van deze producenten beseften dat de patiënten van een dermatoloog een perfecte niche voor hun product vormen. Dermatologen krijgen veel patiënten die hypoallergene producten zouden moeten gebruiken, vooral gezichtscrèmes. Dus een paar cosmeticafirma's richten zich speciaal op deze niche.

Een ander voorbeeld van niche-marketing is dit boek. *Het Programma* werkt voor iedereen: mannen en vrouwen van iedere leeftijd, en homo's. Maar ik heb bij de marketing gekozen voor de niche van vrouwen boven de vijfendertig die op zoek zijn naar een man, omdat ik denk dat zij (jullie) mijn beste klant zijn.

Waarom uitgaan met vrouwen?

Vrouwen zijn een niche die vaak over het hoofd wordt gezien wanneer je op zoek bent naar een man. Nee, ik raad je niet aan een romantisch afspraakje met een vrouw te maken als je heteroseksueel bent! Maar het is een feit dat vrouwen beter een *blind date* voor je kunnen regelen dan mannen. Sommige vrouwen zullen tot je 'doelgroep' behoren omdat zij waarschijnlijk het best kunnen voldoen aan je wens je aan iemand te koppelen.

Dus jouw taak bij Stap 9 is het selecteren van zes vriendinnen of vrouwelijke kennissen, met hen uitgaan en hun vragen een afspraakje voor je te regelen. Het is niet zo eenvoudig als het klinkt. Dit is niet wat je eerder al hebt gedaan toen je hebt rondgevraagd of iemand iets voor je kon regelen. Dit is een strategische zet waarbij je de vrouwen selecteert van wie je denkt dat ze veel single mannen kennen, en je spoort hen actief aan om een afspraakje voor je te regelen.

Het doel van je afspraakjes

Met je afspraakjes heb je vier doelen voor ogen: 1. je laat deze vrouwen weten dat je een vaste relatie op het oog hebt; 2. je vraagt hun op de man af of ze iemand kennen met wie je zou kunnen uitgaan; 3. je gaat na of ze een geschikte single over het hoofd hebben gezien; en 4. je vraagt hun of zij hun vrienden en familie willen vragen of ze iemand weten (en die kunnen dan weer navraag doen bij hun vrienden en kennissen). Dat laatste doel is het belangrijkst omdat het een 'virtueel' marketingproces in gang zet (mond-tot-mondreclame) dat grote gevolgen kan hebben.

Hoe de vrouwen te selecteren

Niet iedere vrouw is geschikt. De vrouwen op wie je je voor het niche-marketing richt, moeten aan een of meer van de volgende criteria voldoen:

1. **Een vaste relatie hebben.** Vrouwen die een vaste relatie hebben, zouden geen concurrentie mogen zijn, ze zijn niet zelf op zoek naar een single.

NB: Selecteer geen vrouw die zelf een single zusje of goede vriendin heeft die in dezelfde stad woont als jij. Misschien zoekt ze iemand voor haar. Als je hemelsbreed van het zusje of beste vriendin verschilt, voldoet deze vrouw wel aan de criteria.

2. **Gelukkig.** Gelukkige vrouwen willen meestal dat anderen net zo gelukkig zijn en zullen beter hun best voor je doen. Ze heb-

134

ben geen relatieproblemen en kunnen zich dus helemaal op jou concentreren.

3. **Goede connecties.** Vrouwen die over een uitgebreid netwerk van vrienden, buren, familie en collega's (of collega's van hun partner) beschikken, of vrijwilligerswerk doen, een cursus volgen, of veel mensen uit hun studietijd nog regelmatig zien, kennen vast wel een geschikte single, of ze kennen iemand die een geschikte single kent.

4. **Betrouwbaar.** Vrouwen van wie je zeker weet dat ze je zullen helpen (die niet verstrooid zijn of het te druk hebben) zijn die vrouwen die je verzoek serieus zullen nemen, zelf gaan bellen en je het nummer geven van geschikte singles.

5. **Ervaring.** Als je iemand kent die al eerder aan het koppelen is geslagen en dus weet hoe het werkt, des te beter. Vooral als ze met succes heeft gekoppeld. Ze zal graag alles doen om weer de voldoening te mogen ervaren dat ze twee mensen het geluk heeft laten vinden.

Problemen

Wat als je niet zes geschikte vrouwen kent om mee uit te gaan?

Wat als je bij jezelf denkt: maar ik ken geen zes vrouwen die getrouwd en gelukkig zijn, goede connecties hebben, betrouwbaar zijn en over ervaring beschikken. Je kent vast wel vrouwen die aan de meeste criteria voldoen en dat is een goed begin. Denk verder dan je adressenboekje. Vergeet niet je Mentor om hulp te vragen. Denk aan vrouwen van alle leeftijden (een vriendin van een vriendin? Een vriendin van je volwassen dochter?), aan vriendinnen van vroeger (dat studiegenootje van twintig jaar geleden?) of iemand die je nog maar net kent (van de fitnessclub? Een vriendin van een vriendin?), waar ze ook wonen (je oude vriendin uit je vorige woonplaats kent misschien via via mensen in je huidige woonplaats).

Mijn vriendin Maureen (39) vroeg me ooit per telefoon of ik haar kon helpen singles te leren kennen in de stad waar ze toen woonde, Portland, Oregon. Hoewel ik in Denver woon en niemand in Portland ken behalve Maureen, deed ik twee dingen. Ten eerste keek ik op de site waar oud-leerlingen van de business school staan, gesorteerd op woonplaats. Ik kende er maar een en die was getrouwd, maar toch stuurde ik hem een mailtje waarin ik hem vertelde over die leuke vrouw van negenendertig die graag single mannen wilde leren kennen. Een collega van hem belde Maureen later op om met haar af te spreken. Ten tweede vroeg ik vrienden in Denver of zij niet iemand in Portland kenden. Bij de meesten was dat niet het geval, maar toen mijn moeder een keer op visite was, hoorde ze mijn telefoongesprek waarin ik iemand vroeg of ze nog een geschikte single in Portland wist, en ze kreeg een idee. Ze was net op een groepsreis naar Londen geweest en had daar een aardig echtpaar uit Portland leren kennen dat een single zoon van veertig had. Helaas woonde de zoon in Seattle. Toch belde mijn moeder het echtpaar op, en zij regelden een afspraakje met Maureen toen hun zoon voor Thanksgiving bij hen op bezoek was.

Maureen heeft met deze mannen geen vaste relatie gekregen, maar ze waren allebei aantrekkelijke, succesvolle mannen en ze had met allebei een gezellige avond. En het gaf haar de hoop dat er toch nog aardige mannen rondlopen. Maar nog belangrijker, de man uit Seattle vertelde dat hij daar een datingservice voor lunchafspraakjes had geprobeerd, en dat hij daar goede ervaringen mee had. Maureen had er nog nooit van gehoord, maar een paar maanden later, toen ze bij Stap 11 (Massmarketing) was, keek ze eens in het telefoonboek en vond daar een gelijksoortige datingservice als in Seattle. Ze schreef zich in. Het was duur, maar het geld ervoor kwam uit haar marketingbudget, en ze hoopte er maar het beste van. Op haar tweede lunchafspraakje leerde ze de man kennen met wie ze tien maanden later in het huwelijk trad!

Dit voorbeeld toont aan dat niche-marketing op een manier werkt die je niet voor mogelijk had gehouden. Maureen vond haar echtgenoot naar aanleiding van een tip van een man met wie ze een afspraakje had dat was geregeld door zijn ouders die de moeder kenden van de vrouw die Maureen voor de niche-marketing had geselecteerd (ik!). Wat leven we toch in een kleine wereld... Vergeet niet dat het hier om de grote getallen gaat, je weet niet wat het resultaat kan zijn van een toevallige introductie, ontmoeting, of wanneer je iets nieuws probeert.

Wat als je niet durf te vragen of ze iets voor je wil regelen?

Als je denkt: dat durf ik niet, aan zes vrouwen vragen of ze een afspraakje voor me kunnen regelen, ik zou me doodschamen, ga dan terug naar Stap 1 (Marketingfocus) en vraag jezelf af of je alles wel wilt doen om een man aan de haak te slaan. Niets in het leven dat waarde heeft is makkelijk, dus of je springt in het diepe en stelt je vragen, of je gaat terug naar je therapeut of je oude, trouwe vriendinnen, die trouwens schoon genoeg hebben van je jammerklachten. Je kunt uren doorbrengen met analyseren waarom je niemand durft te vragen een afspraakje voor je te regelen, of waarom je niet assertief bent, blablabla. Je verspilt tijd en energie. Vind je me gemeen omdat ik niet troostend zeg dat het inderdaad moeilijk voor je kan zijn? Echt, ik leef met je mee, maar zachte heelmeesters maken stinkende wonden, dus zeg ik: 'Hup, vooruit!'

Denk hier eens aan: op een koude vriesnacht staat je huis in brand. Zou je binnen blijven zitten omdat het buiten koud is en je je warme jas niet kunt vinden? Nee! Je zou naar buiten rennen! Je moet doen wat je moet doen om het gewenste resultaat te behalen. Vlucht voor de vlammen van introspectie en twijfel aan jezelf. Vertrouw me (en alle anderen die je zijn voorgegaan): *Het Programma* werkt echt.

Voor heel verlegen singles die de stap niet kunnen zetten om vrouwen rechtstreeks te vragen of ze iets voor je kunnen regelen, is het een na beste je verzoek via e-mail of een briefje te doen. Misschien kun je daarvoor dan wel de moed opbrengen omdat je dan niet oog in oog met elkaar staat. Deze methode is minder persoonlijk en zal niet zo effectief zijn, maar het is beter dan deze stap helemaal over te slaan.

Hoe iemand te vragen iets voor je te regelen

Iemand vragen iets voor je te regelen is iets wat je onder de knie moet krijgen, vooral als je het goed wilt doen. Vergeet niet dat je alleen maar op afspraakjes uit bent. Je moet het heel direct vragen. Nadat je de eerste vrouw voor het afspraakje volgens Stap 9 hebt geselecteerd, bel je haar op. Waarschijnlijk woont ze in dezelfde plaats als jij, en je kunt iets afpreken dat ze waarschijnlijk leuk vindt. Houdt ze van buiten de deur lunchen? Stel een lunchafspraak voor. Houdt ze van lichaamsbeweging? Stel voor elkaar in de fitnessclub te ontmoeten. Lijkt ze op Imelda Marcos? Spreek af volgende week naar de uitverkoop van die grote schoenenzaak te gaan. Terwijl je haar aan de lijn hebt, zeg je dat je haar gewoon graag weer eens wilt zien, of, als ze een vriendin van een vriendin is, je kunt het hebben over iets wat jullie gemeen hebben. Je zegt nog niets over je doel: afspraakjes.

Waarschijnlijk selecteer je niet iemand die ergens anders woont, behalve als je denkt dat ze je toch zal kunnen helpen (zoals ik Maureen kon helpen omdat ik toegang had tot de database van oud-leerlingen). Bel haar dan op en overleg telefonisch met haar. Het kan een vrouw zijn die vroeger wel in jouw woonplaats woonde, maar verhuisd is, of iemand die over een enorm netwerk beschikt en overal mensen kent. Een 'afspraak' per telefoon schept niet dezelfde band als een paar uur die je samen doorbrengt, maar je kunt het makkelijker maken. Voordat je je 'afspraakje' met haar hebt, bel je haar om een afspraak te maken voor een langer telefoongesprek zodat ze het kan inplannen en zich hopelijk volledig op jou kan concentreren wanneer het telefoongesprek daadwerkelijk plaatsvindt.

Tijdens je afspraakje vraag je eerst hoe het met haar is; wees een goede luisteraar en stel haar vragen. Dat zal ze op prijs stellen (en ze zal jou aardig vinden). Je smeedt of versterkt een band. Uiteindelijk breng je het gesprek op jezelf. Je vertelt haar dat het op jouw leeftijd zo moeilijk is om in contact te komen met geschikte mannen. Vertel een paar verhalen over wat je op dat gebied allemaal hebt meegemaakt, en lardeer dat met humor. Zorg dat ze met je meeleeft. Dan vraag je recht op de man af: 'Weet je, ik zou je hulp goed kunnen gebruiken. Jij bent iemand die mijn leven ten goede kan veranderen. Ken jij geen single mannen?' Dit is een directe benadering en zal er voor zorgen dat je gesprekspartner zich onmisbaar voelt.

Waarschijnlijk vraagt ze je wat voor man je op het oog hebt, en zoals je in Stap 4 (Uitbreiding van de markt) hebt geleerd, werp je een fijnmazig net uit. Je geeft haar niet die oude lijst met criteria waaraan moeilijk is te voldoen. Je legt uit dat je openstaat voor veel soorten mannen en gewoon een leuke man zoekt. Geef haar wat voorbeelden waar ze misschien niet aan zou denken: alleenstaande vaders, jongere mannen, veel oudere mannen, mannen van buiten de stad waar je woont, of met een ongewoon beroep.

Ze zal waarschijnlijk teleurstellend reageren. 'Ik wilde dat ik iemand voor je wist, maar ik ken geen singles.' Daar haak je meteen op in. Zeg: 'Hm, misschien ken jij geen singles, maar misschien is er een mogelijkheid waar we nog niet aan hebben gedacht. Laten we eens diep nadenken...' Help haar door vragen te stellen die je van tevoren hebt bedacht, bijvoorbeeld de volgende:

Heeft je man geen single collega's? Of een sportmaatje?
Weet je niemand op je cursus fotografie?
Is er geen alleenstaande vader op de school van je kinderen?
Heb je nog een interessante man gezien op de schoolreünie laatst?
Zei je laatst niet dat je neef was gescheiden?
Je werkt toch als vrijwilliger in het Natuurkundig Museum? Zijn er geen mannelijke vrijwilligers die single zijn?
Zou je de andere vrouwen van je leesclubje volgende week willen vragen of zij iemand kennen?
Heb je vriendinnen die via hun werk of hun netwerk singles kennen?

Je hoopt dat ze zal reageren met: 'Ach ja! Hoe kon ik dat vergeten? Ik ken inderdaad een single... Ik zal vragen of hij nog beschikbaar is.' Of: 'Wat een goed idee! Ik zal het de anderen de volgende keer meteen vragen.' Als je zo'n reactie krijgt, moet je doorvragen, want misschien weet ze nog veel meer mogelijkheden. Maar als je al je vragen hebt gesteld en er komt niets uit, houd er dan over op. Zeg: 'Nu ja, ik zou je dankbaar zijn als je er nog eens over wilt nadenken en ook je vriendinnen eens vraagt of zij nog iemand weten. Een single zoals ik is helemaal afhankelijk van de hulp van gelukkig getrouwde vrouwen zoals jij!'

Helaas...

Als je afspraakje je om onduidelijke redenen niet wil helpen, nou, dan is ze in de eerste plaats een trut! Misschien zegt ze dat ze niemand kent, of dat ze een hekel aan koppelen heeft, of dat ze pas heeft gefaald toen ze voor drie andere vriendinnen iets wilde regelen. Een vrouw met een vast doel voor ogen zoals jij laat zich daardoor niet uit het veld slaan. Beschouw het als een leerzame ervaring. Ga er niet van uit dat je andere 'afspraakjes' ook zo zullen reageren. Zet door. En wees niet verbaasd als die 'trut' je na een halfjaar opbelt met het nieuws dat ze in het vliegtuig zo'n leuke single heeft leren kennen, echt iets voor jou...

Public relations: kleed je geweldig

Net als voor een eerste afspraakje met een interessante man, vergeet je niet je goed te kleden. Op de afspraakjes met deze zes vrouwen zie je er op je best uit. Als je niet afspreekt in het fitnesscentrum kun je erover denken eerst je haar door de kapper te laten doen. Besteed een halfuur aan je make-up. Draag leuke sieraden en accessoires. Deze vrouwen moeten je zien door de ogen van de man aan wie ze je willen koppelen. Ze willen geen onaantrekkelijke, onverzorgde vrouw koppelen aan de baas van hun eigen man. Natuurlijk moeten ze je goed kunnen beschrijven aan de potentiële kandidaten, dus vergeet niet reclame te maken voor de nieuwe jij. Zorg dat alles in overeenstemming is met je persoonlijke merk uit Stap 5, pas je kleding en gespreksstof aan. En neem de lunch voor jouw rekening. Schrijf het maar af van je marketingbudget. Ze zal vinden dat ze je iets verschuldigd is.

De follow-up

Net als een eersteklas verkoper zorgt de vrouw die *Het Programma* volgt voor een follow-up. Dat is van vitaal belang bij Stap 9. Vergeet niet dat het vinden van een echtgenoot *jouw* eerste prioriteit is, maar niet voor deze zes vrouwen. Ze leiden een druk leven en moeten aan jouw verzoek herinnerd worden. Als een van hen iets zegt over een geschikte man aan wie ze je wil voorstellen en je hebt na een week nog niets van haar gehoord, bel haar dan. Maak een gezellig babbeltje (of laat een aardig bericht op haar voicemail achter). Zeg dat je het leuk vond haar vorige week te zien en dat je niet kan wachten op bericht van meneer X. Als er nog een week voorbij is gegaan, wees dan niet verlegen; stuur haar een aardig briefje of mailtje en herhaal daarin dat je vol spanning op bericht van de man wacht over wie ze het had. Meer dan twee follow-ups zijn vervelend, dus hierna laat je haar met rust. Waarschijnlijk hoor je nog wel van haar, maar blijf er niet op wachten. Ga door met afspraakjes maken met de andere vrouwen, en zit niet bij de pakken neer omdat ze niet reageert. Je hebt geen tijd te verliezen.

Betrek hen erbij

Een goede manager geeft haar werknemers het gevoel dat ze echt betrokken zijn bij een project. In de zakenwereld zal een werknemer gemotiveerder zijn als ze gelooft dat ze verantwoordelijk is voor het eventuele succes. Managers gebruiken vier manieren om de werknemers zich bij het project betrokken te laten voelen: 1. werknemers krijgen voortgangsverslagen; 2. horen vaak dat het project van grote waarde is voor het bedrijf; 3. krijgen regelmatig positieve feedback; en 4. de werknemers wordt niet verteld hoe ze hun werk moeten doen. Deze succesvolle technieken zou je ook moeten toepassen bij de zes vrouwen die je voor deze stap hebt geselecteerd. Je hebt hen om de juiste redenen als niche uitgekozen, dus haal eruit wat er uit te halen valt.

Wat deed je vroeger? Je hebt je vriendinnen vast wel eens gevraagd of ze mannen kenden met wie ze een afspraakje voor je konden regelen. Misschien zeiden ze ja, en in dat geval zullen ze je aan een of twee mannen hebben voorgesteld. En dat was dat. Klaar, afgelopen. Maar als je je zes vrouwen effectief wilt gebruiken, moet je zorgen dat ze zich betrokken voelen bij jouw project. Zorg dus dat ze voortgangsverslagen krijgen. Als ze een afspraakje voor je hebben geregeld, bel je hen meteen op, of je schrijft hun na afloop een briefje. (Vergeet de kaartjes niet die je hebt gekocht toen je met *Het Programma* begon!) Je bedankt hen en vertelt globaal hoe het ging. Als het afspraakje tegenviel, verzoet je de bittere pil zodat ze het nog eens zullen proberen. Vertel vooral dat je zo dankbaar bent dat ze de moeite namen je aan iemand voor te stellen, ook als het niet klikte. En als je een man leert kennen die niet door hen aan je was voorgesteld, houd hen dan toch op de hoogte. Je wilt hen koesteren, en door hun te laten weten hoe de zaken ervoor staan kunnen ze je blijven steunen.

Je wilt ook laten zien dat je hun steun waardeert, waarbij je laat merken dat ze waardevol zijn voor je project. Je wilt bij hen in een goed blaadje blijven staan. Vergeet niet dat deze niche die je hebt geselecteerd een groot verschil in je leven kan maken. Je moet ze een beetje in de watten leggen. Op het goede moment kun je hun een oprecht gemeend bedankje sturen en een bij hen passend cadeautje, zoals bloemen, fotolijstje, sjaaltje, een verjaardagskaart, en je kunt aanbieden hen ergens mee te helpen. Misschien is een van je geselecteerden makelaar, en jij hebt net gehoord dat de buren erover denken een ander huis te kopen. Raad je buren aan jouw makelaar in de arm te nemen! Ze zal er je dankbaar voor zijn, en misschien doet ze nog beter haar best een man voor je te vinden. Je zit nu in de verkoopbranche; je moet je klanten koesteren!

Je moet wel begrijpen dat dankbaarheid niet hetzelfde is als positieve feedback. Je hebt je dank betuigd, maar je moet hen ook prijzen omdat ze zich niet onbetuigd hebben gelaten. Mensen denken graag dat hun werk belangrijk is voor het succes van een project. Wanneer je een van hen bedankt, prijs dan ook iets speciaals wat deze vrouw voor je heeft gedaan, of bijvoorbeeld haar inzicht.

Iedereen heeft een andere stijl van koppelen. Sommige vrouwen nemen er de tijd voor en wachten totdat er een soort prins op het witte paard voorbij komt voordat ze iets voor je regelen. Ze vindt alleen het beste goed genoeg voor jou! Anderen stellen je voor aan iedere loslopende man; de enige criteria voor hen zijn dat hij single moet zijn en nog ademhaalt. Sommigen geven je nummer door aan een geschikte man, maar als hij je niet belt, moedigen ze hem verder ook niet aan. Anderen zullen een eerste ontmoeting plannen en daarbij aanwezig willen zijn. Misschien willen ze met zijn vieren uitgaan, of nodigen ze jullie voor een dineetje bij hen thuis uit omdat ze denken dat je je meer op je gemak zult voelen als er iemand bij is. Denk erom dat je je geselecteerden niet vertelt hoe ze het moeten aanpakken. Wees blij en dankbaar dat ze je aan iemand willen voorstellen, hoe ze dat ook aanpakken; het gaat erom dat ze je helpen en voor je zoeken.

Je hebt Stap 9 gezet en bent klaar voor Stap 10 als je:

1. met zes geselecteerde vrouwen bent uitgegaan;
2. deze zes vrouwen hebt verteld dat je een man zoekt, gevraagd hebt iets voor je te regelen, met hen hebt nagedacht over geschikte mannen, en hebt gevraagd of ze hun vriendinnen willen vragen je te helpen;
3. er op je best uitzag tijdens je afspraakjes;
4. niet vergeten bent aan je persoonlijke merk te denken en je kleding en gespreksstof daarmee in overeenstemming waren;
5. een follow-up hebt gedaan;
6. je best hebt gedaan de zes vrouwen een gevoel van betrokkenheid te geven;
7. deze stap hebt gezet met een positieve houding ten opzichte van afgewezen worden.

Hoofdstuk 10

Stap 10: Telemarketing: pak je rolodex

Wat ik op de Harvard Business School leerde

Telemarketing kan een verrassend effectieve marketingtechniek zijn. Wist je dat ongeveer 4 procent van de mensen die gebeld worden daadwerkelijk het product koopt dat telefonisch wordt aangeprezen? De meesten van ons denken waarschijnlijk dat niemand iets koopt na zo'n storend en vervelend telefoontje. Maar vanuit zakelijk oogpunt gezien is telemarketing winstgevend. Het kost niet veel om al die computers duizenden verbindingen tot stand te laten brengen en een handjevol mensen in te huren om de verkoop te regelen. Als er 4 procent respons is (soms hoger, afhankelijk van het product en of het nummer bekend is, dat wil zeggen dat het een nummer is van iemand die eerder op die manier iets heeft aangeschaft), zal het bedrijf er winst op maken. Een telefonisch verkooppraatje moet kort en overtuigend zijn en degene die opneemt verleiden tot aankoop. Een goede marketingspecialist zal telemarketing niet als de enige manier gebruiken om een product aan de man te brengen, maar deze tactiek zeker ook toepassen als onderdeel van de totale marketingstrategie.

Wat is de telemarketingtechniek?

Oké, deze stap zal je niet bevallen! Maar lees toch maar verder. Mijn cliënten trekken altijd een gezicht wanneer ze horen wat dit inhoudt. Maar vertrouw me, het resultaat kan bijzonder goed zijn. Wat moet je doen: iedereen die je kent opbellen om te vragen of ze een afspraakje voor je kunnen regelen. En ik bedoel echt iedereen; mannen en vrouwen van alle leeftijden; familie, vrienden en kennissen; iedereen die in je adressenboekje en je rolodex staat; iedereen uit je jaarboek van school, je vervolgopleiding, en zelfs van dat zomerkamp van jaren en jaren geleden. Ook sommige huidige en vroegere collega's en zakelijke contacten. Iedereen die je op een zakelijke manier kent (makelaars, leraren, advocaten, doktoren, tandartsen, dierenartsen, kappers, reisagenten, accountants, bankiers, het personeel van de fitnessclub, etc.). Je buren (ook die van vroeger), iedereen die ook lid is van jouw clubjes (leesgroepje, of vrijwilligerswerk, etc.) en zeker ex-vriendjes en mannen met wie je een prettig verlopen afspraakje hebt gehad. Dus iedereen die je ooit hebt gekend!

Als je een jaar of 45 bent, heb je misschien al volwassen kinderen, nichtjes, neefjes, of de kinderen van vrienden die je kunt bellen. Tegenwoordig zijn er zoveel echtscheidingen dat veel volwassen kinderen gescheiden vaders hebben die erop wachten dat iemand met hen wil afspreken.

En beperk je niet alleen tot de mensen in jouw woonplaats. De wereld is klein. Dat is een cliché, maar het is wel waar. Vergeet Maureen uit Portland van Stap 9 (Niche-marketing) niet. Je weet nooit over welke contacten iemand in een andere stad beschikt.

Misschien staan er vijfhonderd namen op je lijst. Maar als het er beduidend minder zijn, is dat ook prima. Bel gewoon maar iedereen die je kent, of ze je nu na staan of niet.

Misschien vind je het leuk om te horen hoe ik ertoe kwam deze stap te zetten. Een paar jaar geleden, toen ik net begonnen was vrouwen te helpen een man te zoeken en ik maar één cliënt tegelijk kon hebben, nam ik de telemarketing zelf voor mijn rekening. Ik zat urenlang aan de telefoon en belde iedereen die ik kende. Ik vroeg: 'Ken jij iemand in X die ik zou kunnen voorstellen aan Y?' Niet ieder telefoontje leverde wat op, maar genoeg om te weten dat het werkte. Mijn cliënt Ava leerde haar echtgenoot indirect kennen via een telefoontje van mij. Ava woonde in St. Louis, maar een van mijn contacten zei dat ze iemand in Los Angeles kende. Ik vroeg Ava of ze plannen had om binnenkort naar Los Angeles te gaan, en ze antwoordde: 'Nee, maar daar kan verandering in komen.' Dat is de juiste instelling voor iemand die *Het Programma* volgt! Ze belde een vriendin in Los Angeles en zei dat ze bij haar kwam logeren omdat ik daar een afspraakje voor haar kon regelen. Haar vriendin zei: 'O, als je toch hier bent, wil ik je graag aan iemand voorstellen. Hij heet Charles.' En raad eens? Ava trouwde een jaar later met Charles.

Dit soort telefoontjes kan op een heel onverwachte manier effect hebben. Maar jij moet zelf bellen, tenzij je iemand kent die zich zo betrokken voelt bij je speurtocht naar een man (net als ik bij mijn eerste cliënten), dat hij of zij het voor je wil doen...

Het doel van telemarketing

In Stap 8 (Niche-marketing) vroeg je zes vrouwen om met je uit te gaan. Je vroeg hun afspraakjes voor je te regelen. Je hebt hen alle zes gekoesterd en ervoor gezorgd dat ze zich bij jouw speurtocht betrokken voelen. In Stap 10 vraag je een paar honderd mensen iets voor je te regelen. Je spreekt een grote groep aan, en omdat je zoveel telefoontjes moet afwerken, kun je je niet in ieder contact verdiepen.

Het doel van je telefoontjes is:

1. Vertellen dat je op zoek bent naar een partner.
2. Duidelijk maken dat je hem of haar zeer dankbaar bent voor zijn of haar hulp, en dat je die hulp echt nodig hebt.
3. Op de man af vragen of ze iets voor je kunnen regelen.
4. Niet langer dan vijf à tien minuten per persoon aan de lijn blijven.
5. Op iedere tien telefoontjes één afspraakje in de wacht slepen.

Misschien duurt het even voordat je het resultaat van je telefoontjes ziet. Het gestelde doel van één afspraakje per tien telefoontjes wil zeggen dat je na in een paar maanden honderd telefoongesprekken te hebben gevoerd, je tien afspraakjes moet hebben gehad. Vergeet niet dat je ook zaad plant, dus wees geduldig. De meeste mensen kunnen niet meteen iemand voor je bedenken, maar je hebt gezegd dat je daarvoor openstaat. Ze gaan verder met de dagelijkse beslommeringen en zodra ze een single tegen het lijf lopen (en dat is onvermijdelijk!), denken ze hopelijk aan jou.

Telemarketingprincipes

Waarom deze marteling? Niet alleen had ik succes met telemarketing, de statistieken liegen er ook niet om. Ik citeer: 50 procent van de mensen die gehuwd zijn of samenwonen, zijn door vrienden of familie aan elkaar voorgesteld (Edward Laumann, Ph.D., professor in de sociologie, verbonden aan de Universiteit van Chicago.) Het is dus logisch dat je dit goudmijntje aanboort en iedereen belt die je kent. Ik heb het in het zakenleven al wel duizend keer gehoord: 'Het gaat er niet om wat je weet, maar wie je kent.' Dit geldt zeker ook voor de wereld van het daten.

In tegenstelling tot echte telemarketeers ben je geen volslagen onbekende voor de mensen die je belt. Ze zullen vaak blij zijn iets van je te horen. Veel van hen weten misschien al dat je single bent, maar hebben er nooit bij stilgestaan dat ze je aan iemand hadden kunnen voorstellen. Een directe oproep tot actie is hier nodig.

Stel je lijst zo op dat je eerst de mensen belt van wie je vermoedt dat ze het meest voor je kunnen doen. Je zou per persoon een gesprekje van vijf à tien minuten moeten voeren. Je wilt een zo hoog mogelijk rendement terwijl je zo min mogelijk tijd investeert.

Het rendement van telemarketing is relatief laag. Als in de zakenwereld een rendement van 4 procent wordt behaald met het bellen van onbekenden, zouden we mogen aannemen dat jouw rendement hoger ligt omdat jij met bekenden belt. De meesten van mijn cliënten behaalden een rendement van gemiddeld 10 procent. Als je tweehonderd mensen belt, zou je twintig afspraakjes in een jaar eruit moeten slepen. Wanneer heb je voor het laatst zoveel (off line) *blind dates* gehad? Ook met een laag rendement loont het de moeite deze tactiek toe te passen, omdat het toch de kans vergroot dat je een man aan de haak slaat. Je hebt maar één man nodig om een vaste relatie mee te hebben, dus ook al krijg je maar één afspraakje met deze methode (in het ergste geval), zou dat met De Ware kunnen zijn.

Wie weet wie van al degenen die je aan de lijn krijgt jou kan voorstellen aan De Ware? Misschien al de eerste die je spreekt, of misschien de tweehonderdste. Het kan degene zijn van wie je het het meest verwachtte, of zomaar iemand. Twee van mijn favoriete succesverhalen hebben betrekking op Beth, een vrouw van 37 die in New York woonde, en Joan, een vrouw van 68 uit Californië. Ik vroeg hun om hun verhaal te vertellen:

Casestudy: De lotgevallen van Beth bij telemarketing

'Er stonden 172 namen op mijn lijst, en dat verbaasde me. Ik dacht dat ik maar half zoveel mensen kende. Maar ik had goed nagedacht en toen ik besefte hoeveel mensen ik in de loop der tijd had leren kennen, werd de lijst steeds langer. Sommigen van hen hadden veel contacten in New York, zoals mijn baas en de makelaar die me het jaar daarvoor mijn appartement had verkocht.

Maar op mijn lijst stond bijvoorbeeld ook Rose, de tachtigjarige buurvrouw van mijn grootmoeder. Mijn grootmoeder woont in een bejaardenoord in Florida en drie jaar daarvoor had ik een lang weekend bij haar gelogeerd. Op een middag hadden we gekaart met Rose. Eigenlijk mocht ik Rose niet zo, ze was nogal gemaakt. Maar er was me verteld dat ik werkelijk iedereen op mijn lijst moest zetten, dus toen ik mijn grootmoeder noteerde, dacht ik aan Rose en zette haar er ook maar op. Ik dacht dat ze alleen maar hoogbejaarde mannen zouden kennen, maar schreef hun namen toch maar op.

En toen gebeurde er dit: eerst belde ik mijn grootmoeder op en vertelde haar waar het me om ging (alsof ze dat niet wist!) en voordat we ophingen, vroeg ik haar me het nummer van Rose te geven. Daarna belde ik Rose en vertelde haar dat ik serieus op zoek was naar iemand met wie ik mijn verdere leven wilde delen. Ze reageerde heel vriendelijk en beloofde goed om zich heen te kijken.

Ik belde nog veel meer mensen van mijn telemarketinglijst en ging een paar keer met iemand uit. Maar met niemand klikte het. Drie maanden later belde Rose op. Ze had met een vrouw van haar bridgeclubje gesproken en zij noemde haar kleinzoon, een single van veertig jaar die op Long Island woonde. Ze regelden een afspraakje voor ons. Ik verwachtte er niet veel van, maar we vonden elkaar meteen leuk en we gingen twee maanden lang vaak uit. Uiteindelijk bleek hij voor mij niet De Ware te zijn, maar het toont aan dat je nooit weet wie met een geschikte man op de proppen kan komen.'

Casestudy: De lotgevallen van Joan bij telemarketing

'Ik belde alle 206 personen op mijn telemarketinglijst. Ik schaamde me dood, ook al reageerden de meeste mensen heel aardig. Nummer 203 was een vriendin van vroeger, Helen. We kenden elkaar goed op de middelbare school, maar ik had haar al in bijna tien jaar niet meer gesproken. Ze was ernstig ziek geweest, maar nu ging het beter met haar. We hadden een kort gesprekje en ze beloofde dat ze aan me zou denken als ze iets hoorde over een single.

Een paar weken later belde ze terug. Ze kwam net van de dokter. Ze zei dat ze op de balie van de receptioniste een foto van een leuke man van middelbare leeftijd had zien staan. Ze vroeg de receptioniste wie het was, en toen ze hoorde dat het haar vader was, vroeg ze waarom haar moeder er niet ook bij stond. Ik vond dat nogal brutaal van Helen, maar het was maar goed dat ze dat had gevraagd. De vader was al drie jaar weduwnaar, en de receptioniste hoopte vurig dat haar vader een leuke vrouw zou leren kennen. Natuurlijk dacht Helen meteen aan mij!

Ze vertelde de receptioniste dat ze iemand kende die ze graag aan haar vader wilde voorstellen. Ze wisselden telefoonnummers uit, regelden een afspraakje voor mij en Jason (hoewel hij er erg aarzelend tegenover stond) en nu, een jaar later, wordt de receptioniste mijn stiefdochter! We zijn al verloofd. Wie had ooit kunnen raden dat nummer 203 me bij De Ware zou brengen?'

Waar je aan moet denken

Zo, we kunnen beginnen. Zorg dat je succes behaalt met telemarketing. Voordat je een nummer intoetst, moet je een goede openingszin bedenken. Misschien begin je met wat gemeenplaatsen, of je hebt het over iets waarvan je weet dat het de ander interesseert, of je vraagt iets wat aantoont dat je iets van hem of haar hebt onthouden. In de zakenwereld zeggen ze dat het makkelijker is om iets aan iemand te slijten wanneer je eerst een band hebt gesmeed door het over iets te hebben wat jullie gemeen hebben.

Stel jezelf wekelijks een doel en noteer dat in je agenda. Als je bijvoorbeeld tweehonderd namen op je lijst hebt staan, schrijf je bij elke dag voor de komende drieëneenhalve maand '2 telemarketinggesprekken' in je agenda. Of je kunt al je gesprekken op zondag houden door veertien zondagen lang vijftien gesprekken per keer te voeren. Probeer minimaal vijf keer per week een gesprek te houden.

Ik weet dat het moeilijk is. Ik zou je graag een kaartje met Verlaat De Gevangenis Zonder Betalen geven, maar het is nu eenmaal hard werken om binnen anderhalf jaar een man te vinden. Maar het is het allemaal waard.

Je telefoonscript

Er zijn drie dingen die ik wil dat je doet tijdens je telefoongesprekken: 1. versterk de band die je met de ander hebt; 2. geef er blijk van dat je de hulp van de ander nodig hebt; 3. vraag om iets voor je te regelen. Oefen dit met je Mentor voordat je voor het eerst iemand van je lijst belt. Houd je telemarketingdoel voor ogen en maak van de gelegenheid gebruik om reclame te maken voor je persoonlijke merk. Een telefoontje van Diana (Tuinieren) zou zo kunnen klinken:

'Dag Paula! Ik ben het, Diana van vijf huizen verder. Doen die rozen het goed die ik je de vorige lente had aangeraden? ... O, dat is fijn om te horen.

'Ik hoop dat je het niet erg vindt dat ik je bel, maar ik wilde je hulp inroepen voor iets wat heel belangrijk voor me is. Ik heb besloten dat ik dit jaar op zoek ga naar een leuke man met wie ik de rest van mijn leven wil delen, en ik zou je hulp zeer op prijs stellen. Het is erg moeilijk voor een vrouw van mijn leeftijd om met nieuwe mannen in contact te komen. Ik schaam me een beetje dat ik het je moet vragen, maar ik vroeg me af of jij niet een single kent aan wie je me kunt voorstellen.'

Als ze nul op het rekest heeft gekregen, kan ze nog wat door-vragen: 'Misschien iemand in je familie, of een collega? Of een vriend van een vriend, of misschien kent je man iemand?' Heb het ook even over de clubjes waarvan ze lid is en dergelijke: 'Denk je dat iemand van je bridgeclub een leuke man weet?'

Zoals je bij Stap 9 (Niche-marketing) hebt gezien, weten de meeste mensen niet onmiddellijk een geschikte single. Vooral wanneer ze ineens door zo'n telefoontje worden overvallen. Wees dus niet al te teleurgesteld wanneer je de reactie krijgt: 'Goh, ik wou dat ik iemand voor je wist! Ik zou je graag helpen, maar ik ken geen singles.' Dit is wat jij dan zegt: 'Geeft niet, hoor! Ik hoop dat je het niet erg vond dat ik het vroeg... Het is echt niet makkelijk om zoiets over de telefoon te vragen. Maar misschien wil je er nog eens over nadenken, of het je man of je vrienden vragen. Ik zou het zeer op prijs stellen – en als je ooit iemand tegen het lijf loopt, denk dan aan me, als je wilt.'

Als ze je vraagt wat voor man je zoekt, weet je langzamerhand wel wat je moet zeggen: 'Een leuke man! Ik sta open voor ieder-een van wie je denkt dat ik hem graag zou leren kennen.'

Wanneer je een fijnmazig net als dit uitwerpt, kun jij later se-lecteren. Laat anderen met allerlei soorten mannen op de prop-pen komen, dan kun jij beslissen wie van hen je beter wilt leren kennen. Dat is beter dan wanneer anderen die keuze al voor je maken voordat je de man in kwestie ooit hebt gezien.

De follow-up

Zoals je bij Stap 9 (Niche-marketing) hebt gezien, is het van het grootste belang dat er een follow-up komt. Pak je logboek erbij dat je voor Stap 7 (On line marketing) nodig had en houd ieder telemarketing gesprek bij – ook als je wordt teruggebeld. Als een vrouw van je lijst zei dat ze iemand in gedachten had en je na tien dagen nog niet van haar hebt gehoord, bel je haar voor de follow-up. Voordat je honderden nummers intoetst, moet je ervoor zor-gen dat je alles goed hebt georganiseerd. Maak zes kolommen in je logboek, zoals bij het volgende voorbeeld:

Datum	Naam	Contact of boodschap achtergelaten?	Resultaat?	Follow-up	Opmerkingen
20/11	Amy Jansen	Contact	Zal man naar collega vragen	30/11 bellen voor follow-up	Heel behulpzaam. Man werkt bij IBM en heeft veel mannelijke collega's
24/11	Zina Reijman	Boodschap ingesproken	nvt	29/11 nog eens bellen als zij niet eerst heeft teruggebeld	nvt
6/12	Bob van Dam	Contact	Geeft mijn nummer door aan zijn kaartvriend Tom Smit	Afspraak op 12/12 in het café en Tom komt ook	Tom is gescheiden enheeft 2 dochters

Je moet heel zorgvuldig aantekeningen maken zodat je goed georganiseerd aan de follow-up kunt beginnen. Maak niet alleen aantekeningen in je logboek, maar schrijf ook op welke stap nog nodig is en wanneer je die wilt nemen (bijvoorbeeld: 29/11: Zina Reijman bellen als follow-up van ingesproken boodschap; of: 13/12 Bob van Dam bellen om hem te bedanken dat hij me aan Tom Smit heeft voorgesteld).

Misschien vraag je je af

Wat als ik niet veel mensen ken?

Dit hoor ik vaak. Misschien ben je net naar een andere woonplaats verhuisd en ken je daar nog maar weinig mensen. Misschien woon je in een dorpje. Misschien leid je een afgeschermd leven. Misschien kozen een heleboel zogenaamde vrienden na de scheiding partij voor je ex-man en wil je hen voor geen goud bellen. Als je echt je best hebt gedaan een zo lang mogelijke lijst op te stellen en aan iedereen hebt gedacht die je ooit hebt gekend, maak je dan geen zorgen dat je lijst niet erg lang is. Telemarketing werkt, of je nu twintig of tweehonderd mensen belt. Bij een korte lijst heb je alleen minder kans, maar je kunt nog steeds een respons van 20 procent verwachten. Als er twintig namen op je lijst staan, kun je twee afspraakjes verwachten, en omdat je maar één partner nodig hebt, kan het toch de moeite waard zijn.

Wat als ik verbonden word met het antwoordapparaat?

Wanneer je aan telemarketing doet, zul je waarschijnlijk vaak een antwoordapparaat treffen. Laat een kort, opgewekt berichtje achter en vraag of ze je willen terugbellen. Geef globaal aan wanneer je thuis zult zijn, maar vertel niet waarom je belde. Je kunt wel zeggen dat je om een gunst wilt vragen, maar vertel nog niet waarover het gaat; dat is erg onpersoonlijk en zal maar weinig effect hebben. Je wilt iedereen echt spreken, je wilt hun vertellen welk doel je voor ogen hebt en dat het je ernst is, en je wilt samen kunnen nadenken of je gesprekspartner misschien een single kent. Wanneer je met iemand spreekt, zal die persoon eerder geneigd zijn je te helpen. Een boodschap op het antwoordapparaat leg je gemakkelijk naast je neer, maar het is moeilijker een verzoek te negeren wanneer je met iemand spreekt.

Moet ik collega's en zakelijke contacten bellen?

Ja, maar waarschijnlijk niet allemaal. Ga op je eigen oordeel af en bel degenen van wie je denkt dat ze je verzoek serieus zullen opvatten, en niet degenen die je liever niet bij je persoonlijke leven betrekt. Een zakelijk contact kun je misschien beter bellen wanneer de zaak al in kannen en kruiken is. Sommige bedrijven hebben liever niet dat werknemers met elkaar uitgaan, maar dat wil niet zeggen dat je collega's je niet aan iemand van buiten het bedrijf mogen voorstellen. Wanneer je twijfelt, gebruik dan je gezonde verstand. Maar vergeet niet dat niets menselijks ons vreemd is, en ik denk dat je aangenaam verrast zult zijn door de respons die je op je werk zult krijgen.

Wat als ik het telefoonnummer van iemand op mijn lijst niet heb?

Als je het privénummer van iemand op je lijst niet hebt, zoals van een collega of je kapper, stuur dan een mailtje, schiet diegene persoonlijk aan, of bel hem of haar gewoon op het werk en vraag of het goed is dat je iets vraagt wat niets met het werk te maken heeft.

Wat als ik te verlegen ben voor telemarketing?

Veel vrouwen vinden zichzelf te verlegen om dit soort telefoongesprekken te voeren, of voelen zich er erg ongemakkelijk bij. Maar je moet doen wat je moet doen als je het resultaat belangrijk vindt. Ik vergelijk het graag met de geboorte van een kind; een kind baren is geen feest, maar toch krijgen miljoenen vrouwen steeds weer kinderen omdat ze weten dat ze de pijn en het ongemak moeten doorstaan om nog jaren van geluk aan hun kind te beleven.

Telemarketing is minder pijnlijk dan baren – en ik kan het weten, ik heb met beide ervaring! Ga terug naar Stap 1 (Marketingfocus) en vraag jezelf af of je er echt alles voor overhebt om een man aan de haak te slaan. Als je verlegen bent, is dat moeilijk voor je, maar laat je er je niet door weerhouden. Het resultaat van deze stap kan zijn dat je jaren van geluk met je nieuwe partner beleeft!

Klink ik niet wanhopig als ik dit soort gesprekken voer?

Vrouwen schamen zich vaak om deze telefoontjes te plegen omdat ze bang zijn dat hun gesprekspartner zal denken dat ze wanhopig zijn. Maar stel je eens voor dat jij zo'n telefoontje kreeg; wat zou jij denken als iemand die je kende je hulp inriep? Ik weet zeker dat je haar graag zou helpen en verder geen oordeel over haar zou vellen. Waarschijnlijk bewonder je haar omdat ze zo doelgericht te werk gaat. Vergeet niet dat niemand weet hoeveel mensen je allemaal belt. Misschien denken ze dat je een paar goede vriendinnen belt, niet twee- of driehonderd! Vaak denk je zelf dat je wanhopig klinkt omdat je zoveel mensen belt.

Natuurlijk kun je nul op het rekest krijgen, zoals dat bij iedere stap van Het Programma het geval is. Wees dus optimistisch, maar wees ook voorbereid op ieder soort reactie van de mensen die je kent. Zorg er in ieder geval voor dat je na een onplezierige reactie niet bij de pakken neer gaat zitten. Misschien krijg je één negatieve reactie en 99 positieve, dus laat je niet kisten en ga door met bellen.

Een laatste redmiddel

Als je nog steeds niet overtuigd bent van het belang van deze stap, dan geef ik je hier wat troost. Als je echt nog liever doodgaat dan honderden mensen bellen en hun vragen om afspraakjes voor je te regelen, kun je misschien sommigen een mailtje sturen met je verzoek. Ik zou de mensen boven aan je lijst altijd liever bellen, maar de rest kun je mailen. Ik vind deze methode minder geschikt omdat het minder persoonlijk is, en dus zul je minder respons krijgen. Maar als je echt niet wilt bellen, is een e-mail beter dan niets.

Als je besluit je verzoek per e-mail te doen, stuur dan geen groepsmailtje. Je moet iedereen een eigen, individueel mailtje sturen zodat de ontvanger zich belangrijk voelt, alsof alleen hij of zij je leven kan veranderen. Als je een algemeen berichtje stuurt dat begint met 'Beste iedereen', dan maak je het nog onpersoonlijker. De mentaliteit van een groep is meestal: 'Iemand anders doet het wel, ik hoef niets te doen.' Je kunt natuurlijk wel wat knip- en plakwerk verrichten en daar wat persoonlijks aan toevoegen.

Dankbetuigingen

Zoals altijd moet je wanneer iemand iets voor je heeft gedaan je dank betuigen, of iemand nu een afspraakje met een single voor je heeft geregeld of anderen heeft gevraagd of ze singles kenden en de introductie zo tot stand is gekomen. Je moet een aardig briefje schrijven (gebruik het briefpapier – bedankkaarten – dat je hebt gekocht toen je aan *Het Programma* begon). Ik vind dat een bedankje recht uit het hart moet komen. Gebruik zinnen als: 'Ik stel je hulp echt op prijs, ik weet niet hoe ik je ooit kan danken', of: 'Ik vond het geweldig dat je me aan Jaap hebt voorgesteld'. Je kunt ook nog wat meer in detail treden: 'We gaan volgende week donderdag uit, en daar verheug ik me echt op', of: 'We hebben vrijdag samen koffie gedronken, en ook al geloof ik niet dat het klikte, we hadden toch een goed gesprek en ik ben blij dat ik hem heb leren kennen. Je weet kennelijk precies wat ik een leuke man vind.'

Als iemand erg veel moeite voor je heeft gedaan – misschien heeft ze heel veel afspraakjes voor je geregeld, of een diner gegeven – zou je haar een bij haar passend cadeautje kunnen geven. Iets persoonlijks, zoals een boek over een voor haar interessant onderwerp, of iets wat ze goed kan gebruiken wanneer ze binnenkort met vakantie gaat.

Omdat je met je briefjes en cadeautjes laat zien dat je echt dankbaar bent, zullen deze mensen waarschijnlijk nog eens iets voor je doen. Ze weten nu dat je dat erg op prijs stelt. Iedereen krijgt graag positieve feedback, en het geeft hun dat gevoel van betrokkenheid waar we het eerder al over hadden.

Je hebt Stap 10 gezet en bent klaar voor Stap 11 als je:

1. een lijst hebt gemaakt van *iedereen* die je kent (hoe langer de lijst, hoe beter);
2. minstens vijf telefoontjes per week hebt afgehandeld;
3. al deze mensen op de man af hebt gevraagd een afspraakje voor je te regelen;
5. een follow-up hebt gedaan;
6. iedereen die je heeft geholpen, oprecht je dank hebt betuigd;
7. een resultaat hebt behaald van ongeveer één afspraakje op tien telefoontjes.

Hoofdstuk 11

Stap 11: Massmarketing: meer en meer

Wat ik op de Harvard Business School leerde

Mass-marketing is een strategie om het grootst mogelijke aantal potentiële consumenten te bereiken. Voorbeelden van massmarketingtechnieken zijn televisiereclame en grote reclameborden. Met deze methode worden miljoenen mensen bereikt. Niet iedereen besteedt aandacht aan de boodschap, maar velen nemen die in zich op en ondernemen actie. In de marketing weet je nooit precies welke mensen op je boodschap zullen reageren. Daarom richt je je op een groot publiek in de hoop zoveel mogelijk potentiële kopers te bereiken. Cola is bijvoorbeeld een product dat veel mensen van verschillende leeftijden aanspreekt, waar ook ter wereld. Daarom is het verstandig gebruik te maken van massmarketingtechnieken zoals tv-reclame, omdat het zo'n verscheidenheid aan mensen bereikt. Het gaat erom nieuwe mogelijkheden aan te boren via verschillende massmarketingkanalen zodat de boodschap zoveel mogelijk segmenten van het publiek bereikt.

Waarom grote aantallen van vitaal belang voor **Het Programma** *zijn*

Een kerndoel van *Het Programma* is het bereiken van zoveel mogelijk mensen. Vergeet niet dat hoe meer balbezit je hebt, des te vaker je de kans hebt te scoren. Dit is de stap waarbij je nog grotere aantallen bereikt. Tot nu toe heb je tien stappen gezet waarbij je een stevige basis hebt gelegd en tal van mogelijkheden gecreëerd om een partner te vinden. Je kreeg meer keus toen je met on line dating begon, je routine veranderde, ging netwerken met geselecteerde vrouwen, en met telemarketing begon. Maar als je De Ware nog niet hebt ontmoet, wordt het tijd om het proces te versnellen. We rusten niet uit. Je moet meer mogelijkheden creëren om een man te vinden.

De tactiek van massmarketing is systematisch en strategisch. De bedoeling is dat je nieuwe mogelijkheden creëert om mannen te ontmoeten. Waarom? Omdat je al zoveel hebt geprobeerd en je hebt hem nog steeds niet leren kennen. Je weet nooit waar De Ware is, dus moet je *overal* gaan zoeken. Het is vermoeiend en vaak teleurstellend, maar als je goed georganiseerd te werk gaat, kun je succes hebben.

Bij deze stap ga je methodisch van alles een beetje doen. Ik help je met het creëren van talloze mogelijkheden om mannen te ontmoeten – mogelijkheden waarover we het in *Het Programma* nog niet hebben gehad. Het wordt een koud buffet met als hapjes alle evenementen voor singles die er maar bestaan, en nog een paar die we zelf gaan bedenken. Natuurlijk zul je geen tijd hebben om ze allemaal te proberen, maar je krijgt de kennis die je nodig hebt zodat je altijd een ideetje zult hebben waar je je toekomstige partner zou kunnen leren kennen. Er is altijd iets nieuws dat je kunt proberen en waar je naar uit kunt kijken. Deze lijst van activiteiten geeft je de hoop dat er misschien iets te gebeuren staat op het volgende evenement waaraan je deelneemt.

Zelfs met al de strategieën in dit boek moet je toch niet vergeten dat het toeval bestaat. Je moet op het goede moment op de juiste plek zijn. Met massmarketing zorg je ervoor dat je op meer plekken bent op het juiste moment, en zo vergroot je je kansen.

Als je al langer single bent, ken je waarschijnlijk al die plaatsen waar singles elkaar kunnen ontmoeten. Misschien heb je verschillende plaatsen of groepen geprobeerd. Maar er zijn nog veel meer plekken waar singles contact kunnen maken, en hierbij krijg je alle ideetjes die ik in de loop der jaren heb verzameld. Ik heb gesnuffeld in kranten en tijdschriften, ik heb websites bezocht, en uit mijn eigen ervaring geput van toen ik nog single was. Met deze lijst kun je je sociale leven flink oppeppen.

Helaas kun je in deze stap niet alleen doen wat je leuk vindt. Dat is niet in overeenstemming met wat je vriendinnen je zullen vertellen, of met wat je leest in zelfhulpboeken. 'Doe wat je leuk vindt, dan komt het vanzelf!' Ik denk dat als je De Ware nu nog niet tegen het lijf bent gelopen, hij waarschijnlijk niet dezelfde interesses heeft als jij. Hij maakte geen deel uit van jouw groepjes en was niet op dezelfde plek. Je weet nog uit Stap 1 (Marketingfocus) over de denkmethode van *Het Programma* dat jij moet gaan naar waar de mannen zijn, in plaats van naar waar je zelf naartoe wilt. Nou, nu ga je *overal* naartoe.

Methodische gekte

Ik heb de mogelijkheden mannen te ontmoeten in vier categorieën verdeeld: 1. groepen voor singles; 2. locaties voor singles; 3. datingservices, en 4. Overig. Je stelt je ten doel iedere week iets uit een van de categorieën te doen. De eerste week selecteer je bijvoorbeeld iets uit categorie 1, de volgende week iets uit categorie 2, enzovoort. Werk de vier categorieën de komende maanden systematisch af. Voor nog meer mogelijkheden kun je twee dingen per categorie per week nemen. Niet alles zul je even aantrekkelijk vinden om naartoe te gaan, maar dwing jezelf om dingen te proberen die je normaal gesproken niet zou doen. Met behulp van dit boek stel je een lijst van mogelijkheden op zodat je je de eerstkomende eeuw niet hoeft te vervelen (maar zolang duurt het natuurlijk niet).

Gespreid beleggen

Het gaat er hier vooral om dat je je speurtocht naar een man behandelt als een belegging; je moet niet alles op één paard zetten. Een financieel adviseur zal je zeggen dat je gespreid moet beleggen, en ik zeg dat je gespreid moet zoeken. Je investeert tijd, energie en geld in je speurtocht, en als de ene investering geen rendement oplevert, staat daar hoger rendement van andere investeringen tegenover. Zet niet al je geld op één paard!

Hoe te beginnen

Met gebruikmaking van de richtlijnen hieronder stel je een lijst op van de mogelijkheden per categorie voor je eigen woonplaats. Pak vier vellen gelinieerd papier, een voor iedere categorie. Je gaat tientallen groepen, locaties en diensten opschrijven die je in jouw woonplaats ontdekt. Vergeet niet het telefoonnummer of de website erbij te vermelden. Geef jezelf een week om een lijst op te stellen die zowel grondig als gevarieerd is.

Waar zijn de mannen?

1. Groepen voor singles

Groepen voor singles zijn organisaties voor ongehuwde mannen en vrouwen gebaseerd op geloof, sport, hobby, vrijwilligerswerk, politiek, wederzijdse hulp (bijvoorbeeld alleenstaande ouders) of gezelligheid (bijvoorbeeld voor mensen die pas in je woonplaats zijn komen wonen, of oud-leerlingen van een school). Overal bestaan zulk soort groepen, en je kunt ze makkelijk vinden door te zoeken op Google. Tik je woonplaats in (bijvoorbeeld Utrecht) en het woord 'single'. Vergeet niet ook in nabijgelegen plaatsen te zoeken (een kilometer of wat mag toch geen beletsel zijn wanneer je op zoek bent naar De Ware!). Tik bijvoorbeeld 'Utrecht singles' in en wacht op het zoekresultaat. Je kunt daarna intikken: 'Hilversum', en op het resultaat wachten. Als je dit voor de zekerheid bij een andere zoekmachine herhaalt, kun je een lijst krijgen van zo'n veertig groepen voor singles, gebaseerd op geloof, sport of iets anders. Sommige zullen vreselijk zijn, andere echt goed. Dat weet je pas wanneer je ze hebt geprobeerd. Sommige zijn misschien meer geschikt voor jongeren, of mensen die ouder zijn dan jij, maar door iedere website te bezoeken, of door te bellen, kom je er al gauw achter welke groepen voor jou geschikt zijn.

Probeer dingen die je normaal gesproken niet zou doen. Je hebt dus nog nooit getennist? Schrijf je in voor tennislessen bij een groepje voor singles. Je houdt niet zo van lange wandelingen? Ga eens wandelen met een wandelclub. Ben je al in geen tien jaar naar de kerk geweest? Ga eens naar de bijbelstudiegroep voor singles.

Schrijf op je lijst ook de singleclubjes die je al kende voordat je op internet zocht, en vraag je vrienden en kennissen of zij nog iets kunnen aanbevelen. Laat het een uitdaging voor je zijn en probeer vijftig dingen op je lijst te zetten als je woonplaats groot is of als je vlak bij een grote stad woont; of tien tot twintig wanneer je woonplaats klein is. Zorg dat je altijd een opschrijfboekje bij je hebt zodat je alles meteen kunt noteren. Vraag het je kapper en je makelaar. Vraag het de receptioniste op de fitnessclub. Vraag de man met wie je een afspraakje hebt terloops hoe hij andere singles leert kennen. Veel vrouwen, vooral die uit kleinere plaatsen, klagen dat ze alle singleclubjes al hebben geprobeerd en daar nooit een interessante man hebben leren kennen. Of ze zeggen dat er toch altijd dezelfden komen opdagen. Nieuwe singles melden zich voortdurend aan, dus ga er niet van uit dat alles bij het oude blijft, zelfs als je daar drie weken achter elkaar dezelfde mensen ontmoet. Maar ik daag iedereen uit die zegt dat ze alle singleclubjes al heeft geprobeerd; wedden dat ik er toch nog een paar vind die je nog niet kent, gewoon in je eigen woonplaats? Blijf vragen om suggesties van mensen aan wie je het normaal gesproken niet zou vragen.

Pak er alle tijdschriften en gidsen over je woonplaats bij die je maar kunt vinden en kijk of je daaruit nog ideetjes voor je lijst kunt opdoen. Pluis vooral de advertenties uit, misschien wordt er ergens iets voor singles georganiseerd. Zorg dat je zoveel mogelijk mailings ontvangt (van bijvoorbeeld de kerk, de moskee, galerieën, musea, de kamer van koophandel). Vaak organiseren die een paar evenementen per jaar (tijdens de feestdagen, lezingen) en daar zou je andere singles kunnen ontmoeten. Noteer de datum in je agenda.

Zoals altijd moet je nieuwe dingen proberen waarbij je je misschien niet helemaal op je gemak voelt. Als je bijvoorbeeld totaal niet in politiek bent geïnteresseerd, zou je naar een bijeenkomst van een politieke partij kunnen gaan. Ben je lid van een politieke partij? Ga dan naar een bijeenkomst van een andere partij om te kijken wie daar zijn. Als je weduwe bent, kun je je aanmelden bij een rouwverwerkinggroep. Dat kan je niet alleen helpen je verlies te verwerken, maar je leert er ook veel mannen en vrouwen kennen. Veel van mijn cliënten van vijftig jaar en ouder vertelden me dat daar veel contacten worden gemaakt.

Er zijn ook internetgroepen waar je lid van kunt worden. De

leden organiseren vaak activiteiten zoals een wijnproeverij, toneellessen, schouwburgbezoek, rondleidingen door de stad, borrels, etc. Kijk eens wat er bij jou te vinden is op dit gebied.

Natuurlijk vallen feesten en partijen ook in deze categorie; diner, grote partijen en andere bijeenkomsten. Eigenlijk zou je op iedere uitnodiging moeten ingaan. Ook al ken je iedereen die er komt, het is toch een goede gelegenheid om reclame te maken voor je eigen merk.

2. Lokaties waar singles zijn

Misschien begin je meteen te kreunen als je van dit soort gelegenheden hoort, omdat je aan barretjes denkt. Maak je geen zorgen, ik wil geen cafétijger van je maken. Als er een paar 'nette' gelegenheden bij jou in de buurt zijn, kun je daar eens naartoe gaan. In de bar van een hotel tref je vaak zakenmensen op reis aan, een goede gelegenheid om een fijnmazig net uit te werpen. Maar geschikte oudere single mannen en vrouwen hangen niet vaak in cafés rond, dus laten we creatief zijn en kijken waar een single van boven de vijfendertig iemand kan ontmoeten. Natuurlijk zitten de gelegenheden hieronder niet propvol met alleen maar singles; er zal een gemengd publiek zijn, maar je kunt altijd toevallig iemand leren kennen. Ook al zijn je nieuwe kennissen getrouwd, ze kunnen je wel voorstellen aan een leuke single.

Ga eens naar:

Boekwinkels
Bibliotheken
Koffiehuizen
Golfbanen
Oldtimershows
Lezingen over technologie
Sportevenementen
De lounge op het vliegveld (wanneer je op reis bent)
Een druk park om je hond uit te laten (of de 'geleende' hond van iemand anders)

3. Datingservices

Er zijn tegenwoordig meer verschillende soorten datingservices dan ooit tevoren. Er zijn organisaties die lunches of diners organiseren, of afspraakjes voor de lunch of het diner regelen, of organisaties waar je een video van jezelf kunt laten maken, en video's van mannen kunt bekijken. Vaak zijn mijn cliënten teleurgesteld over sommige datingservices, maar ga er niet van uit dat ze allemaal beneden peil zijn. Ze kunnen veranderen en hun bestand verandert natuurlijk voortdurend. Kijk eens wat er in jouw woonplaats allemaal is, en kijk hoe ze gewaardeerd worden.

Als je een datingservice vindt die anderen je kunnen aanbevelen, bel dan op en vraag hoelang ze al bestaan, hoeveel mensen er ingeschreven staan en hoeveel daarvan mannen zijn in jouw leeftijdscategorie en of ze referenties kunnen overleggen van huidige cliënten.

Voor niemand is een bemiddelingsbureau de eerste keus. Maar deze bureaus zouden niet bestaan als niemand via hen interessante mensen leerde kennen. Wat heb je eigenlijk te verliezen? Niets, behalve wat geld uit je marketingbudget. Sommige bureaus zijn nogal prijzig. Kijk goed naar je budget en als je genoeg geld hebt, schrijf je dan in bij een bemiddelingsbureau. Maar kijk eerst goed om je heen en selecteer er een die anderen je kunnen aanbevelen.

En dan is er nog een goedkopere manier om contact te leggen: de daarvoor geëigende rubriek in de krant (huwelijk en kennismaking). Tegenwoordig hebben datingservices een grote invloed, maar de advertenties zijn allesbehalve op sterven na dood. Voor veel singles is die rubriek een vruchtbare bron om uit te putten. Hoewel je al aan on line dating doet, tref je daar niet alle geschikte singles aan. Omdat je zelf misschien ook eerst iets moest overwinnen, kun je je vast wel voorstellen dat sommige mannen (vooral die van boven de zestig) zich op de digitale snelweg niet op hun gemak voelen. Dus zet een aantal geselecteerde kranten en tijdschriften op je lijst.

Hier zijn een paar geschikte publicaties: NRCHANDELSBLAD, *de*

Volkskrant. Lees de advertenties door, en kijk ook in plaatselijke publicaties om erachter te komen aan welke je het meest hebt. Ik kan je aanraden eerst eens zelf een advertentie te plaatsen aan de hand van de richtlijnen in Stap 7 (On line Marketing). Als je geen reacties krijgt, kun je overgaan op Plan B: zelf reageren op interessante advertenties van mannen.

4. Overige ideetjes

Hier zijn nog wat mogelijkheden om mannen te ontmoeten, maar gebruik zelf ook je fantasie en richt je niet uitsluitend op mijn lijst. De mogelijkheden zijn ontelbaar.

A. Alleenstaande vaders: Na je vijfendertigste zul je merken dat er veel alleenstaande vaders beschikbaar zijn. Probeer uit te vinden waar je hen kunt ontmoeten. Vaak hebben ze de kinderen op woensdagmiddag, en omdat ik vermoed dat ze niet allemaal even goed kunnen koken, denk ik dat je hen in een kindvriendelijke pizzeria zou kunnen ontmoeten. Probeer het eens. Misschien maak je contact met iemand aan het tafeltje naast je. In het weekend gaan vaders met jonge kinderen vaak naar het park of de dierentuin. Misschien kun je daar met je eigen kind naartoe gaan, of je kunt het kind van de buren uitnodigen, of een nichtje of neefje.

B. Geef een cursus: Hoe zou je het vinden om een cursus voor volwassen mannen te geven? In de meeste steden zijn instellingen die cursussen organiseren, en die zijn altijd op zoek naar iemand die een nieuwe cursus kan geven. Het hoeft helemaal niet hoogdravend te zijn. Een cliënt van mij gaf een cursus Snelle Maaltijden voor Vrijgezellen. Dat was nog eens een idee! En ze was gewoon een huis- tuin- en keukenkok. Ze zocht acht snelklaarrecepten bij elkaar uit tijdschriften en kookboeken, en organiseerde een serie lessen van twee uur voor vrijgezellen die niet konden koken en ook geen zin hadden om uren in de keuken te staan. Ze maakte een programma van een A-4tje groot waarin stond wat er in de cursus aan bod zou komen en stuurde dat naar een instelling die cursussen organiseerde. Niet veel later stond ze voor een klasje met allemaal vrijgezellen die hun aandacht volledig op haar richtten.

Wees creatief, denk aan de vaardigheden waarover je beschikt en die je zou kunnen gebruiken voor een cursus gericht op mannen. Heb je geen hobby? Ben je goed van de tongriem gesneden? Je zou een cursus Conversatie voor Verlegen Mannen kunnen opzetten. Kijk eens in zelfhulpboeken of tijdschriften over dit onderwerp en stel een lijst op van vijfentwintig manieren waarop je op feestjes en op het werk een gesprek kunt beginnen. Niet al je mannelijke cursisten zullen single zijn, maar het onderwerp kan wel mannen aanspreken die te verlegen zijn om contact met vrouwen te maken.

Degenen onder jullie die voor het geven van een cursus terugschrikken, kunnen zelf een cursus volgen. Zoals je bij Stap 1 hebt gezien, moet je een cursus volgen die op mannen is gericht, ook al interesseert het onderwerp je maar matig. Kies een korte cursus (van misschien maar één avond), zodat je niet te veel tijd verspilt als er geen interessante mannen zijn en je je suf verveelt. En ook al leer je daar geen geschikte man kennen, je hebt toch een leuk gespreksonderwerp om ergens te berde te brengen. Als je mee kunt praten over Vissen met kunstvliegen of houtbewerking, spring je er waarschijnlijk uit!

C. Reünies, feestdagen en andere verschrikkingen: De volgende keer dat je naar een reünie moet of wordt uitgenodigd voor de bruiloft van de zoon van je achternicht, denk je: dat opent nieuwe mogelijkheden!, in plaats van dat je er je met een smoesje probeert onderuit te draaien. En wat je ook doet, neem geen vriendin mee! Je wilt je vrij onder de aanwezigen kunnen mengen.

Sla geen reünie over. Ik heb zo vaak gehoord dat vrouwen naar een reünie van hun middelbare school of vervolgopleiding gingen en daar iemand tegen het lijf liepen die ze toen nauwelijks kenden, en op wie ze ineens stapelverliefd werden. Probeer plaats te nemen in de reüniecommissie die de feestelijkheden verzorgt zodat je achter alle namen en adressen komt. En dat niet alleen, vraag aan je vriendinnen of je mee mag naar hun reünie.

Niemand gaat graag alleen. Dit soort evenementen werkt als een magneet op rijpere singles.

Misschien heb je een hekel aan familiefeesten, waarbij iedereen zo nodig aan je moet vragen waarom je toch in 's hemelsnaam nog steeds geen partner hebt. Toch loop je alle bruiloften, zilveren bruiloften en familiereünies af. Je weet nooit of een familielid zich ineens die leuke single collega herinnert, of die alleenstaande vader wiens zoontje bij haar zoon in de klas zit.

D. Reizen: Sta open voor groepsreizen speciaal voor singles. Je kunt gaan skiën (en als je niet kunt skiën, leer je het maar; en er is altijd nog de après-ski), op trektocht gaan, een museumtour maken, of meegaan met excursies om wijn te proeven. Zoek eens op internet naar reizen voor alleenstaanden. Er zijn zelfs cruises speciaal voor singles. Het geeft niet dat je er een paar dagen mee kwijt bent; zelfs als er geen interessante man bij het reisgezelschap is, kan je reis nog iets positiefs opleveren. Je kunt een single vrouw leren kennen die je uitnodigt voor een evenement dat over een maand wordt gehouden, misschien wel in een andere stad, waar De Ware op je wacht. Wie weet?

E. Iets heel anders: Soms moet je eens iets doen wat je nog nooit hebt gedaan. Waarom meld je je niet aan bij de vrijwillige brandweer? Waarom leer je niet zweefvliegen? Waarom volg je geen cursus EHBO? Heb je wel eens aan lijndansen gedaan? Bedenk iets buitensporigs. Misschien vind je daar het lot uit de loterij.

Doelstellingen

Zodra je alle mogelijkheden die je woonplaats biedt in de vier categorieën hebt ingedeeld, pak je je agenda erbij en noteert de data van de verschillende evenementen. Doe het met pen zodat je het niet kunt uitgummen als je moe bent. Blijf niet thuis zitten. Ik weet niet waar je partner uithangt, maar ik weet wel dat hij niet bij je thuis zit.

Maak een tabel zoals hieronder, en selecteer één ding per week. Kies eerst de dingen waarvan je denkt dat je er de meeste kans hebt iemand te leren kennen. Je zult deze mogelijkheden moeten toevoegen aan die je al eens hebt opgeschreven bij Stap 8 (Guerrillamarketing) toen je je routine veranderde, maar gelukkig kunnen sommige activiteiten samenvallen. Koffie drinken in een ander café dan gebruikelijk voldoet aan meerdere criteria: 1. Doe eens iets anders (Stap 8 en Stap 2), en je gaat ergens heen waar je de kans krijgt andere singles te ontmoeten (Stap 11). Je moet strategisch en georganiseerd te werk gaan wanneer je je belangen spreidt. Je kunt je doelstelling aanpassen aan je budget, wat je woonplaats je te bieden heeft, en de beschikbare tijd. Je moet alles van tevoren goed plannen. Daar zijn twee redenen voor. Ten eerste zijn er zoveel dingen waar je naartoe kunt, dat je door de bomen het bos niet meer ziet. Misschien denk je dat er zoveel te doen is dat je maar helemaal niets meer doet, of je spreidt je activiteiten niet en doet dat waarbij je je op je gemak voelt. Ten tweede heeft iedereen het druk met de dagelijkse beslommeringen, en het is gemakkelijk om dingen uit te stellen tenzij ze met inkt in je agenda geschreven staan en je vastbesloten bent ernaartoe te gaan. Als je iets overslaat, om wat voor reden dan ook, doe je het de week erop.

Casestudy: Claires kalender

Het kalenderblad hieronder is gemaakt door Claire, een alleenstaande moeder van 48 jaar. Claire werkte parttime op de administratie van een klein bedrijf in Boston. Toen ze dit kalenderblad maakte, verwerkte ze het on line dating van Stap 7 erin, de guerrillamarketing uit Stap 8, de telemarketing uit Stap 9 en alles wat ze bij Stap 10 had bedacht. Ze was zeer gemotiveerd op zoek naar een man, daarom plande ze meer dan één activiteit uit Stap 11 per week. Omdat ze haar werk en haar gezin had, moest ze alles goed organiseren.

Op 7 februari ging ze bijvoorbeeld naar een drukbezochte boekwinkel, trof daar een interessant boek aan (dat in overeenstemming was met haar persoonlijke merk) en ging dat in een centraal gelegen leeshoekje inkijken. Ze bleef een uur lezen, maar was nooit zo verdiept in het boek dat niemand haar zou durven

Massmarketing Tabel

Categorie 1	Categorie 2	Categorie 3	Categorie 4
Groepen singles	Locaties voor singles	Datingservices	Overig
Kerkelijk o.i.d	Boekwinkel	relatieplanet.nl	Waar alleenstaande vaders komen
Sportief	Bibliotheek	vokskrant.nl/single	Cursus geven
Hobby	Café	datingservice.nl	Cursus volgen
Vrijwilligerswerk	Golfbaan	datecenter.nl	Reünies en ander verschrikkelijks
Politieke partij	Lounge op het vliegveld	Huwelijk- en kennismakingrubriek	Reizen (cruise, weekendje weg)
Praatgroep	Hond uitlaten		
Feesten en partijen	Lezing, forum		
Kunst	Oldtimershow		
Evenement voor singles	Sportevenement		

storen. Ze keek voortdurend op en glimlachte naar de voorbijgangers. Op 9 februari ging ze in een voorstad (waar ze anders nooit kwam) koffiedrinken, en daar las ze haar krantje. Ze had haar 'opener' op haar tafeltje liggen, het rode petje van de Boston Red Sox. Kijk zelf maar wat Claire deze maand allemaal deed, en hoe divers haar activiteiten waren. Claire liet me een overzicht van drie maanden zien, en iedere maand was even druk als de andere. Begin maart leerde Claire een man kennen via een datingservice, en hun verhouding werd steeds serieuzer. In april hoefde ze geen kalenderblad meer in te vullen.

Kalenderblad van Claire voor de maand februari

zondag	maandag	dinsdag	woensdag
1	2	3	4
15 telemarke-tingtelefoon-tjes plegen Blind date via Match.com		Boodschappen doen bij de Star Market	
8 Lid worden van nieuwe groep voor singles 15 telemarke-tingtelefoon-tjes plegen	9 Koffie bij Starbucks in Cambridge	10 Blind date via Match.com	11 Cursus Website ontwerpen geven bij het Boston Center for Adult Education
15 Advertentie opstellen voor inhet *Boston Magazine* 15 telemarke-tingtelefoon-tjes plegen	16	17 Evenement via Live Event (wijnproeverij)	18
22 De hond uitlaten op Boston Commons 15 telemarke-tingtelefoon-tjes plegen	23 Zakenreis; vroeg op vlieg-veld zijn voor de Red Carpet Club	24	25 Eten in de Pizza Den (alleen-staande vaders?)

donderdag	vrijdag	zaterdag
5 Naar de stomerij	6 Lezing in het Art Museum	7 Boek lezen in grote boekhandel
12	13 Etentje bij Belle thuis	14 Evenement via Speed Dating
19 Lunchen met nieuwe collega (Linda)	20 Met de bus naar mijn werk	21 Informatiedag van de vrijwillige brandweer
26	27 Borrel van de Single Parent Group	28

De harde werkelijkheid

Aan *Het Programma* ben je heel wat tijd kwijt. Dat vind je niet erg, want je hebt besloten er alles voor over te hebben om binnen anderhalf jaar een partner te vinden. Maar het zou verkeerd van me zijn je niet te wijzen op de harde werkelijkheid aan de hand van wat mijn cliënt Alice overkwam. Alice is 36 en werkt bij een advocatenpraktijk. Ze volgt *Het Programma* uiterst toegewijd. Door de week luncht ze regelmatig met mannen die ze via internet heeft leren kennen, ze gaat naar alle evenementen voor singles, en ze netwerkt via de telefoon. Ze doet follow-ups na haar directmailcampagne en de telemarketing-telefoontjes. Op een gegeven moment leerde ze Garrett kennen en ze hoopte met hem in het huwelijk te treden. Ze bracht veel tijd met hem door. Maar ineens belde ze me in tranen op. Op haar werk had ze een waarschuwing gekregen. Ze dreigde ontslagen te worden. Ze bleef te lang weg voor de lunch, ze maakte fouten door onzorgvuldigheid, en ze had te veel privé-gesprekken door de telefoon. Dat lag duidelijk aan *Het Programma*. Ik vroeg haar: 'Als je mocht kiezen tussen je werk en Garrett, wat zou je dan kiezen?' Zonder aarzelen antwoordde ze: 'Garrett.' We kwamen overeen dat ze met haar werkgever moest praten, zo vaak mogelijk langer op haar werk blijven, en minder tijd aan Garrett besteden. Ze moest haar best doen haar baan te behouden. Ze werd niet ontslagen, maar ze leerde wel wat de consequenties kunnen zijn als je volledig op een bepaald doel bent gericht.

Tips voor Massmarketing

Ook al loop je tegen de harde werkelijkheid op, je moet toch doorzetten en zoveel mogelijk kansen creëren om mannen te ontmoeten. Maar op het goede moment op de juiste plaats zijn is nog niet alles. Vaak zeggen vrouwen dat ze allerlei evenementen voor singles hebben geprobeerd en zich hebben aangesloten bij singlegroepen, maar dat ze nog nooit een interessante man hebben leren kennen. Dan vraag ik altijd: 'Heb je je tijd daar wel goed besteed?' Ik doel dan op het feit dat je daar zowel mannen als vrouwen ontmoet met wie je kan netwerken. Hier volgen nog wat tips om zo veel als je kan uit je mogelijkheden te halen:

1. **Kom altijd een half uur te vroeg.** Als je naar een evenement voor singles gaat, kom dan een half uur te vroeg. Op die ma-

nier ben je de eerste en kun je de situatie goed in je opnemen. Je kunt je strategisch opstellen zodat je kunt zien wie er binnenkomt, en op die manier kom je erachter wie wel eens de moeite waard zou kunnen zijn. Meestal komen de anderen hier ook voor het eerst, dus als jij er als eerste bent, weet je al waar alles is en kun je een gesprekje aanknopen om anderen te helpen hun weg te vinden. Je kunt ook rustig een praatje maken met de anderen die vroeg zijn gekomen, zodat de kans groot is dat je op zijn minst één nieuw persoon leert kennen.

2. **Ga alleen.** Het is voor een man makkelijker een vrouw aan te spreken die alleen is dan een vrouw die omringd is door vriendinnen. Mannen kunnen ook verlegen zijn, ze kunnen bang zijn in het openbaar af te gaan. Natuurlijk moet je wel voorzichtigheid in acht nemen, ga dus niet 's avonds laat alleen over een verlaten parkeerterrein lopen. Maar als je samen met een vriendin aankomt, spreek dan af dat jullie allebei in je eentje opereren. Ga niet bij elkaar staan. Misschien vind je dat eng, maar vergeet niet dat het niemand zal opvallen dat je alleen staat, behalve die single die je wil leren kennen, en dat is precies wat jij ook wilt.

3. **Stel je strategisch op.** Wat moet je doen als je een interessante man in een openbare ruimte ziet, bijvoorbeeld op een feest, in een restaurant of tijdens een evenement voor singles, maar hij heeft jou nog niet opgemerkt? Je hebt geprobeerd oogcontact te maken, je hebt geprobeerd naar hem te glimlachen, maar dat werkte ook al niet. Misschien moet je je opstellen waar hij je beter kan zien, of misschien moet je gewoon zijn pad kruisen. Ga ergens anders staan, waar hij je beter kan zien. Maar wat als hij uit ijdelheid zijn bril niet heeft opgezet en hij je op die afstand niet kan zien? Dan pas je de aloude tactiek toe van naar het toilet gaan, maar daarvoor moet je langs hem heen lopen, ook al is dat een enorme omweg.

4. **Begin een gesprek en houd dat gaande.** Lees in Stap 8 (Guerrillamarketing) nog eens door wat ik je heb verteld over een gesprek beginnen en dat op gang houden.

5. **Wees op alles voorbereid.** Dat is een goed motto. Zodra er een gesprekje is aangeknoopt, wordt het soms moeilijk dat gaande te houden. Voordat je ergens naar toe gaat, overleg je met je Mentor over goede vragen om de conversatie interessant te houden. Het maakt natuurlijk groot verschil waar je bent (op een feestje, op je werk of een evenement voor singles), maar denk eens na over de volgende vragen:

* Hoe kwam het dat je je voor dit werk ging interesseren?
* Hoe kwam je op het idee deze reis te maken?
* Waar ken je onze gastheer van?
* Wat was het leukste dat je dit weekend hebt gedaan?
* Kun je me iets over jezelf vertellen wat niemand ooit zou raden?
* Wat voor leerling was je op de middelbare school?

Je hebt Stap 11 gezet en bent klaar voor Stap 12 als je:

1. begrijpt waarom het belangrijk is zoveel mogelijk kansen te creëren;
2. een lijst hebt gemaakt met ongeveer honderd mogelijkheden waarop je in jouw woonplaats contact kunt maken, en die in vier categorieën hebt ingedeeld;
3. de tactieken uit Stap 7, 8, 9, 10 en 11 in je agenda hebt geïntegreerd voor in ieder geval de volgende maand, zodat je aan allerlei verschillende activiteiten kunt meedoen;
4. alles uit de mogelijkheden haalt door de gegeven tactieken toe te passen: een half uur te vroeg komen, alleen staan, de beste positie kiezen, een gesprek beginnen en op gang houden, en het van tevoren bedenken van vragen om het gesprek op gang te houden;
5. de doelen hebt bereikt die je je voor deze maand hebt gesteld;
6. deze stap met een positieve houding hebt gezet en niet ontmoedigd bent omdat je De Ware nog niet bent tegengekomen.

Hoofdstuk 12

Stap 12: Eventmarketing: geef een feest!

Wat ik op de Harvard Business School leerde

Eventmarketing is een geweldige manier om een product te promoten. Er kan een evenement georganiseerd worden, maar ook kan een bestaand evenement worden gesponsord. Op een evenement komen veel mensen af die het merk onder ogen krijgen. Het draait erom een evenement te kiezen dat intrigerend is en hetzelfde uitstraalt als je merk. Wanneer het publiek het evenement bezoekt, zouden ze een positief verband tussen het evenement en het product moeten leggen, waardoor het image van het merk wordt versterkt.

Evian is bijvoorbeeld de sponsor van het U.S. Open Tennis Tournament. De uitstraling van Evian is Gezond, Van Stand en Inspirerend. Het U.S. Open is dus ideaal voor Evian om zijn naam aan te verbinden. Het draait om de sport (dat wil zeggen dat het een gezonde uitstraling heeft), het trekt een beter publiek (tennis wordt als sport voor de betere standen beschouwd), en de beste tennissers van de wereld doen eraan mee (en dat is inspirerend). Evian plaatst reclameborden langs het veld en de spelers drinken Evian, waardoor het merk goed over het voetlicht wordt gebracht. Evian nodigt de belangrijkste distributeurs uit voor het evenement, heeft een informatiestand en deelt tennisballen uit met het logo van Evian erop. Het is een klassiek marketingscript.

Uit het oog, uit het hart. Door een evenement wordt het product nog eens extra onder de aandacht gebracht. Een evenement is een goed excuus om 1. naar de consument te communiceren voordat er informatie wordt verstrekt; 2. interactie met de consument te hebben tijdens het evenement; en 3. een follow-up te hebben om iedereen na afloop van het evenement te bedanken voor zijn komst. Een evenement wordt beschouwd als een unieke manier om door interactie de consument positief te beïnvloeden.

Wat is een Programma-feest?

Zo, dus je gaat een feestje geven? Je drinkt een glaasje wijn en babbelt wat met de gasten. Nee. Zo deed je dat vroeger en je bent nog steeds single. Je had zeker wel gedacht dat deze stap niet zo gemakkelijk zou zijn, hè? Een *Programma*-feest is niet zomaar een feest. Het is een strategisch bedacht evenement waarbij mannen en vrouwen in een bepaalde ruimte zijn waar je je merk onder de aandacht brengt, met het publiek communiceert en onder de aandacht komt. Je genereert ook nieuwe mogelijkheden om 'klanten' binnen te krijgen nu je bij de laatste fases van *Het Programma* bent aangeland. Misschien heb je andere gezichten om je heen nodig, en nieuwe supporters. Dit is het goede moment om een feest te geven; je hebt een netwerk opgebouwd en je persoonlijke merk geadverteerd, en je vindt het niet meer moeilijk iemand te vragen een afspraakje voor je te regelen. Dit is de avond waarop alles samenkomt.

Dit is ook mijn favoriete stap omdat ik zo mijn echtgenoot heb ontmoet!

Het doel van het Programmafeest

Natuurlijk is het doel het vinden van een partner (net als altijd!), maar er zijn ook andere doelen:
1. Nieuwe mogelijkheden creëren (bijvoorbeeld nieuwe mannen met wie je uit kunt gaan en nieuwe vrouwen die iets voor je kunnen regelen).
2. Je zorgt dat ze je niet vergeten. Ook al komt iemand niet, door je uitnodiging heb je met hem of haar contact gehad en iedereen laten weten dat je nog beschikbaar bent.
3. Je kunt de Nieuwe Jij laten zien (net zoiets als je debuut maken).
4. Je bewijst andere vrouwen een dienst omdat zij ook je feest goed kunnen benutten. Je nodigt vrienden van vroeger uit en mannen met wie je bent uitgegaan maar met wie het niet klikte, je stelt hen aan de vrouwelijke gasten voor en hopelijk zijn ze je dankbaar en stellen jou op hun beurt aan mannen voor die jij nog niet kende.

Details van het Programmafeest

Mensen geven voortdurend feestjes en die lijken allemaal op elkaar. Het jouwe springt eruit. Je moet een thema kiezen. Wees creatief en uniek (maar niet overdreven). Als mensen denken: Hé, dat klinkt leuk!, zullen ze graag op je uitnodiging ingaan. Zorg indien mogelijk dat het thema in overeenstemming is met je merk. Kelly, een cliënt van mij, koos een Italiaans thema. Ze had twee jaar in Italië gewoond, en Italië hoorde bij haar slogan. Ze noemde haar feest: Het Toren van Pisa-feest. Wat hield dat in? Nou, eigenlijk niets, maar het klonk Italiaans en maakte het iedereen duidelijk dat het geen gewoon feestje zou zijn. Ze maakte antipasti en schonk Italiaanse wijnen. Bij de voordeur wapperde de Italiaanse vlag, en bij het afscheid nemen gaf ze iedere gast een zakje pasta tricolore.

Wat zou jij voor thema kunnen bedenken? Misschien een Huisinwijdingsfeest, waarbij mensen de muren van de kamers een ander kleurtje mogen geven. Iedereen komt in een oude spijkerbroek en T-shirt. Zorg dat er genoeg goede hapjes en drankjes zijn en geef de gasten na afloop een verfkwast cadeau.

Kun je niet een feest geven voor een vriendin die bijvoorbeeld voor een examen is geslaagd? Of voor iemand die net in je woonplaats is komen wonen? Je kunt ook een feestdag vieren die normaal gesproken nooit wordt gevierd. Wat denk je van een feest om de slag bij Nieuwpoort te vieren? Of de eerste dag van de lente? De verjaardag van Ollie B. Bommel? Ik ken iemand die een acteur huurde die Lodewijk Napoleon nadeed, en die het feest noemde: De Avond van de Historische Dialoog. Of een feest tijdens het WK-voetballen, Wimbledon of de Olympische Spelen? Misschien tijdens de Oscaruitreiking?

Gebruik wat je hebt! Heb je iets unieks waaromheen je een feest kunt bouwen? Als je een mooie tuin hebt, kun je een Tuinfeest geven. Als je iemand kent die prachtig klassiek gitaar speelt, vraag je hem of haar op je feest te spelen, en noem je het het Klassieke Muziekfeest. Alyssa, een cliënt van mij, werkte bij een galerie, en ze koos als thema voor haar feest de expositie van een pas ontdekt kunstenaar. Ze nodigde iedereen in de galerie uit voor een preview en trakteerde hen op wijn en kaas. Dat de expositie nog niet voor het publiek was geopend, verleende haar feest extra cachet. Vergeet niet te denken aan wat je al hebt wanneer je plannen maakt voor je feest.

Welk thema je ook kiest, zorg ervoor dat het luchtig blijft. Geen Anti-Oorlogfeestjes, graag! Maak van de gelegenheid gebruik je persoonlijke merk over het voetlicht te brengen, en als je over bijzondere talenten beschikt, laat dat dan zien. Als je goed kunt koken, maak je heerlijke hapjes klaar. Als je goed kunt fotograferen, zet je foto's dan strategisch neer.

UITNODIGINGEN

Je moet eerst iedereen mondeling uitnodigen, daarna stuur je per post een gedrukte uitnodiging. Dat kost veel tijd, maar je geeft dan ook geen gewoon feestje. Je geeft een feest om in contact te komen met iedereen om je heen: vrienden, kennissen, collega's, ex-vriendjes, mannen met wie je wel eens bent uitgegaan, alleenstaande ouders van de vriendjes van jouw kinderen, en zelfs volslagen onbekenden.

Bij je mondelinge uitnodiging hoort een kort gesprekje inbegrepen te zijn, waarin je je gasten vraagt de bewuste datum vrij te houden. En er is nog iets wat je wilt bereiken, en dat kan niet met een gedrukte uitnodiging. Terwijl je met hen in gesprek bent (persoonlijk, of aan de telefoon) maak je van de gelegenheid gebruik om hen eraan te herinneren dat je nog steeds op zoek bent naar een leuke man, en je moedigt hen aan introducés mee te nemen naar je feest. Sommige mensen durven misschien geen afspraakje voor je te regelen, maar ze durven wel een single vriend mee te nemen naar een feest, zodat jullie elkaar toch kunnen ontmoeten. Dan is hij of zij niet verantwoordelijk als het op niets uitloopt. Je creëert op een slimme manier alternatieve mogelijkheden voor afspraakjes; op een manier waarbij iedereen zich op zijn of haar gemak voelt.

De gedrukte uitnodiging moet bij je thema passen. Een uitnodiging voor een historisch feest zou op geschept papier gedrukt kunnen zijn, een uitnodiging voor een klusfeest op papier met verfspetters. De uitnodigingen moeten drie weken voor de datum van het feest worden verstuurd, en bij de naam van de geadresseerde schrijf je: en vrienden. Als het je niet is gelukt iemand telefonisch te bereiken, stop je een handgeschreven briefje in de envelop waarin je hem of haar uitnodigt introducés mee te nemen. Vergeet niet RSVP op je uitnodiging te zetten, zodat je weet hoeveel mensen je kunt verwachten. Omdat je iedereen hebt aangemoedigd iemand mee te nemen, moet je erop voorbereid zijn dat er wel eens veel meer gasten kunnen komen dan je had gedacht.

GASTENLIJST

Over je gastenlijst zul je je gedachten strategisch moeten laten gaan. Je kunt de gebruikelijke mensen uitnodigen, maar zorg ervoor wanneer je hen mondeling uitnodigt dat ze weten dat ze introducés mogen meenemen (mannelijke en vrouwelijke) die je nog niet kent. Want eigenlijk is het feest bedoeld om mensen uit te nodigen die je niet echt goed kent. Je wilt meer en meer mensen bereiken die je kunt inschakelen bij je speurtocht naar een man. Dit is je kans om weer eens in je adressenboekje te kijken; nodig de verzekeringsagent uit met wie je ooit zakelijk te maken had, en de nicht van de buren die je hebt leren kennen toen ze daar een weekend logeerde, en de receptioniste bij de tandarts die altijd zo vriendelijk is, en... nu ja, denk goed na!

Nu is het moment gekomen dat je iets hebt aan de afspraakjes van de afgelopen tijd. Nodig alle mannen uit met wie het niet klikte, vooral diegenen die je via on line dating hebt leren kennen. Waarom? Omdat je hun vraagt introducés mee te nemen. Je wilt al die mensen bij elkaar zien, wie weet wat ervan komt. Misschien kennen ze sommige gasten al omdat het nu eenmaal een kleine wereld is waarin we leven. En zelfs als ze niemand anders dan jou kennen, ontmoeten ze vast wel iemand op je feest. Hopelijk hebben ze het zo leuk dat ze jou op hun feesten vragen.

Je kunt het feest thuis geven of in de tuin. Als je niet genoeg plaats hebt voor zoveel mensen, of als er andere redenen zijn waarom je dit feest niet thuis kunt geven, kijk dan eens om je heen en denk creatief. Misschien kun je een restaurant afhuren, of een zaaltje bij de kerk, een galerie of een antiekwinkel. Soms kun je gratis gebruik maken van een galerie of winkel omdat de eigenaar op die manier zijn waar onder de aandacht van een grote groep mensen brengt. Je kunt ook een goede vriendin vragen of het feest bij haar gehouden mag worden in ruil voor jouw eeuwige dankbaarheid!

Zorg dat de ruimte groot genoeg is voor zoveel mensen en dat er gelegenheid is te mengen (zie hieronder). Er zijn veel mensen die je die avond moet verwelkomen en ontmoeten.

MENGEN

Omdat het de bedoeling is dat je nieuwe mensen leert kennen, is het belangrijk dat je je onder de gasten mengt. Hoe vaak heb je niet in een hoek gestaan, praatte je bijna de hele avond met die ene persoon en kon je geen excuus bedenken om weg te komen? Dat kan op je *Programma*-feest niet gebeuren, als jij maar voorzorgen treft. Dat houdt in dat je drie vriendinnen (indien mogelijk je Mentor) vraagt om ook voor gastvrouw te spelen, zodat jij je onder de gasten kunt mengen. Zij houden je in de gaten en als ze merken dat je te lang op dezelfde plek blijft (tien minuten is toegestaan, niet meer) helpen ze je niet verzeild te raken in ellenlange gesprekken.

Selecteer deze vriendinnen van tevoren en bel hen ruim voor het feest om hun hulp in te roepen. Zorg dat ze je verzoek serieus opnemen en je echt de hele avond in de gaten houden. Je vraagt het aan meer dan één vriendin omdat je niet aldoor afhankelijk van één persoon kunt zijn. Je moet beschikken over Plan A, Plan B en Plan C. Selecteer zelfverzekerde vriendinnen die als 'Party Buddies' een gesprek durven onderbreken omdat 'je onmiddellijk nodig bent in de keuken'.

Tien minuten is precies goed om met een gast of een klein groepje te praten. Net lang genoeg om het contact met oude bekenden aan te halen of contact te maken wanneer je iemand nog niet kent, en reclame te maken voor je merk. Om beleefd een einde aan een gesprek te maken, kun je gebruik maken van de volgende twee tactieken:

1. Samenvatting: herhaal in het kort waar het gesprek over ging zodat je gesprekspartner weet dat je naar hem of haar hebt geluisterd en beëindig dan het gesprek. Bijvoorbeeld: 'Ik vond het leuk om over je reis naar Hawaï te horen, en ik ben blij je weer eens te hebben gezien (of: je te hebben leren kennen).' Met een glimlach loop je weg. Met deze tactiek kwets je bijna nooit iemands gevoelens omdat je hebt aangegeven dat je het een plezierig gesprek vond, en niet met een smoes op de proppen bent gekomen zoals: 'Ik ga eens een drankje halen,' of: 'Daar staat iemand die ik wil spreken.'
2. Introductietactiek: vraag de persoon met wie je in gesprek bent: 'Ken je Tom al? Je mag hem vast graag. Ik zal jullie aan elkaar voorstellen.' Daarna breng je hem of haar naar Tom, stelt hen aan elkaar voor en laat hen een gesprek aanknopen terwijl jij je onder de andere gasten mengt.

HOE JE ERUITZIET

Natuurlijk moet je er op je best uitzien. Voor deze gelegenheid moet de packaging perfect zijn. Koop iets nieuws van je marketingbudget. Je kiest natuurlijk iets uit dat in overeenstemming is met alles wat je in Stap 3 (Packaging) en Stap 5 (Branding) hebt geleerd: vrouwelijk, flatteus, in overeenstemming met je merk en denk erom, geen zakelijk pak! Als je Mentor daar de tijd voor heeft, neem je haar mee wanneer je gaat shoppen, en in ieder geval laat je haar ruim voor het feest zien wat je wilt aantrekken. Nog beter is het een mannelijk persoon zijn mening te laten geven. Maak ruim op tijd een afspraak bij de kapper en de visagiste. Denk aan jezelf als aan Assepoester die naar het bal gaat – je wilt een verandering ondergaan, je wilt je heel bijzonder voelen; want als je je zo voelt, zullen je gasten dat zeker merken.

HULPJES

Behalve je Party Buddies heb je ook een paar mensen nodig om je op logistiek gebied te helpen: met de hapjes, de drankjes, de jassen en misschien zelfs het schoonhouden van de toiletten. Jij moet je aandacht richten op het doel van je feest, deze speciale avond moet je niet je hoofd hoeven te breken over de hapjes. Als je het je kunt veroorloven, neem dan een cateringbedrijf in de hand, of anders werkstudenten. In het ergste geval kun je je beste vriendinnen (onder wie je Mentor, als ze het feest kan bijwonen) vragen om elkaar af te wisselen terwijl ze daarvoor zorgen, zodat elk er een half uurtje mee zoet is. Vertel je hulpjes vooraf heel duidelijk wat je van hen verwacht: wat ze moeten doen en wanneer. Je kunt hun ook van tevoren een geprinte lijst geven waarop staat wat ze moeten doen, zodat ze je niet hoeven te storen wanneer je in geanimeerd gesprek bent omdat ze iets willen vragen.

WEES NIET ZUINIG

Een feest geven kost veel tijd en geld, maar je besteedt je tijd en je marketingbudget goed. Wees dus niet zuinig. Niet alleen leer je op de bewuste avond veel nieuwe mensen kennen, maar hopelijk is het effect ook dat jij veel uitnodigingen voor feesten krijgt. Wanneer je twijfelt of je dit of dat nog zult doen, denk dan aan je feest als aan een investering, niet als een manier om tijd en geld te besparen. Je wilt dat je gasten dankbaar zijn dat ze op zo'n geweldig feest mochten komen, en iets zullen terugdoen door jou voor hun feesten uit te nodigen, en afspraakjes voor je te regelen.

Nog meer tips voor je **Programma**-*feest*

1. **Bedenk vast gespreksonderwerpen:** omdat je je onder de gasten mengt en dus steeds nieuwe gesprekjes met verschillende mensen aanknoopt, moet je je goed voorbereiden. Kijk nog

eens naar de lijst vragen die je samenstelde bij Stap 11 (Mass-marketing) voordat je naar een evenement voor singles ging. Het is makkelijk als je een lijst met tien gespreksonderwerpen of anekdotes maakt. Maak goed gebruik van de cursus Vissen met kunstvliegen (of een andere op mannen gerichte cursus) die je vorige maand volgde. Zoek naar anekdotes die in over-eenstemming zijn met het thema van je feest. Misschien ken je nog een mop (vraag het anders aan je vrienden). Bereid je goed voor zodat je al je charme in de strijd kunt werpen terwijl je je onder de gasten mengt.

2. **Eet van tevoren:** je zult het heel druk hebben, en niet de tijd krijgen zelf van de hapjes te genieten. Eet voordat het feest be-gint, niet alleen om tijd te besparen wanneer het feest eenmaal aan de gang is, maar ook om er zeker van te zijn dat je hapjes lekker zijn. Je weet meteen ook zeker dat er niets tussen je tan-den zit. En drink niet meer dan één glas alcoholhoudende drank; je hebt je hersens bij het feest nodig!

3. **Gespreide aanvangstijd:** afhankelijk van hoeveel mensen je wilt uitnodigen en hoe groot de beschikbare ruimte is, kun je overwegen of je de gasten niet gespreid laat arriveren. Lijkt je dat een goed idee, deel dan je gastenlijst door twee (denk daar-bij goed na wie je wanneer wilt hebben) en geef verschillende aanvangstijden door. Je zegt bijvoorbeeld tegen de ene helft dat het feest van vijf tot zeven is en tegen de andere helft dat het van zes tot acht is. Waarschijnlijk is het om halfzeven bomvol, maar door de gespreide aankomst kun je beter met iedereen apart praten.

4. **Geef afscheidscadeautjes:** bij feesten voor volwassenen wor-den niet vaak afscheidscadeautjes uitgedeeld (behalve soms bij een bruiloft en een liefdadigheidsgelegenheid), dus je zult uniek zijn. Mensen houden van cadeautjes en bovendien zul-len ze aan je denken wanneer ze thuis je cadeautje zien staan. Wees creatief wanneer je je cadeautjes uitkiest en zorg dat ze in overeenstemming zijn met het thema van je feest en/of je per-

soonlijke merk. Overleg met je Mentor of andere slimme vrien-dinnen. Het hoeft trouwens niet iets duurs te zijn.

Lily had een idee dat me erg beviel. Ze gaf een Muurschilde-ringfeest. Ze nodigde dertig mensen uit om bij haar thuis een muur artistiek te beschilderen. Ze had het ontwerp in potlood op de muur geschetst, de gasten kregen verf om te schilderen. Als afscheidscadeautje had ze 'cadeaubonnen' op de computer gemaakt, die ze in leuke envelopjes stopte. Er stond op: 'Ruil deze cadeaubon om voor een muurschildering bij jou thuis. Deze bon blijft een jaar geldig.' Niet alleen was dat een aardig gebaar omdat ze iets terug wilde doen voor de mensen die haar hadden geholpen haar muur te beschilderen, maar het was ook een gelegenheid om later weer contact op te nemen met haar gasten. Er had natuurlijk heel veel tijd in kunnen gaan zitten, maar ze ging er niet van uit dat meer dan twee gasten van de cadeaubon gebruik zouden maken. Er zijn niet veel mensen die een muurschildering in de eetkamer willen! Maar het was natuurlijk geen toeval dat in haar slogan stond: Artistiek.

5. **Ken je gasten:** neem de gastenlijst een uur voor aanvang nog eens goed door. Leer die uit je hoofd. Het is soms moeilijk om je al die namen te herinneren en de achtergronden van ieder-een en wat de onderlinge verhoudingen zijn, dus gun jezelf de tijd om alles goed in je op te nemen.

Ik ken een vrouw die de gastenlijst heel slim gebruikte, al was het niet om een partner te zoeken, maar een baan. Ze was op een feest in New York. Op de gastenlijst, die ze van tevoren had ingekeken, stonden de namen van twee personen die ze graag wilde leren kennen: Martin S., directeur van een grote bank, en George T., een bekend financieel adviseur. Op het feest bena-derde ze Martin S. en zei: 'George T. wil u graag spreken. Wilt u hier even wachten?' Daarna stevende ze op George T. af en zei tegen hem: 'Martin S. wil u graag spreken. Wilt u even met me meekomen?' Ze bracht de mannen bij elkaar, bleef bij hen staan en babbelde gezellig met hen mee. Dat was nog eens een vrouw met lef!

6. **Maak het iedereen naar de zin:** nadat je de gastenlijst nog eens goed hebt bestudeerd, selecteer je de mensen die je aan elkaar voor wilt stellen. Je kunt bijvoorbeeld een vrijgezel met wie het niet klikte aan een andere vrouw voorstellen. Ook kun je mensen met dezelfde interessen aan elkaar voorstellen. Jij laat nieuwe vriendschappen opbloeien en kunt alleen maar hopen dat zij je uit dankbaarheid ook aan anderen zullen voorstellen.

7. **Neem af en toe pauze:** om het uur ga je naar de badkamer of je slaapkamer om even tot rust te komen en om te kijken of je er nog goed uitziet. Zit er niets tussen je tanden? Moet je opnieuw lipstick aanbrengen? Misschien moet je even de gastenlijst doornemen omdat je iemands naam bent vergeten. Maak aantekeningen over met wie je na het feest contact wilt opnemen voor een follow-up. Zorg dat je twee minuten alleen bent en kijk of je het doel van je feest nog goed voor ogen hebt.

Klantenservice

FOLLOW-UP NA HET FEEST

Deze stap is niet gezet wanneer de laatste gast afscheid heeft genomen. Zoals je al weet, komt er altijd een follow-up. Aan een succesvol feest zou je ten minste vijf nieuwe contacten moeten overhouden (zowel mannen als vrouwen). Eigenlijk zou je meteen een lijst moeten opstellen van de mensen die misschien iets voor je kunnen zijn, zodat je het niet vergeet.

Besteed minstens een kwartier aan het opstellen van een lijst van mensen die een follow-up krijgen. Pak de gastenlijst erbij en maak aantekeningen bij de namen: had hij of zij iemand meegenomen die je nog niet kende? En hoe heette die introducé en wat weet je van hem of haar? Heeft nog iemand gezegd dat ze iets voor je kon regelen? Met wie en wanneer was dat? Heb je gemerkt dat het tussen twee gasten die je aan elkaar hebt voorgesteld, leek te klikken? Waren er nog mensen die goed met elkaar overweg konden en die je voor een etentje of een uitstapje zou willen uitnodigen?

Schrijf dat allemaal op, en maak dan een rooster voor de follow-ups: binnen tien dagen bel je iedereen die een afspraakje voor je kon regelen, je nodigt mensen uit voor het etentje of uitstapje en je belt natuurlijk iedereen die je heeft geholpen.

JAGEN OF NIET JAGEN

Als je de regels van de vrouwelijkheid nog weet (Stap 3: Packaging), dan weet je ook dat ik je niet aanraad die leuke man te bellen die je op je feest leerde kennen om een afspraakje met hem te maken. Hopelijk belt hij jou als het klikte. Als hij niet belt, kun je een follow-up doen waarbij je de regel nauwelijks schendt. Bel de gemeenschappelijke vriend die hem had meegenomen en stel een uitstapje voor waarvoor hij ook is uitgenodigd. De gemeenschappelijke vriend nodigt hem uit zodat het niet al te overduidelijk is dat je in hem bent geïnteresseerd. Klinkt dat naar hoe het er op de middelbare school aan toeging? Dat geeft niet, je bent jong van hart.

DE AFSPRAAKJESBEURS

Een ander idee voor een follow-up is een 'afspraakjesbeurs'. Hierbij maak je gebruik van de single vrouwen die je op je feest hebt leren kennen. De achterliggende gedachte is dat iedere vrouw wel iemand kent die voor haar niet De Ware is, zoals ex-vriendjes, mannen met wie ze is uit gegaan en die aardig waren, maar met wie het niet klikte, of zelfs broers of neven. Nodig hen allemaal uit voor de afspraakjesbeurs, trek een paar flessen wijn open en laat elke vrouw de naam van een vrijgezel op een papiertje schrijven. De papiertjes gaan in een hoge hoed, en om de beurt halen jullie zo'n papiertje uit de hoed. Het lijkt wel lootjes trekken voor Sinterklaas! De vrouw die het lootje heeft gemaakt, belt de man in kwestie op om het afspraakje te regelen. Natuurlijk mag je onderling de lootjes ruilen, als iemand een man heeft getrokken met wie ze om welke reden dan ook geen afspraakje zou willen maken, maar iedereen gaat naar huis met een afspraakje in het vooruitzicht. Het is een soort creatieve follow-up party en je kunt ontzettend veel lol hebben, zeker met die flessen wijn erbij.

Je vraagt je misschien af

Hoe vaak mag ik een Programma-*feest geven?*

Een *Programma*-feest geven is veel werk. Het kost veel tijd en energie om alles te plannen. Bovendien slaat het een flink gat in je marketingbudget. Waarschijnlijk kun je je zoiets niet al te vaak veroorloven. Misschien twee keer in een periode van anderhalf jaar, dat zou perfect zijn.
Maar als je mensen kent met wie je samen zo'n feest kunt geven, kun je het werk en de kosten verdelen. Bovendien krijg je een heel andere gastenlijst. Op die manier kun je meer feesten organiseren.

Kun je deze marketingtechniek gebruiken op andere feestjes waarvoor je bent uitgenodigd?

Natuurlijk. Je zou op alle feesten gebruik moeten maken van deze tactiek, en je onder de gasten mengen, van tevoren gespreksonderwerpen verzinnen, het iedereen naar de zin maken en na afloop een follow-up doen. Het zou een gewoonte moeten zijn, wáár je ook bent.

Verwacht je nu echt dat ik een man uitnodig met wie ik een halfjaar geleden ben uitgeweest terwijl dat helemaal niet beviel, en hem ook nog vraag introducés mee te nemen?

Natuurlijk! Het *Programma* is een assertieve methode om een partner te vinden. Dit is geen dagje luieren op het strand. Aarzel niet nog iets goeds uit een afspraakje te halen dat niet beviel. Denk eraan als aan het dividend van de tijd die je daarin hebt geïnvesteerd. Je hebt tijd geïnvesteerd toen je je voorbereidde op dat afspraakje, toen je uit was met De Verkeerde en toen je later je beklag deed bij je vriendinnen. Dit is het moment om te incasseren.

Bel hem op en zeg opgewekt dat je hem uitnodigt voor een groot feest. Zorg dat hij zich niet afvraagt waarom je hem belt; misschien denkt hij dat je achter hem aan zit, of dat je boos bent omdat hij jou nooit meer heeft gebeld. Zeg meteen ook dat er veel single vrouwen op je feest komen, en dat je het prettig zou vinden als hij wat vrienden meeneemt.

Wat is het ergste dat je kan overkomen? Dat hij niet op je uitnodiging ingaat? Maakt niet uit, er staan zoveel mensen op je lijst. Weet hij niet meer wie je bent? Maakt ook niet uit, dan vertel je hem dat toch!

Wat is de ideale man/vrouwverhouding op het feest?

De ideale verhouding voor jouw *Programma*-feest is 60 procent mannen en 40 procent vrouwen. Misschien denk je dat 90 procent mannen nog beter is, maar je wilt dat de mannen het ook naar hun zin hebben. Waarschijnlijk vinden ze het feest leuker als het ongeveer fifty/fifty is, en bovendien zouden ze maar vroeg weggaan als er niet genoeg vrouwen zijn. Vergeet niet dat je ook nieuwe vrouwen wilt leren kennen, niet alleen mannen, want vrouwen zijn je beste 'niche' voor het regelen van afspraakjes.

Je hebt Stap 12 gezet en bent klaar voor Stap 13 als je:

1. een feest van tevoren strategisch hebt gepland en de richtlijnen voor thema, plaats, uitnodigingen, je uiterlijk en je helpers hebt opgevolgd;
2. een feest hebt gegeven, je onder de gasten hebt gemengd en opgewekt was;
3. iedereen bij wie dat wenselijk was, een follow-up hebt gegeven;
4. ten minste vijf nieuwe contacten hebt gemaakt (mannen of vrouwen) als resultaat van je feest.

Hoofdstuk 13

Stap 13: Life Cycle: jezelf opladen

Wat ik op de Harvard Business School leerde

Producten hebben een natuurlijke levenscyclus. Meestal doorlopen ze vier stadia, te beginnen met de introductie, dan volgt een periode van groei waarbij de verkoop gaat lopen, dan worden ze volwassen en uiteindelijk treedt het verval op, wat aangeeft dat ze uit de markt kunnen worden genomen. Deze cyclus is normaal en volgens verwachting; het wil zeggen dat het product het goed heeft gedaan. De beste producten worden dan geherintroduceerd als 'vernieuwd en verbeterd'; een tweede cyclus begint. De manager bekijkt wat de consument wil, verandert het product een beetje en houdt het zo in de markt. Een goede manager loopt op de verschillende stadia vooruit en maakt vast plannen voor de toekomst.

Waarom het belangrijk is jezelf op te laden

Het Programma is een marathon. Mét *Het Programma* vind je eerder een partner dan zonder, maar toch kan het even duren. Je moet jezelf niet voorbijlopen, je moet goed voor jezelf zorgen, zowel lichamelijk als geestelijk. Misschien is het nog wel het moeilijkst om gemotiveerd te blijven. Na maanden van ergens op gericht zijn, kan het gebeuren dat je daar de energie en de motivatie niet meer voor kunt opbrengen. Dat is heel normaal en valt binnen het verwachtingspatroon. Je hebt hard gewerkt aan de voorgaande twaalf stappen, het project heeft vaart gekregen en je won aan zelfvertrouwen. En je hebt net je grote *Programma*-feest achter de rug. Na al die moeite ben je waarschijnlijk uitgeput. Maar je mag geen vermoeide indruk maken, dat is niet aantrekkelijk voor je toekomstige partner. Dus, wat je nodig hebt – en verdient – is een poosje ertussenuit! Je gaat eens wat dingen doen die niets met *Het Programma* te maken hebben.

Eindelijk eens een stap waarvan je kunt genieten! Het is een korte, gemoedelijke stap. Bij Stap 13 hoef je je niet te gedragen zoals bij de voorgaande twaalf stappen. Je gaat heerlijke dingen doen waarbij je niet assertief hoeft te zijn. Het maakt niet uit hoe je er uitziet of wat anderen van je denken. Doe wat je leuk vindt!

Hoe jezelf op te laden

Je moet jezelf zowel lichamelijk als geestelijk opladen, dat is allebei even belangrijk wil je er de komende maanden weer tegenaan kunnen.

LICHAMELIJK

Er zijn een heleboel manieren om jezelf lichamelijk op te laden, en iedereen zal een voorkeursmethode hebben die bij haar past. Waarvan rust jij het beste uit? Misschien moet je met vakantie gaan, alleen of met vrienden of familie. Ga ergens naar toe waar je inspiratie kunt opdoen, zoals de bergen of de zee. Of naar kuuroorden of thermaalbaden (dat doe ik het liefst). Gebruik er je marketingbudget voor en laat je verwennen! Als dat te duur is, kun je een dag naar een beautyfarm gaan waar je meteen je nagels kunt laten doen en een massage krijgen. Ga een lange wandeling maken, of ga joggen. Neem een paar dagen vrij en slaap lekker uit, zet nieuwe plantjes in je tuin, bak koekjes of probeer een recept uit je favoriete kookboek. Lees een mooi boek (zolang het dit boek maar niet is). Ga naar een plaatselijke bezienswaardigheid. Als je woonplaats een groot aquarium rijk is, ga dan naar de vissen kijken, dat is heel rustgevend. Ga een weekendje naar een hotel waar ze je heerlijke ontbijtjes voorzetten.

Draag de kleren waarin je je het lekkerst voelt, ook al zijn ze oud en onflatteus, en doe absoluut geen make-up op. Je hoeft je haar ook niet te föhnen, hoor!

Hoe je je ook lichamelijk wilt opladen, zorg ervoor dat je dat niet doet waar je De Ware zou kunnen tegenkomen. Dit moet een periode zonder stress zijn, je kunt je agenda lekker thuis laten.

Gebruik deze periode ook om je geestelijk op te laden. Breng je leven eens in perspectief door alle goede dingen van jou op een rijtje te zetten. Op die lijst zou kunnen staan: dat je gezond bent, een fijne familie hebt en fijne vrienden, kinderen, huisdieren en een prettig thuis. Alles waar je verder niet over nadenkt nu je zo bent gericht op het zoeken van een partner. Denk goed na over wat je allemaal hebt, niet over wat je mist.

Terwijl je de lijst opstelt, begin je aan een andere lijst waarop je alle successen opschrijft die je tijdens Het Programma hebt behaald. Zelfs als je De Ware nog niet tegen het lijf bent gelopen, heb je toch vast wel een paar keer triomfen gevierd. Het was geweldig van je dat je lid durfde te worden van die nieuwe groep voor singles, je je on line profiel hebt opgesteld, nog een keer bent uitgevraagd door die man die je graag mocht, niet steeds in het zwart op feestjes bent verschenen en niet hebt gehuild na dat akelig verlopen afspraakje. Schrijf alles op wat er in je opkomt; niets is te triviaal! Wanneer de lijst af is, vraag je jezelf af of je meer vooruitgang hebt geboekt sinds je aan Het Programma bent begonnen dan de vijf jaar daarvoor samen. Ik zou het schokkend vinden als je antwoord nee is, en ik hoop dat je volmondig ja je zal helpen bij het je geestelijk opladen.

Misschien voel je je onwennig omdat je eraan gewend bent geraakt drie of vier keer per week uit te gaan. Misschien moet je eens een klusje doen, zoals het uitruimen van je klerenkast of al die foto's inplakken die je hebt gemaakt.

Misschien wil je ook eens lekker uithuilen. Waarschijnlijk heb je een zeer emotionele tijd achter de rug en heb je van alles opgekropt. Misschien was je verdrietig omdat een afspraakje teleurstellend verliep, of voelde je je afgewezen, en misschien heb je je vaak eenzaam gevoeld. Huur een verdrietige film (een echte tearjerker!) en laat je tranen de vrije loop. Ik heb altijd een hele doos Kleenex nodig bij Terms of Endearment. Het is goed je van al die opgekropte emoties te bevrijden voordat je verder gaat met je speurtocht. Zoals ik aan het begin van dit boek al zei, vind je hier geen psychologische raad over waarom je single bent, maar alleen actie. Maar natuurlijk ben je geen robot, en je moet overweg kunnen met de gevoelens die erbij horen wanneer je single bent. Meestal is *Het Programma* een soort emotionele achtbaan.

Belangrijker nog: een vrouw die binnenkort een partner vindt (de *Programma*-vrouw) verschilt van een vrouw die voor eeuwig single zal blijven omdat ze zich niet door haar gevoelens laat weerhouden. Op de juiste plek en de juiste tijd laat ze zich gaan, en daarna gaat ze vrolijk verder! Heb vertrouwen in jezelf.

Casestudies: Hoe ik mezelf oplaadde

Nina (44): 'Ik kon me geen vakantie veroorloven, dus toen heb ik mijn appartement een week lang veranderd in een tropisch paradijs. Ik vertelde mijn vrienden en familie dat ik de stad uit was, trok de telefoonstekker eruit en maakte piña colada voor mezelf, luisterde naar een cd van de Beach Boys en keek naar The Travel Channel. Ik legde zelfs iedere avond een After Eight op mijn kussen. Ik sliep uit, las een detective en had eigenlijk een heel ontspannen vakantie, gewoon in mijn eigen huis!'

Marian (50): 'Ik nam drie dagen vrij en ging naar mijn dochter. Ze studeert tegenwoordig en we hebben nauwelijks meer tijd voor lange gesprekken, zoals vroeger. Daar had ik echt behoefte aan. Mijn bezoek aan haar viel samen met haar vakantie, en ik nodigde haar uit voor een slaapfeestje in een hotel vlak bij waar ze haar kamer heeft. We aten van de roomservice, bleven tot drie uur 's nachts op en praatten over haar vriendjes, haar vriendinnen en haar plannen over een jaartje buitenland. Het was heerlijk haar weer te zien, mijn knappe dochter, en om te weten dat het zo goed met haar ging.'

Amanda (36): 'Ik heb altijd al duiken willen leren. Ik vloog naar Florida, schreef me in voor een vijfdaagse snelcursus en kreeg mijn duikbrevet. Het was heerlijk om zo'n uitdaging aan te gaan. Het was schitterend weer, het was 's avonds stil en door de oceaan leken mijn problemen in het niet te vallen. Ik heb daar heel wat vissen aan de haak geslagen, en het was prettig nu eens niet op mannen te vissen.'

Pauline (62): 'Ik ben drie dagen bij mijn beste vriendin in Texas geweest. Ze is al jaren gescheiden, maar nu is ze hertrouwd met een geweldige kerel. Ze is gelukkiger dan ooit tevoren. Maar ik was niet jaloers op haar omdat zij heeft wat ik ook zo graag wil, in plaats daarvan dacht ik: als zoiets haar kan overkomen, waarom mij dan niet? In Texas zag ik hoe mijn leven er binnenkort zou uitzien, en dat was heel inspirerend!'

Julia (41): 'Ik bleef drie dagen thuis. Ik had de drie verdrietigste films gehuurd die ooit zijn gemaakt. Ik had het net na vier maanden uitgemaakt met de man van wie ik echt dacht dat hij De Ware was. Ik had een flinke huilbui hard nodig. Elke avond liet ik een pizza bezorgen, of iets van de Chinees, en ik heb het T-shirt dat hij in de kast had laten liggen gewoon verbrand. Ik nam iedere avond een heerlijk lang bad met veel schuim. Op de vierde dag had ik zo genoeg van mezelf dat ik een flink eind ben gaan joggen. Ik had mezelf weer gevonden.'

Soms moet je even lachen

Het Programma moet je serieus nemen, daar zul je langzamerhand wel achter zijn gekomen. Maar bij Stap 13 moet je juist de humor van de situatie inzien en jezelf niet al te ernstig nemen. Laatst kreeg ik een grappig mailtje met als berichtregel Marketing voor Beginners. Het is een grappige persiflage op marketingtermen die ook in Het Programma worden gebruikt. Ik moest erom lachen, en ik hoop dat jij ook moet lachen.

Marketing voor Beginners

Je ziet een knappe man op een feestje. Je stapt op hem af en zegt: 'Ik ben geweldig in bed.'
Dat is direct marketing.

Je bent met een stel vriendinnen op een feest en ziet een knappe man. Een van je vriendinnen stapt op hem af, wijst naar jou en zegt: 'Zij is geweldig in bed.'
Dat is reclame maken.

Je ziet een knappe man op een feest. Je stapt op hem af en vraagt om zijn telefoonnummer. De volgende dag bel je op en zegt: 'Hallo, ik ben geweldig in bed.'
Dat is telemarketing.

Je bent op een feest en ziet een knappe man. Je staat op en doet je jurk goed. Je stapt op hem af en schenkt iets voor hem in. Je zegt: 'Mag ik?' en trekt zijn das recht, waarbij je borst zijn arm beroert. Dan zeg je: 'Trouwens, ik ben geweldig in bed.'
Dat is public relations.

Je bent op een feestje en ziet een knappe man. Hij stapt op je af en zegt: 'Ik hoor dat je geweldig in bed bent.'
Dat is merkherkenning.

Je bent op een feest en ziet een knappe man. Je overreedt hem met je vriendin mee naar huis te gaan.
Dat is een verkooppraatje.

Je vriendin bevredigt hem niet, daarom belt hij jou.
Dat is technische ondersteuning.

Je bent op een feest en ziet een knappe man. Je zegt: 'Trouwens, ik ben geweldig in bed – neem je me mee naar huis om het zelf te ervaren?' Bij hem thuis kleed je je tot op je ondergoed uit en klimt bij hem in bed. Wanneer hij iets probeert, wijs je hem erop dat je hem geen seks hebt beloofd. Dat is productmarketing.

Je bent op weg naar een feest als je ineens beseft dat er in al die huizen waar je langs komt knappe mannen kunnen wonen. Dus je klimt op het dak van het meest centraal gelegen huis en schreeuwt zo hard je kunt: 'Ik ben geweldig in bed!' Dat is spam.

Wanneer je klaar bent met opladen

Het is misschien verleidelijk om in deze knusse stap te blijven hangen, maar op een gegeven moment moet je toch stoppen met opladen en verder gaan. Het is gemakkelijk om van de koers af te wijken, daarom raad ik voor de stap meestal vijf tot zeven dagen aan. Kijk zelf hoeveel tijd je ervoor nodig hebt – als je er maar van opknapt.

Als je wekenlang een depressie koestert, gebruik je deze stap waarschijnlijk niet waarvoor die is bedoeld. Misschien val je terug, laat je jezelf gaan en geef je het op. Praat in dat geval met je Mentor en zoek een manier om uit je depressie te komen.

Probeer deze stap met iets prettigs af te sluiten; iets wat een oppepper voor je is. Ga met je kind (of neefje of nichtje, of het kind van de buren) naar het park en kijk hoe het zich amuseert. Doordeweeks ga je natuurlijk naar een klein parkje waar geen alleenstaande vaders zijn om mee te flirten! De onschuld van de kinderen kan heel inspirerend werken. Kinderen kunnen zich over van alles verbazen; een mooie ronde steen, een eekhoorn die langs een boomstam tussen de bladeren verdwijnt... Is de lach van het kind geen oppepper?

Als je het goed met je ouders kunt vinden, kun je bij hen langs gaan en je weer even een klein meisje voelen. Laat hen je maar lekker verwennen. Of is het voor jou juist een oppepper om een verschrikkelijk duur tasje te kopen? De overgang naar de werkelijkheid gaat meestal gepaard met gekreun. Het is alsof je terugkomt van een heerlijke vakantie en de volgende dag meteen aan het werk moet. Bah. Dus neem je maatregelen tegen dat akelige gevoel. Gebruik daar de laatste dag van deze stap voor. Pak je agenda en plan de activiteiten voor *Het Programma* voor de volgende drie maanden. Stel jezelf een wekelijks en maandelijks doel. Probeer op deze laatste vrije dag te gaan lunchen met je Mentor. Doordat je haar spreekt, en doordat je de doelen die je jezelf hebt gesteld met haar doorneemt, kom je er weer helemaal in. En als er een cd is waarvan je hart opzwelt, draai die dan op vol volume de ochtend dat je weer aan het 'werk' gaat.

Niet meer gemotiveerd: wat is een Programma-drop-out?

Ik heb met cliënten gewerkt die tijdens het volgen van *Het Programma* tegen teleurstellingen opliepen en niet meer gemotiveerd waren. Ook al is dit heel normaal, toch zijn er vrouwen die daar niet meer bovenop komen en uit *Het Programma* willen stappen. Zij maken een ernstige fout. *Het Programma* is inspannend, maar het vinden van een partner is het allemaal waard, toch? Ik heb vaak gezien dat mensen het geluk vinden na een akelige ervaring. Meestal kwamen ze daar sterker uit en dat zorgde ervoor dat ze kregen wat ze wilden.

Misschien vraag je je af:

Als alles lekker loopt met Het Programma *en ik geen behoefte heb aan mezelf opladen, kan ik deze stap dan overslaan?*

Maar één persoon die *Het Programma* volgde heeft me dat ooit gevraagd, maar ik dacht dat ik haar vraag toch maar even zou aanstippen omdat niet iedereen pas op de plaats wil maken om de zon in de zee te zien zinken. Maar het antwoord is: nee. Zelfs als je elke avond met een andere man uitgaat en de afspraakjes via direct mail, niche marketing en telemarketing binnenstromen, heb je toch op dit moment even pauze nodig. Dat is omdat je ooit zo vermoeid zult zijn dat het gevaar dreigt van burn-out. Het is beter nu een pauze in te lassen dan straks tot een pauze te worden gedwongen.

Wat als mijn overwegende emotie op dit moment niet vermoeidheid, droefenis of eenzaamheid is, maar woede?

Veel vrouwen vertellen me over hun woede. Mannen zijn niet goed wijs, ze willen zich niet binden, ik verspil mijn tijd aan hen, etc. En deze vrouwen zijn ook kwaad op *Het Programma*: waarom moeten ze iets aan hun verpakking en gedrag doen om een partner te vinden? Je hebt groot gelijk dat je woedend bent. Maak je maar eens goed kwaad. Dit is daar het juiste moment voor. Opladen heeft ook te maken met stoom afblazen en je gevoelens van woede uiten, net zo goed als het te maken heeft met ontspannen en uithuilen. Laat je lekker gaan. Geef je kussen ervan langs tot de veertjes door de lucht vliegen. Ga in de kast zitten en schreeuw zo hard je kunt. Doe wat jou het beste ligt!

Dat het er in de harde werkelijkheid zo aan toegaat, heb ik niet bedacht. Ja, mannen zijn niet makkelijk, en het is niet eerlijk dat je aan marketing moet doen om een partner te vinden. Ik help je alleen maar je doel te bereiken, en we mogen de werkelijkheid niet uit het oog verliezen.

Hoe vaak kan ik teruggaan naar deze stap?

Jezelf opladen is een productieve stap. Het helpt je positief te blijven, en dat is essentieel voor het vinden van een partner. Ga terug naar deze stap wanneer je je ontmoedigd voelt, maar blijf niet te lang in Stap 13 hangen. Misschien eens in de drie, vier maanden, dat lijkt me redelijk. Beschouw Stap 13 als een retraiteoord waar je af en toe helemaal op adem kunt komen.

Je hebt Stap 13 gezet en bent klaar voor Stap 14 als je:

1. een korte pauze in *Het Programma* hebt ingelast;
2. iets hebt gedaan wat lichamelijk en geestelijk niets met *Het Programma* te maken heeft;
3. lekker hebt gelachen, lekker hebt gehuild en je kussen ervan langs hebt gegeven;
4. deze stap met iets prettigs hebt afgesloten, een dag hebt besteed aan plannen voor *Het Programma* en met je Mentor hebt geluncht om de doelen te bespreken die je jezelf hebt gesteld;
5. je fit voelt en helemaal klaar bent om de volgende stappen te zetten.

Hoofdstuk 14

Stap 14: Kwartaaloverzicht: evalueer je resultaten

Wat ik op de Harvard Business School leerde

Bedrijven aan de top geven ieder kwartaal een overzicht om zich te verzekeren van een optimaal resultaat. Met andere woorden, om de paar maanden moeten de managers hun strategie evalueren en aan de hand daarvan de verwachtingen bijstellen. Het is bijna onvermijdelijk dat er iets is veranderd sinds de originele strategie werd bedacht. Misschien is er iets in de markt veranderd, was het onderzoek niet grondig genoeg, of de kosten zijn hoger dan verwacht. De enige constante in het zakenleven is *verandering*. Succesvolle managers lopen op de veranderingen vooruit, evalueren het resultaat en stellen hun *plan de campagne* bij.

Wat is Het Programma-*kwartaaloverzicht?*

Bij het kwartaaloverzicht wordt gekeken naar wat voor jou heeft gewerkt bij *Het Programma* en wat niet. Het resultaat helpt je je tactiek fijn af te stellen zodat *Het Programma* efficiënt kan voortgaan. Nu je je tijdens Stap 13 hebt opgeladen, kun je wat je hebt gedaan beter in perspectief plaatsen. Bij dit evaluatieproces kijk je naar wat je *wilde* dat er zou gebeuren tijdens je speurtocht naar een partner, en wat er *werkelijk* gebeurde. Je wilt absoluut geen tijd en energie verspillen aan iets wat geen resultaat oplevert. Denk aan het spreekwoord 'Een ezel stoot zich in het algemeen niet tweemaal aan dezelfde steen.'

Je resultaten

Dus wat heb je voor resultaat behaald terwijl je *Het Programma* volgde? Laten we bij het belangrijkste beginnen: je hebt iemand leren kennen en het begint serieus te worden, of niet.

Als je iemand hebt leren kennen en het begint serieus te worden, ga dan meteen door naar Stap 15.

Als er nog niets serieus aan de hand is, moet je je resultaten evalueren. Hierbij kijk je naar: 1. Kwantiteit en kwaliteit: hoeveel
mannen heb je leren kennen en wat voor mannen waren dat? 2.
Retentie: kun je de mannen vasthouden die je leuk vond? en 3.
Bijstellen: bepaalde Stappen waar je nog eens aandacht aan moet
besteden.

Evaluatie 1: Kwantiteit en kwaliteit

Stel dat je eigenaar bent van een winkel. Twee componenten dragen bij tot het succes van je winkel: het *aantal* klanten dat je winkel trekt (kwantiteit), en het *soort* klant dat je winkel trekt (kwaliteit). Hoe meer klanten je trekt, des te meer je waarschijnlijk
verkoopt. Klanten van een goede kwaliteit geven hun geld uit,
klanten van een slechte kwaliteit zijn tijdverspilling en kopen
niets. Het is dus belangrijk dat er veel klanten van goede kwaliteit bij je binnenkomen.

In deze fase bekijk je de kwantiteit en de kwaliteit van de mannen die je hebt leren kennen, en op basis van het resultaat stel je
een *Programma*-Actieplan op dat aansluit op de situatie waarin je
je nu bevindt.

BRENG HET RESULTAAT IN KAART

Het bepalen van de kwantiteit en kwaliteit van de mannen die
je de afgelopen maanden hebt leren kennen hangt af van je situatie en je doel. Ik denk dat je als regel kunt stellen dat je kwan-
titatief succes hebt geboekt als je vier keer per maand een afspraakje hebt met een man die je nog niet in levenden lijve had
ontmoet. De definitie van kwaliteit definieer ik als 'een man met
wie je een tweede keer zou willen uitgaan'. Kwalitatief succes
boek je als je met 50 procent van deze mannen nog een keer zou
willen afspreken (het doet er niet toe of dat daadwerkelijk is gebeurd).

De *Programma*-Succestabel hieronder vertoont vier verschillende 'winkel'ervaringen, die analoog zijn aan jouw afspreekerva-
ringen. Als je bijvoorbeeld een mooie dienschaal wilt hebben en

je hebt een kwartier de tijd om te winkelen, naar welke winkel zou je dan gaan? Ik zou meteen naar een chique serviezenwinkel gaan omdat ik daar een grote keus heb. Ik zou ook niet naar een particuliere inboedelverkoop gaan, daar heb je weinig keus en zul je niet gauw tegen iets van goede kwaliteit aanlopen. Als je naar een vlooienmarkt gaat, verhoog je je kansen, maar het zou uitzonderlijk zijn als je daar nu net vond wat je zocht. Een boetiek heeft meestal koopwaar van een goede kwaliteit, maar veel keus heb je er niet. Vergeet niet dat je maar een kwartier de tijd hebt, dus vergroot je kans en ga naar een goed geoutilleerd warenhuis. Het kost wat meer, maar het gaat hopelijk je leven lang mee.

In welke van de vier hokjes bevind jij je momenteel?

Kwantiteit

	Laag (drie afspraak jes of minder per maand	Hoog (vier afspraakjes of meer per maand)
Slecht (je wilt een tweede afspraakje met minder dan 50 procent van de mannen met wie je bent uitgegaan)	1. Inboedelverkoop	2. Vlooienmarkt
Goed (je wilt een tweede afspraakje met meer dan 50 procent van de mannen met wie je bent uitgegaan)	3. Boetiek	4. Goed geoutilleerd warenhuis

Hokje 1: Inboedelverkoop: weinig mannen (drie afspraakjes of minder per maand) van een slechte kwaliteit (je wilt een tweede afspraakje met nog geen 50 procent van hen).
Hokje 2: Vlooienmarkt: veel mannen (vier of meer afspraakjes per maand) van een slechte kwaliteit (je wilt een tweede afspraakje met nog geen 50 procent van hen).

Hokje 3: Boetiek: weinig mannen (drie afspraakjes of minder per maand) van een goede kwaliteit (je wilt een tweede afspraakje met meer dan 50 procent van hen).

Hokje 4: Goed geoutilleerd warenhuis: veel mannen (vier of meer afspraakjes per maand) van een goede kwaliteit (je wilt een tweede afspraakje met meer dan 50 procent van hen).

Kwaliteit

HET BIJSTELLEN VAN JE ACTIEPLAN

Zodra je weet in welk hokje je zit, ga je naar het daarmee corresponderende actieplan hieronder:

Hokje 1: Inboedelverkoop-actieplan

Als je in de inboedelverkoop zit, heb je te maken met slechte kwaliteit en kwantiteit. Je hebt niet veel afspraakjes (drie of minder per maand), en die waren niet om over naar huis te schrijven (de mannen waren niet aardig, hadden niets met je gemeen, waren niet op zoek naar een serieuze relatie, ze stonken (!), etc.). Je wilde met minder dan 50 procent van hen nog eens afspreken.

Dit is het minst gewenste hokje om in te zitten, en je moet er dan ook snel uit. Als je hierin zit, werkt *Het Programma* niet bij jou, en we moeten erachter zien te komen waarom het niet werkt. Meestal is het het resultaat van het niet volledig zetten van de stappen. Ik heb veel vrouwen gesproken die zich in deze situatie bevonden. Meestal hebben ze een van mijn seminars bezocht, zagen de mogelijkheden en werden enthousiast, maar ondernamen weinig. Ze denken dat *Het Programma* een tovermiddel is waarmee ze een partner kunnen vinden als ze een paar kleine veranderingen uitvoeren. Drie maanden nadat ze een seminar had bijgewoond mailde een vrouw me: 'Dat *Programma* van jou werkt van geen kanten. Ik heb mijn tanden wit laten maken, koos een merk, werd lid van de volleybalclub en vroeg drie vriendinnen een afspraakje voor me te regelen. Ik ben in drie maanden twee keer uit geweest en die mannen waren nog verschrikkelijk ook. Ik heb nog steeds geen partner.'

Nou, ik zou versteld hebben gestaan als ze op die manier wel een partner had gevonden! Wat ze deed was in ieder geval beter dan niets, maar zoals ik al vaak heb gezegd, *Het Programma* is veeleisend en strategisch, de stappen moeten in volgorde worden gezet over een periode van een tot anderhalf jaar. Het is niet zomaar een beetje aanmodderen.

Ga terug naar Stap 1 (Marketingfocus) en vraag jezelf af of je *Het Programma* echt toegewijd volgt. Misschien kom je erachter dat je dacht dat je dat deed, maar vind je de stappen te assertief, of nemen ze te veel tijd in beslag en heb je daarom niet alle stappen gezet. In dat geval moet je er weer even tussenuit. Ga terug naar 'je ouwe leventje' en kijk wat je het beste bevalt: je vroegere bestaan of het tijdverslindende *Programma* met alle ongemakkelijke gevoelens die je daarbij misschien hebt ondergaan. Natuurlijk levert het laatste resultaat op, maar alleen als het correct wordt uitgevoerd.

Niet iedere vrouw van boven de vijfendertig wil echt een partner. Ik ken vele vrouwen die zich in de volgende uitspraak kunnen vinden: 'Het zou leuk zijn, maar mijn leven is ook prettig zonder man.' Maar de meeste singles van boven de vijfendertig zijn bereid alles te doen om een partner te vinden. Misschien duurt het bij sommigen gewoon langer om al de stappen te zetten, of kunnen ze zich niet neerleggen bij het feit dat het hard werken is. Wanneer je merkt dat je bij de Inboedelverkoop bent beland, besef je misschien ineens: 'Ik heb er alles voor over om een man te vinden; haal me hier weg!' Soms is 'falen' juist een aanmoediging om nog beter je best te doen. Als dit op jou van toepassing is, ga dan terug naar Stap 1 en begin met frisse moed opnieuw. Ik weet dat je het kunt, als je maar wilt!

Je moet iedere stap van *Het Programma* actief opnieuw zetten, met bijzondere aandacht voor Stap 3 en Stap 11. Vaak heeft iemand die in de Inboedelverkoop is terechtgekomen gefaald bij Stap 3 (Packaging). Meestal heeft ze geen eerlijke feedback gekregen en staat iets lichamelijks of emotioneels haar in de weg. Ga terug naar Stap 3 en selecteer zes andere mensen (drie vrouwen en drie mannen) die je eerlijk hun mening over je uiterlijk zullen geven. Neem voordat je het die mensen vraagt, je vragen door met een hulpvaardig iemand en oefen goed, zodat je er zeker van kunt zijn dat deze zes mensen oprecht hun mening zullen geven. Wees bereid de voorgestelde veranderingen inderdaad uit te voeren.

Kijk ook nog eens goed of je agenda in Stap 11 (Massmarketing) wel aan je doel beantwoordt. Zorg dat je drie à vier keer per week uitgaat en ontplooi zoveel mogelijk verschillende activiteiten.

Je kunt nu verder gaan met Evaluatie 2: Vasthouden, verderop in dit hoofdstuk.

Hokje 2: Vlooienmarkt-actieplan

Als je je op de vlooienmarkt bevindt, heb je kwantiteit, maar geen kwaliteit. Je gaat veel uit (vier afspraakjes per maand of meer), maar de mannen zijn niet erg leuk (niet aardig, ze hebben niets met je gemeen, ze zijn niet uit op een serieuze relatie, ze stonken (!), etc.). Je wilde met minder dan 50 procent nog eens afspreken. Er is veel aanbod, maar daarin ben je niet geïnteresseerd.

Dit is een moeilijke situatie. Waarschijnlijk ligt de oorzaak bij een merk dat de voor jou verkeerde mannen aantrekt. Carla, een vrouw die een van mijn seminars had bijgewoond, mailde me dat ze op de Vlooienmarkt was beland. Ze had er een fotootje van zichzelf bij gedaan en daaruit bleek dat ze er heel aantrekkelijk uitzag. Ze had een slogan bedacht die vooral over haar uiterlijk ging: Model, Alabama, Zwoel. Haar schuilnaam op internet was MissAlabama. Dit merk deed eerder denken aan een schoonheidskoningin dan een vrouw met intelligentie. Veel mannen waren in haar geïnteresseerd, maar meestal waren ze heel oppervlakkig, of gefixeerd op haar uiterlijk. Vaak waren ze lichamelijk agressief. Ze maakte de fout om met sommigen te slapen en werd dan al snel gedumpt. Toen we haar resultaten evalueerden, begreep ze al gauw waar de schoen wrong en ik hielp haar een ander merk te bedenken dat niet zo op haar uiterlijk was gericht, maar ook op haar artistieke en spirituele kanten. De kwaliteit van de mannen die contact met haar opnamen veranderde drastisch (ten goede) toen ze haar nieuwe slogan presenteerde: Kunst, Spiritueel, Alabama.

Dus als de kwantiteit van de mannen die zich tot jou aangetrokken voelen goed is, maar de kwaliteit niet, ga dan eerst terug naar Stap 5 (Branding) en stel jezelf de volgende vragen:

* Is je merk te oppervlakkig?
* Komen in je merk verschillende van jouw kwaliteiten naar voren, of richt het zich maar op één?
* Is je merk wel realistisch?
* Is je merk uniek?

Verzin een ander persoonlijk merk. Waarschijnlijk heb je de kwaliteiten uit je merk geaccentueerd en er reclame voor gemaakt toen je met de zes vrouwen uit bent geweest, bij de telemarketing en zelfs on line. Misschien is je merk aantrekkelijk voor het verkeerde soort mannen.

Een verkeerd merk kan er de oorzaak van zijn dat Stap 11 (Massmarketing) lijkt te werken omdat je er grote aantallen mee aantrekt, maar je moet het nu overdoen met je nieuwe merk. Je verspilt je tijd aan die mannen van slechte kwaliteit.

Een voorbehoud: vaak hoor ik vrouwen klagen dat ze mannen van slechte kwaliteit aantrekken, maar dat is misschien niet het geval. Misschien zijn de mannen niet echt van slechte kwaliteit, maar is de vrouw te kieskeurig, te gericht op 'haar type'. Als je je op de Vlooienmarkt bevindt, stel ik voor dat je teruggaat naar Stap 4 (Uitbreiding van de markt) en jezelf de volgende vragen stelt:

* Heb je geaccepteerd dat je verliefd kunt worden op een man die niet voldoet aan wat je je altijd hebt voorgesteld?
* Heb je afspraakjes gemaakt met drie mannen die voldeden aan de criteria voor fijnmazig net en fijnstmazig net?
* Heb je iedereen die je kent verteld dat je voor verschillende soorten mannen openstaat en dat je alleen maar op zoek bent naar 'een leuke man'?

* Heb je volgens de richtlijnen in Stap 4 de leeftijdcategorie bij je profiel bijgesteld?

Nog steeds niet tevreden met de kwaliteit? Stap 9 (Niche marketing) levert gewoonlijk mannen van goede kwaliteit op omdat hiervoor afspraakjes worden geregeld door mensen die jullie allebei kennen. Probeer dit nog eens, maar dan met zes (of meer) andere vrouwen. Misschien voldoen deze vrouwen niet aan alle vijf criteria (vaste relatie, grote kennissenkring, ervaring met koppelen, etc.), maar dat is niet erg. Spreek met vrouwen af die aan zoveel mogelijk van de criteria voldoen. Deze stap is het waard herhaald te worden omdat het de beste bron voor mannen van goede kwaliteit is.

Je kunt nu verdergaan met Evaluatie 2: Vasthouden, verderop in dit hoofdstuk.

Hokje 3: Boetiek-actieplan

Als je in de Boetiek bent beland, heb je mannen van goede kwaliteit leren kennen, maar het waren er maar weinig. Je bent met leuke mannen uitgegaan (ze waren aardig, je had veel met hen gemeen, ze waren op zoek naar een serieuze relatie, ze roken lekker (!), etc.), maar het waren er te weinig (drie of minder per maand). De afspraakjes verliepen prettig, maar het klikte niet en er kwam geen serieuze relatie uit voort. In de Boetiek heb je weinig kans omdat je maar weinig keus hebt. Gelukkig kom je hier gemakkelijk uit omdat je met *Het Programma* veel opties hebt om grotere aantallen te genereren.

De twee stappen van *Het Programma* waarmee je de meeste mannen bereikt zijn Stap 7 (On line marketing) en Stap 11 (Massmarketing). Dit zijn de stappen die je nog eens over moet doen. Stel jezelf de volgende vragen:

(On line marketing)

* Heb je een aantrekkelijke en unieke schuilnaam en logo bedacht, en je profiel op een grote on line dating site gepost?

* Sta je op je best op de foto, en zijn de andere foto's goed maar realistisch?
* Maak je binnen twee weken een afspraak met de mannen die jou hebben gemaild en die jij interessant vindt?
* Krijg je de verwachte resultaten van on line dating zoals beschreven in Stap 7?
* Heb je er al eens over nagedacht je in te schrijven bij nog een datingservice om meer keus te hebben?

(Massmarketing)

* Ben je drie of vier keer per week niet thuis?
* Heb je verschillende soorten uitstapjes gemaakt, zodat je alles een beetje hebt geprobeerd?
* Heb je verschillende groepen voor singles in je woonplaats geselecteerd en ben je naar bijeenkomsten geweest?
* Ben je naar verschillende locaties voor singles geweest en ben je op zoek gegaan naar toevallige ontmoetingen?
* Heb je bemiddelingsbureaus geprobeerd en naar de advertenties gekeken?
* Ben je ergens geweest waar alleenstaande vaders komen, heb je een cursus gegeven of iets anders buitenissigs gedaan?
* Had je iets bij je wat uitnodigde tot een gesprekje, en was je alleen?

Wanneer je vragen met nee hebt beantwoord, breng je de nodige correcties aan. Je blijft je richten op deze twee stappen, en andere waarbij je succes had, totdat je De Ware ontmoet.

Je kunt nu doorgaan met Evaluatie 2: Vasthouden, verderop in dit hoofdstuk.

Hokje 4: Goed-geoutilleerd-warenhuis-actieplan

Als je je in een goed geoutilleerd warenhuis bevindt, ben je op de beste plek: een grote hoeveelheid mannen van goede kwaliteit. Je hebt veel afspraakjes (vier of meer per maand) met leuke mannen (aardig, je hebt veel met hen gemeen, ze zijn op zoek naar een serieuze relatie, ze ruiken lekker (!), etc.). Alles gaat goed, maar je hebt De Ware nog niet ontmoet. Ga gewoon zo door, dan kom je hem wel tegen, ook als het een tijdje duurt. Vergeet niet dat het toeval een rol speelt; je moet op het juiste moment op de juiste plek zijn. Ga door, laat je niet ontmoedigen en twijfel niet aan jezelf of aan Het Programma.

Er is wel iets waarvoor je moet oppassen. Komt het vaak voor dat je goed met iemand kunt opschieten en de relatie dan doodbloedt? In dat geval kan er meer aan de hand zijn. Misschien heb je advies nodig over hoe je op afspraakjes te gedragen (Stap 15: Exitstrategieën: 'Man'agement), of misschien trek je het verkeerde soort mannen aan doordat je merk niet helemaal realistisch is. Over het doodbloeden van relaties en verkeerde branding hebben we het in Fase Twee.

Evaluatie 2: Vasthouden

Het is één ding om met een grote hoeveelheid mannen van goede kwaliteit uit te gaan, maar als de mannen die jij leuk vond je niet voor een tweede afspraakje terugbellen, heb je een probleem. Je bent klaar voor het tweede deel van het Kwartaalverslag: Vasthouden. Deze fase helpt je te evalueren of je de juiste mannen wel kunt vasthouden. Dus houd je vast terwijl ik je vertel over het gevreesde Exitinterview.

EXIT-INTERVIEW

Bij bedrijven wordt soms een exitinterview gehouden wanneer een werknemer ontslag heeft aangeboden. Eindelijk kan de werknemer eerlijk vertellen welke ervaringen hij bij het bedrijf heeft opgedaan. Op de weg naar buiten kunnen ze eerlijk vertellen wat ze ervan vonden, zonder bang te zijn voor eventuele maatregelen. Hieruit komt interessante informatie voort waarvan een manager gebruik kan maken om zijn werknemers vast te houden.

In de wereld van het afspraakje betekent exit-interview dat je feedback krijgt van de mannen die jou niet meer hebben gebeld.

Ik weet het, dat klinkt niet erg aanlokkelijk! Maar bij een kwartaalverslag gaat het erom eerlijke informatie te vergaren zodat je in de toekomst beter resultaat kunt behalen. Ik hoor vaak dat vrouwen een leuk contact hadden met een man met wie ze uitgingen, maar dat hij daarna nooit meer opbelde. Of de relatie met een man verdiepte zich, en ineens trok hij zich terug. Je moet erachter zien te komen waarom het zo ging, want misschien past het bij een patroon dat je afspraakjes en relaties verstoort. En alleen deze mannen kunnen je van de benodigde informatie voorzien. *Zo, ben je klaar voor de waarheid?*

Maar gelukkig, je hoeft deze mannen niet zelf te bellen. Je vraagt iemand anders dat voor je te doen. Een ander krijgt waarschijnlijk eerlijker informatie dan jij. Deze tussenpersoon kan wat hij of zij te horen krijgt ook op een neutrale en constructieve manier aan jou vertellen. Je zou je Mentor kunnen vragen als tussenpersoon op te treden, of een vriendin die goed het woord kan doen, opmerkzaam is en mensen gauw op hun gemak stelt. Het kan natuurlijk ook een vriend zijn.

Deze tussenpersoon belt ten minste drie tot zes mannen die jij aardig vond, die een of twee keer met je zijn uitgeweest en daarna nooit meer belden, of er een punt achter zetten. Deze mannen moet je hebben leren kennen toen je *Het Programma* volgde (liever niet langer dan een jaar geleden), en ze moeten liefst een verschillende achtergrond en een verschillende persoonlijkheid hebben. Ook de manier waarop je hen hebt leren kennen, moet liefst verschillend zijn.

HOE EEN EXIT-INTERVIEW AF TE NEMEN

Voorzie je tussenpersoon van het volgende script wanneer je hem of haar de namen en telefoonnummers van de bewuste mannen geeft. Je kunt voor iedere man die gebeld gaat worden een kopie maken, en op de stippellijn kun je het aan iedere situatie aanpassen.

'Hallo, ik ben .... (naam van tussenpersoon). Ik bel vanwege .... (jouw naam). Herinner je je haar nog? Het duurt niet lang, hoor. Ik ben consulent en werk op het ogenblik met .... (jouw naam) om haar te helpen een partner te vinden met wie ze haar verdere leven wil delen. Ik weet dat het ongebruikelijk is, maar bij mijn werk hoort ook het bellen van mannen met wie mijn cliënten ooit hebben afgesproken. Op die manier kan ik hen laten zien wat ze zouden moeten veranderen om in de toekomst een goede relatie te kunnen onderhouden. .... (jouw naam) stelt jouw mening zeer op prijs en zou zeer dankbaar zijn als je een paar minuten openhartig met me zou willen praten. Ik bel nog vijf mannen met dezelfde vraag, en het resultaat wordt samengevat zodat ze niet kan weten wie wat heeft gezegd. Ik zou het op prijs stellen als je de volgende vragen eerlijk zou willen beantwoorden.

1. Hoe zou je haar omschrijven?
2. Wat waren haar beste kwaliteiten?
3. Waar zou ze iets aan moeten doen?
4. Zou je me willen vertellen waarom je met haar geen relatie wilde? Wees alsjeblieft eerlijk. Ze is heel aardig en kijkt verlangend uit naar de hulp die alleen jij haar kunt geven.
5. Heb je nog goede raad voor haar waar ze in de toekomst tijdens afspraakjes of in relaties wat aan heeft?
6. (Hier kan een vraag worden gesteld over iets waarover je je misschien zorgen maakt.)

Dank je wel, dit helpt me echt op weg en ik weet zeker dat .... (jouw naam) er veel aan zal hebben. Als je nog iets te binnen schiet wat ze zou moeten weten, kun je me bellen op nummer 012 3456789.'

Moedig de tussenpersoon aan aantekeningen te maken tijdens het telefoongesprek, maar ze mag je er pas over vertellen wanneer ze iedereen heeft gebeld en alles op een rijtje heeft gezet. Je hebt er meer aan als je weet dat 'een van de vijf dit vond' of 'vier van de vijf dat vonden'.

De verkregen informatie is niet altijd plezierig, maar kan je wel helpen in de toekomst bepaalde fouten te vermijden. Moedig je tussenpersoon aan eerlijk tegen je te zijn en niets achter te houden. Terwijl hij of zij je alles vertelt, kijk je neutraal, ook al voelt het of je met een hamer op je kop krijgt. Als je je gezicht niet in de plooi houdt, zal de tussenpersoon dingen gaan verbloemen, en dan is alle moeite voor niets geweest.

Negatieve feedback is altijd lastig om mee om te gaan, vooral wanneer die zo persoonlijk is. Maar houd je blik op de toekomst gericht en wees ervan doordrongen dat wat je nu hoort je kan helpen je doel te bereiken, en dat is het vinden van een leuke partner. Vraag je tussenpersoon van tevoren te eindigen met ten minste drie positieve opmerkingen.

Luister goed naar de negatieve feedback en ga er serieus mee om, maar gebruik ook je gezonde verstand en neem alles niet al te zwaar op. Sommige van de mannen die uit je leven verdwenen zitten zelf ook met problemen, en je hoeft niet altijd grote waarde aan hun mening te hechten. Vaak hebben deze mannen er zelf schuld aan dat het misliep. Als maar een van hen zegt dat je te veel praatte, kun je dat voortaan in je achterhoofd houden, maar denk niet dat het daarom draaide. Maar als vier van de vijf vonden dat je niet erg vrouwelijk was, dan moet je je oren spitsen. Het gaat erom dat je je ervan bewust bent hoe twee of meer personen over je dachten, ook al vond je deze mannen niet bijzonder aardig.

Wanneer je de feedback van de tussenpersoon hebt gekregen, heb je nuttige informatie in handen over hoe mannen de afgelopen tijd tegen je aangekeken hebben. Bespreek alles met je Mentor en beslis welk commentaar nuttig was en wat je ermee gaat doen. Er zijn dingen die makkelijk zijn op te lossen, zoals bij vrouwen van wie werd gezegd dat ze slechte adem hadden. Het is niet moeilijk om dan te bedenken dat ze voor het afspraakje beter een mintsnoepje kunnen eten. Moeilijker is commentaar zoals: 'Ze heeft drie kinderen en ik wil niet meteen een heel gezin,' of: 'Ik vind haar niet aantrekkelijk.'

Wat betreft dat gezin, natuurlijk doe je de kinderen niet de deur uit, maar misschien kun je iets doen zoals mijn cliënt Gina deed. Zij besloot het niet over haar kinderen te hebben. 'Dat doe ik pas bij het tweede afspraakje. Dan zou al min of meer moeten blijken dat het klikt, en staat hij er meer voor open. Of hij kan zeggen dat hij daar niet op is ingesteld, dan weet ik meteen waar ik aan toe ben.' Als Gina er bij het tweede afspraakje achterkomt dat de man de verantwoordelijkheid voor andermans kinderen niet op zich wil nemen, vind ik toch niet dat ze haar tijd heeft verspild toen ze de eerste keer met hem uitging. Ze heeft eerder de kans verhoogd dat de man wel iets in een relatie met een alleenstaande moeder ziet als hij haar al kent. Soms is dat het geval, maar mocht dat niet zo zijn, dan heb je geen tijd verspild.

Wat het tweede betreft, 'het niet aantrekkelijk vinden', dat is het soort feedback dat het verschil kan maken. Als een man zegt dat hij zich niet tot je aangetrokken voelde, vertelt hij er hopelijk bij waarom dat was. Als het oprecht klinkt en je er iets aan kunt doen via Stap 3 (Packaging), doe dat dan. Probeer je niet gekwetst te voelen, maar beschouw het als iets wat je helpt verder te komen. Maar als hij zegt: 'Ze was mijn type niet', schenk er dan geen aandacht aan. Wat voor de een niet aantrekkelijk is, kan dat voor een ander juist wel zijn.

Als je je gezonde verstand gebruikt, zul je het een en ander aanpassen, indien mogelijk. In ieder geval weet je hoe meer dan één man tegen je aankeek, en dat kan je helpen in de toekomst eventuele misverstanden te vermijden.

DOODBLOEDEN

Doodbloeden is iets wat geëvalueerd moet worden. Het kan bij het exitinterview niet aan de orde zijn gekomen omdat de oorzaak meestal heel subtiel ligt. Relaties bloeden vaak dood omdat het merk niet realistisch was, en dat gebeurt wanneer je de werkelijkheid uit het oog verliest en daarvoor in de plaats een droombeeld oproept. Theresa kwam bijvoorbeeld uit Iowa, maar woonde al jaren in Washington D.C. Ze dacht dat de slogan Midwest, doe-maar-gewoon, Musicus uniek was in haar omgeving. Dat was ook zo, maar de mannen die ze leerde kennen, kwamen er al gauw achter dat het niet klopte. In werkelijkheid was ze een beetje een snob en zweverig. Haar merk paste niet bij haar. Ze verspilde tijd aan mannen die zich tot haar merk aangetrokken voelden, maar zich zodra ze erachter kwamen dat ze heel anders was, terugtrokken.

Theresa was volgens haar evaluatie naar kwantiteit en kwaliteit in het goed geoutilleerde warenhuis beland. Ze had veel afspraakjes met mannen van goede kwaliteit, maar er kwam verder niets van omdat alles van een foute basis uitging. Kijk eens goed naar je eigen situatie en als je merkt dat jou hetzelfde is overkomen, ga dan snel terug naar Stap 5 (Branding) en stel je merk bij zodat het beter bij je past, terwijl je toch je unieke en aantrekkelijke eigenschappen over het voetlicht brengt. Theresa veranderde haar slogan in Hartstochtelijk, Van stand, Musicus. Dat paste wél bij haar, en ze kwam in contact met mannen die andere verwachtingen koesterden die meer in overeenstemming waren met haar persoonlijkheid.

Evaluatie 3: Balans opmaken

In welk hokje je ook bent beland en wat voor informatie het exitinterview ook heeft opgeleverd, er is nog meer wat geëvalueerd moet worden. Voor het opmaken van de balans heb ik een checklist samengesteld met twaalf aandachtsgebieden. Stel jezelf de vragen van de lijst en bespreek de antwoorden met je Mentor. Als je niet iedere vraag met een volmondig ja kunt beantwoorden, moet je iets bijstellen.

Balans opmaken:

– **Focus:** Staat *Het Programma* boven aan je lijstje? Zijn je woorden in overeenstemming met je daden?

- **Uiterlijk:** Heb je bij Stap 3 (Packaging) feedback gekregen waar je iets mee kon? Waren de suggesties oprecht? Hebben zowel mannen als vrouwen commentaar geleverd? Denk je dat je vrouwelijkheid uitstraalt? Is je uiterlijk (kleding, accessoires, etc.) in overeenstemming met je merk?

- **Houding:** Ook al liep je af en toe tegen teleurstellingen op, sta je toch nog positief tegenover *Het Programma*? Zou iemand die je niet kende, aan je kunnen zien dat je opgewekt bent en openstaat voor van alles (in tegenstelling tot vijandig en afstandelijk)? Weet je zeker dat je geen verdedigende houding aanneemt, niet met opmerkingen of lichaamstaal (bijvoorbeeld steeds met je armen over elkaar staan)?

- **Doel:** Heb je een fijnmazig net uitgeworpen na Stap 4 (Uitbreiding van de markt)? Stel je echt geen hoge eisen wat betreft leeftijd, uiterlijk, beroep of geloof? Is er geen type man dat je uitsluit?

- **Mentor:** Heeft je Mentor een actieve rol? Houdt ze zich aan de overeenkomst die jullie hebben getekend? Is je Mentor wat je had gehoopt: een steuntje in de rug, moedigt ze je aan, is ze een verstandige coach?

- **Budget:** Heb je je budget goed opgesteld bij Stap 1 (Marketingfocus)? Besteed je je geld goed en zie je daar de resultaten van?

- **Huisdier:** Als je een huisdier hebt, heb je daar dan alleen gezelschap aan? Is je huisdier handig om in het park met anderen in contact te komen (of is het een excuus om thuis te blijven?)? Besteed je meer tijd aan het sluiten van vriendschap met mensen of aan je huisdier?

- **Mengen:** Krijg je de gewenste aantallen uit Stap 8 (Guerrillamarketing) en 11 (Massmarketing)? Zijn er veel verschillende plaatsen waar je komt voor je dagelijkse boodschappen, groepen voor singles, locaties voor singles, evenementen voor singles, etc?

– **Verlegen:** Als je verlegen bent, heb je dan een manier gevonden om te krijgen wat je wilt zonder dat je je ongemakkelijk voelt (bijvoorbeeld e-mailen bij Stap 10 (Telemarketing) in plaats van op te bellen)? Weet je zeker dat mannen je verlegenheid niet aanzien voor arrogantie?

– **Follow-up:** Neem je altijd contact op als je hoort dat iemand een afspraakje voor je kan regelen? Houd je alle resultaten zorgvuldig bij (on line, direct mail, telefoon) in een logboek?

– **Seks:** Wacht je tot de relatie serieus begint te worden voordat je met iemand het bed in duikt? Maak je het de mannen duidelijk dat je seks als onderdeel van een relatie ziet? In Stap 15 (Exitstrategieën: 'Man'agement) hebben we het daar nog over.

Na het opmaken van de balans:

Nadat je over het resultaat hebt nagedacht, maak je een korte samenvatting. Waar zou je meer tijd, energie en geld in moeten steken? Wat vind je moeilijk en moet je dat laten vallen of kun je er verbetering in aanbrengen? Waarin zijn vrouwen die je kent beter dan jij? Zijn er nog mogelijkheden die je over het hoofd hebt gezien? Welke aandachtspunten op de checklist vond je bedreigend? Hoe kun je die vermijden? Schrijf op wat je de komende drie maanden beter wilt doen, maar blijf realistisch. Er is niets wat zo demoraliserend werkt als een doel dat je nooit kunt verwezenlijken.

Wat mij opvalt aan de vrouwen die via *Het Programma* een partner vinden, is dat ze altijd uit zijn op verbetering. Dit houdt niet per se in dat ze daadwerkelijk iets veranderen, maar heeft eerder te maken met *een positieve houding*; ze zijn bereid lering te trekken uit vervelend verlopen afspraakjes en relaties die geen stand hielden. Probeer zo vaak mogelijk terug te gaan naar Stap 14 (om de paar maanden of zo), en ik wed dat je een veel beter resultaat zult behalen.

Je hebt Stap 14 gezet en bent klaar voor Stap 15 als je:

1. door de evaluatie op kwantiteit en kwaliteit het hokje hebt geselecteerd waarin je bent beland: Inboedelverkoop, Vlooienmarkt, Boetiek of Goed geoutilleerd warenhuis;
2. je actieplan hebt bijgesteld naar aanleiding van de richtlijnen die bij je hokje horen;
3. exit-interviews hebt laten houden;
4. de feedback van het exitinterview hebt geëvalueerd en aan de hand daarvan dingen hebt veranderd (mits redelijk);
5. de vragen van de checklist bij het opmaken van de balans hebt beantwoord;
6. opgeschreven hebt wat je de komende drie maanden kunt en wilt verbeteren, maar realistische doelen hebt gesteld;
7. doorgaat Stap 1 tot en met 14 te zetten totdat je iemand leert kennen met wie je een serieuze relatie wilt beginnen.

Hoofdstuk 15

Stap 15: Exitstrategieën: 'man'agement

Wat ik op de Harvard Business School leerde

Bij een goed zakelijk plan hoort een exitstrategie, vooral als er investeerders zijn. Vanaf het begin was het duidelijk dat je de zaak niet eeuwig zou leiden, dus moet je je voorbereiden op het moment dat je eruit stapt. Je doel was winst te maken, en wanneer dat doel is bereikt, stap je uit. Je gaat verder met het volgende project. Voordat investeerders hun geld in je bedrijf stoppen, willen ze altijd weten hoe ze worden gecompenseerd voor het risico dat ze lopen, en hoe ze hun kapitaal het best kunnen aanwenden.

Maar voor *jou* is het niet altijd makkelijk om eruit te stappen. Timing is alles. Een goede zakenvrouw zal investeren in research en verbetering, de markt goed in de gaten houden en wachten op het moment dat de verkoop piekt. Op het juiste moment, wanneer ze aanvoelt dat de winst voor het oprapen ligt, is de verkoop een feit en trekt ze zich terug uit de zaak.

Wat is 'man'agement?

Terwijl je de stappen van *Het Programma* zet, moet je een exitstrategie hebben voor wanneer het serieus begint te worden met een man die je hebt leren kennen. Je moet je richten op de man in 'man'agement. Met andere woorden, wanneer je een man leert kennen die je aanstaande partner kan zijn, hoe kom je er dan achter of hij dat inderdaad is, en hoe krijg je hem zover dat hij dat ook inziet? Ik heb dit proces in vijf fasen verdeeld. Een slimme vrouw doorloopt deze wanneer ze denkt dat ze De Ware tegen het lijf is gelopen.

Hier komt de psychologie aan de orde; er bestaan vele zelfhulpboeken over dating, selectie van een partner en het aan je binden van een man. Maar omdat wij zakelijk te werk gaan zal ik je vertellen hoe je deze fasen efficiënt doorloopt, waarna je uit *Het Programma* kunt stappen. De vijf fasen hieronder zullen je helpen in te zien wat je opties zijn en hoe de koop te sluiten. Deze fasen zijn belangrijke onderdelen in de wereld van het management, maar belangrijker nog, ze scheiden de Slimmeriken van de Dommerdjes.

Aan de hand van de volgende globale richtlijnen kun je de mijnenvelden van het daten omzeilen, maar je moet op je eigen instinct afgaan om te weten of je de juiste man voor jou voor je hebt.

Fase 1: houd alles open

Fase één begint wanneer je een bepaalde man erg aardig vindt. Je bent een paar keer met hem uitgeweest en jullie gevoelens lijken wederkerig. Slimmeriken houden alles zo lang mogelijk open, vooral wanneer het serieus begint te worden. Ze weten dat er plotseling en zonder aanwijsbare reden een punt achter een beginnende relatie kan worden gezet. Dommerdjes zetten alles op één paard. Ze denken dat als een paar afspraakjes echt plezierig zijn verlopen, het kat in het bakkie is. Ze vertellen iedereen dat het 'aan' is, gaan niet in op afspraakjes die voor hen worden geregeld en bezoeken geen evenementen voor singles meer.

Maar in deze fase moet je juist je tijd verstandig besteden. Als het erop lijkt dat je toch geen vaste relatie met deze man zult hebben, wil je terugkijkend niet het gevoel krijgen dat je je tijd hebt verspild. Je moet kunnen terugkijken en denken dat je er iets van hebt geleerd, terwijl je doorging met *Het Programma* en op zoek was naar andere mannen. Want je weet maar nooit...

Vroeger (voordat je met *Het Programma* begon) heb je veel tijd verknoeid aan relaties die op niets uitliepen. Je leerde geen andere mannen kennen omdat je je afvroeg of die ene man De Ware was. Niet dat dat nu zo verkeerd is, maar ik vermoed dat je daar te veel tijd aan hebt besteed. Waarschijnlijk wist je na drie tot zes maanden al instinctmatig dat het niets zou worden. Toen je op je 22ste misschien een serieuze relatie had, was je te jong om instinctmatig aan te voelen dat het niet lekker zat. Maar je bent nu volwassener en rijper, je weet al veel eerder of een man wel of niet voor jou is bestemd. Misschien heb je de waarschuwingssignalen niet willen zien of heb je die gerationaliseerd, en daardoor raakte je in de war en bleef de relatie doorzeuren. Misschien ben je wel single omdat je jaren aan de verkeerde man hebt verknoeid. Maar dat zal je niet meer gebeuren! Dus wanneer je uitgaat met een man die je echt graag mag, houd alles dan open en ga niet uitsluitend met die ene uit. Neem deel aan alle activiteiten van *Het Programma* en doe dat naar hartelust. Volle kracht vooruit, bij welke stap je ook bent. Als De Ware toch De Verkeerde blijkt te zijn, heb je Back-upplan A, B, C en D nodig.

Natuurlijk kan dit problematisch zijn. Stel dat de man die je echt graag mag je vraagt: 'Wat doe je woensdagavond?' en je die avond een afspraakje hebt of naar een evenement voor singles gaat? Ik stel voor dat je zo vaag mogelijk antwoord geeft: 'Ik heb met iemand afgesproken.' De meeste mannen zullen niet verder vragen. Maar als hij dat wel doet en om nadere details vraagt, kun je dit zeggen: 'Zijn we al op het punt aangeland waar we elkaar dat soort dingen mogen vragen?' Dit zinnetje is vooral zo mooi omdat hij of niet verder zal vragen – waardoor jij alles open kunt houden – of hij maakt zich zorgen en zal willen weten met wie je dan precies hebt afgesproken, en dat kan het gesprek brengen op de vraag of jullie relatie serieus aan het worden is.

Het is goede timemanagement om hem zo vroeg mogelijk te laten aangeven of hij de relatie met jou serieus neemt. Als hij nerveus wordt en zich terugtrekt, verspil je minder tijd aan hem. Als hij bezitterig doet of jaloers wordt *en* je laat weten dat hij je voor zichzelf wil hebben, zit je goed. Je hebt je weken en maanden bespaard van: 'Wat wil hij?'

Dit is ook het moment waarop je je kunt afvragen of je met hem naar bed wilt. *Het Programma* zegt dat je daar zo lang mogelijk mee moet wachten. De ervaring leert dat wanneer mannen 'een grote aankoop doen' (een vrouw), ze niet over één nacht ijs gaan. Het duurt bij hen langer voordat er een band ontstaat en ze stellen seks niet gelijk aan liefde, zoals vrouwen dat doen. Wanneer het op seks aankomt, raad ik je aan mijn regel van Twee op Twee als richtlijn te gebruiken: je moet minstens twee keer per week met hem hebben afgesproken gedurende een periode van twee opeenvolgende maanden voordat je naar bed gaat met een man met wie het serieus wordt. Het is belangrijk om in een relatie niet te hard van stapel te lopen, maar die langzaam op te bouwen. Mensen die zich in een intense relatie storten, slaan vaak over de kop. Deze Twee-op-Twee-regel zal sommigen te lang lijken, maar het is mijn Toverformule. Ten eerste zal jullie relatie redelijk stabiel zijn omdat jullie elkaar langere tijd regelmatig zien. Ten tweede moedigt het hem aan jou als mogelijke partner te beschouwen (de grote aankoop) en niet als meisje voor een nachtje (de impulsaankoop). Als hij alleen maar op een verzetje uit is, kom je dat aan de hand van de Twee-op-Twee-regel gauw genoeg te weten, want hij kan elders gemakkelijker en eerder krijgen wat hij wil, en hoeft niet op jou wachten. Ga af op je eigen oordeel en beslis wat het verschil is tussen kussen en aanhalen en met iemand naar bed gaan, maar weet dat in dit geval te terughoudend beter is dan te voortvarend.

Fase 2: Wie het vindt, mag het houden?

Natuurlijk hangt niet alles af van hem. Nu je hem hebt gevonden, wil je hem ook houden? *Jij* moet beslissen of de man met wie je veel omgaat ook de juiste man voor je is. Je was bereid een fijnmazig net uit te werpen en je stond open voor iemand die niet je type was, in ieder geval qua uiterlijk. Maar nu moet je besluiten of nog eens overwegen wat je qua innerlijk echt belangrijk vindt.

Maak een korte lijst met ten minste drie belangrijke innerlijke kwaliteiten waarover je toekomstige partner moet beschikken. Misschien zijn het er maar een of twee die je echt heel belangrijk vindt. Je moet tot deze fase wachten met het opstellen van deze lijst omdat wanneer je eenmaal op een bepaalde man verliefd aan het worden bent, je lijst er wel eens heel anders kan uitzien. Als ik je een half of een heel jaar geleden had gevraagd de drie belangrijkste innerlijke kwaliteiten op te schrijven, had het je grote moeite gekost je lijst tot drie eigenschappen beperkt te houden. Maar nu je verliefd bent, is alles anders. Je bent eerder bezig goed te keuren dan af te keuren. Vroeger had je lijst er misschien zo uitgezien:

Hij moet zijn:
Slim
Grappig
Spontaan
Lief voor kinderen
Vol zelfvertrouwen
Goed kunnen communiceren
Aardig
Gul
Gelovig

... Nu je hart sneller klopt en je vlinders in je buik hebt wanneer je aan hem denkt, ziet je lijst er misschien zo uit:

Hij moet zijn:
Aardig
Lief voor kinderen
Spontaan

Misschien komt het daar bij jou allemaal op neer. Die andere eigenschappen zouden mooi meegenomen zijn, maar je verkiest de liefde boven een lijst.

Hoe kom je er nu op een efficiënte manier (grondig en snel) achter of hij over de kwaliteiten op je lijst beschikt? Misschien weet je dat al omdat je regelmatig met hem omgaat. Maar als je het nog niet weet, moet hij een paar proeven afleggen. Vroeger, toen je in de twintig was, had je alle tijd van de wereld om erachter te komen of hij aan je drie belangrijke eisen voldeed. Je ging een paar jaar intensief met elkaar om, misschien woonden jullie wel samen, en na verloop van tijd kreeg je je antwoord. Maar na je vijfendertigste heb je geen tijd te verliezen. Slimmeriken krijgen het antwoord op hun vragen zo spoedig mogelijk! Dommerdjes wachten maanden op een gelegenheid waaruit zal blijken of hij over de gewenste eigenschappen beschikt.

In het zakenleven zou je er snel proberen achter te komen. Je zou op een kladje een analyse maken. Die zou niet erg grondig en wetenschappelijk zijn, maar geeft wel een indicatie. Stel je twee zakenmensen ergens in een hotellobby voor. Ze pakken het eerste het beste stuk papier dat voorhanden ligt – bijvoorbeeld een servetje of een bierviltje – en krabbelen daar wat getallen op. Bij het daten maak je ook zo'n snelle calculatie. Dit houdt in dat je tijdens drie afspraakjes er achter moet komen of hij voldoet aan de door jou op de lijst opgeschreven eisen.

Als er bijvoorbeeld Aardig, Lief voor kinderen en Spontaan op je lijst stond, kun je hem in de komende maand drie keer op de proef stellen door de volgende afspraakjes voor te stellen. Natuurlijk zijn de 'beproevingen' afhankelijk van wat er op jouw lijstje staat.

Afspraakje A: De 'Aardigproef'

Stel voor dat hij een dagje met je meeloopt als vrijwilliger in het bejaardencentrum.
Of vraag hem je te helpen bij de verhuizing van je vriendin.

Afspraakje B: De 'Lief voor kinderenproef'

Vraag hem samen met jou de hele zaterdag op je kleine nichtje te passen.
Of stel voor dat hij tijdens de vakantie van de trainer van het voetbalelftal van je zoon twee weken die taak op zich neemt.
Of ga picknicken met je kinderen, of met een vriendin die kinderen heeft.

Afspraakje C: De 'Spontaanproef'

Nodig hem uit voor een weekend in een leuk hotelletje, één dag van tevoren.
Of vraag hem vanavond nog iets leuks te gaan doen.

Natuurlijk moet je wel redelijk blijven. Als hij maandag een belangrijke presentatie moet geven en zich daar het hele weekend op moet voorbereiden, is het onredelijk de Spontaanproef te doen door hem uit te nodigen voor een weekend in dat leuke hotelletje. En als je weet dat hij een hekel heeft aan een rustig weekend op het platteland, kun je beter een ander weekendje weg verzinnen. Vergeet niet dat je wilt weten hoe spontaan hij is, niet waar hij het liefst een korte vakantie doorbrengt. Dat zou iets anders op je lijst kunnen zijn, en als je hem daarop wilt testen, zou het een van de drie prioriteiten op je lijst moeten zijn. Beproef dus alleen de eigenschap die je wilt beproeven.

Omdat deze 'beproevingen' nogal willekeurig zijn, kun je aan zijn reactie niet alles aflezen. Maar toch zul je wel wat inzicht krijgen en min of meer weten of hij aan de door jou gestelde eisen voldoet. Je wilt gewoon informatie in handen krijgen waarmee je beter zicht op hem hebt.

Zorg ervoor dat je jezelf een paar vragen stelt voordat je doorgaat naar de volgende fase. Je antwoorden zullen je helpen uit te maken wat je voor deze man voelt. Hoe voel je je wanneer je bij hem bent? Kun je eerlijk tegenover hem zijn wat je ware voorkeuren en gedachten betreft? Is hij tolerant en respecteert hij je mening? Kunnen jullie goed met elkaar praten? Dit zijn belangrijke componenten voor een goede relatie.

Fase 3: Verspil geen geld

Een grote fout in het bedrijfsleven is geld verspillen. Met andere woorden, dat je geld in een project hebt gestoken, wil nog niet zeggen dat je daarmee door moet gaan als het project niet de beoogde resultaten behaalt. Dan kun je je beter terugtrekken en naar andere mogelijkheden uitkijken. Dit geldt natuurlijk ook voor de wereld van de relatie. Als je erachter komt dat De Ware eigenlijk De Verkeerde is, wat doe je dan? Misschien zakte hij voor de test; misschien is hij bij zijn ex-vrouw blijven slapen. Misschien gebeurden er duizenden dingetjes. Wat het ook was, het is een reden om je terug te trekken.

Slimmeriken zijn zo gedisciplineerd dat ze een punt zetten achter een slechte relatie en verder gaan, ook al hebben ze veel tijd en gevoelens geïnvesteerd in een tot mislukken gedoemde verhouding. Hoe moeilijk dat ook is, ze doen het. Dommerdjes zien de waarschuwingssignalen, en rationaliseren die. 'Misschien verandert hij wel', 'Misschien is het allemaal niet zo erg als het lijkt', en 'Het is altijd beter dan alleen te blijven' zijn de domste dingen die ze geloven.

Ik weet dat wat ik je aanraad, pijnlijk en moeilijk is. Maar ik wil dat je je tijd goed besteedt zodat Het Programma iets voor je kan doen. En dat houdt in dat je eruit moet stappen als het niet goed zit. Dat moet snel gebeuren, en duidelijk. Zachte heelmeester maken stinkende wonden. Bel hem op of vertel het hem in zijn gezicht. Zeg dat je je niet op je gemak voelt in de relatie en geef hem de reden waarom. Daarna ga je weg. Je probeert het niet nog eens. Je stelt niet voor in therapie te gaan. Je belt niet terug als hij jou belt. Je vertelt iedereen dat het uit is zodat het beter tot je doordringt. En je blijft geen vrienden met hem als dat een negatieve invloed op je heeft. Weet je nog dat je je in het begin van negatieve invloeden moest ontdoen?

Natuurlijk moet je jezelf de tijd gunnen om uit te huilen, vooral als de relatie heel emotioneel was. Ga onmiddellijk naar Stap 13 (Life Cycle) en laad jezelf op. Trek er een week voor uit, huil goed uit, wis de mailtjes die je van hem hebt gekregen en analyseer waarom het fout liep. Stop alle foto's en cadeautjes die je van hem hebt gekregen ergens achter in een la bij de andere dingen die je daar hebt verstopt. Kom tot jezelf en concentreer je op het vinden van De Ware.

Gelukkig komt na Stap 13 Stap 14 (Kwartaaloverzicht). Je kunt nu evalueren op welk punt van Het Programma je bent aangeland, en aan het daarbij behorende Actieplan beginnen.

Fase 4: Exclusiviteit

Wat als hij met gemak voor je test slaagde? Wat als hij De Ware is en je alle reden hebt om te denken dat hij jouw gevoelens beantwoordt? Dan is de tijd aangebroken om alleen nog maar met hem uit te gaan. Deze fase gaat pas in wanneer je een duidelijk gesprek met hem hebt gehad over hoe het met jullie verhouding is gesteld. Als hij niet het initiatief neemt tot zo'n gesprek, kaart het dan zelf aan. Als het gesprek hem beangstigt, betekent dat dat hij binnen een redelijke termijn geen vaste relatie met je wil, of misschien wel nooit. Jullie moeten er allebei duidelijk in zijn dat deze relatie exclusief is en tot een vaste relatie leidt. Dat houdt in dat jullie niet meer met anderen uitgaan en jullie je profiel van de on line datingsite halen. Jullie zijn een stel; je vrienden en familie (en zijn vrienden en familie) weten dat jullie een serieuze verhouding hebben; hij heeft gezegd dat hij van je houdt en jij hebt gezegd dat je van hem houdt. Jullie denken erover te gaan samenwonen of te trouwen. Of misschien willen jullie liever een LAT-relatie.

Toch kan het zijn dat er dingen in de weg staan, zoals geloof, kinderwens, jullie carrière of verschillende stijl van leven. Als dat echt een probleem is, komen jullie niet veel verder. Daarom moet je in deze fase een oplossing zien te vinden. Het is moeilijk, maar je mag echt geen tijd aan hem verspillen als je van tevoren weet dat jullie verhouding tot mislukken gedoemd is. Navigeer door deze troebele wateren en gebruik je gezonde verstand.

Ik was onder de indruk hoe mijn cliënt Debra deze dingen aanpakte. In haar slogan stond Flexibel, en dat was wat haar vriend Matt het meest op prijs stelde aan haar. Toch waren er twee dingen die steeds naar boven kwamen wanneer ze het over een toekomst samen hadden: golf en geloof. Matt was dol op golf; Debra had nooit golf gespeeld, en had nare jeugdherinneringen aan een vader die nooit thuis was omdat hij liever op de golfbaan was met zijn maten. Matt was protestant, maar deed er niets aan; Debra was joods en actief gelovig.

Op een avond bracht Debra het gesprek op deze twee punten. Ze vertelde hem dat ze veel had nagedacht of ze wel bij elkaar pasten. Ze vertelde hem dat ze veel van hem hield, en een compromis wilde voorstellen over deze twee dingen die hun zorgen baarden. Ze bracht hem in herinnering dat ze Flexibel was, en dat ze begreep dat hij gek op golf was en niet zou willen dat hij dacht dat hij dat voor haar zou moeten opgeven. Ze vroeg of hij ermee kon instemmen dat golf hun leven niet zou domineren, maar dat hij bijvoorbeeld een bepaalde limiet kon stellen aan de tijd die hij op de golfbaan doorbracht. Ze vroeg hem zelf met een voorstel te komen, en ze kwamen overeen dat twee dagen per maand plus twee golfexcursies per jaar voldoende waren. In ruil vroeg hij haar of zij zich flexibel kon opstellen met betrekking tot de verschillen in geloofsbeleving. Ze vroeg hem: 'Als we ooit kinderen krijgen, zou je dan bereid zijn ze joods op te voeden?' Nadat ze daar uitgebreid over hadden gepraat, zei hij dat omdat zij zich flexibel opstelde ten opzichte van zijn golf, hij zich flexibel zou opstellen wat de joodse opvoeding van zijn kinderen betrof. Matt gaf nu eenmaal meer om golf dan geloof, en Debra meer om geloof dan golf. Ze kwamen tot een compromis en konden hun toekomst samen daarom vol vertrouwen tegemoet zien.

Fase 5: De laatste stap

Je hebt een serieuze relatie met een leuke man en jullie kennen elkaars verleden. Nu moet je spijkers met koppen slaan.

Slimmeriken blijven niet eeuwig wachten. Ze stellen zichzelf stilzwijgend een deadline en houden zich daaraan. Dommerdjes wachten en wachten maar, en ieder jaar blazen ze een kaarsje meer uit op hun verjaardagstaart.

Tijd is van het grootste belang. Als hij niet over de brug komt, kun je je niet nog meer tijd veroorloven. Je moet bereid zijn opnieuw te beginnen en je tijd en energie in een ander steken. Je wilt een vaste partner, en niet de onzekerheid van een man van wie je niet opaan kunt. Misschien wil je kinderen, of misschien hangt het je de keel uit om altijd maar single te zijn. Je moet de gulden middenweg vinden tussen hem niet al te zeer onder druk zetten en ronduit een ultimatum stellen; je moet hem laten weten dat je niet eeuwig blijft wachten en dat je er zeker van wilt zijn dat hij hetzelfde doel voor ogen heeft als jij.

Als jullie na drie of vier maanden van exclusieve omgang nog geen goed gesprek over de toekomst hebben gehad (als je nog geen veertig bent, heb je misschien minder haast en kun je wel een halfjaar wachten), kun je de Katalysatorbenadering proberen. Dat is beter dan een ultimatum stellen. Je eist hierdoor duidelijkheid. Je laat een crisissituatie ontstaan waardoor je erachter komt of hij het serieus meent of niet. Plan deze situatie zorgvuldig voor een moment waarop hij jou en je crisis zijn volledige aandacht kan geven. Er zijn veel aanleidingen die je voor deze crisis kunt gebruiken en het hangt van je situatie af welke voor jou geschikt is. Kies een oorzaak die plausibel is. Je mag een beetje overdrijven om het allemaal wat erger te maken. Het gaat erom dat hij wakker wordt geschud; misschien is hij heel tevreden met de huidige gang van zaken en vindt hij het wel gezellig zo, maar hij moet inzien dat jij zekerheid wilt over jullie toekomst samen.

Hier zijn wat suggesties waarmee je het vuurtje kunt aansteken:

1. Je moet je huis uit.
2. Je denkt erover ergens ver weg een baantje te zoeken.
3. Je ex-vriend wil de relatie herstellen.
4. Iemand wil met je afspreken.
5. Je vriendin heeft je gevraagd vier weken met haar met vakantie te gaan.
6. Je ex-man wil de kinderen, en je moet bewijzen dat je hun een veilig, stabiel thuis kunt geven.
7. Je wordt binnenkort veertig en de gynaecoloog stelde voor een aantal embryo's in te vriezen.

Stel dat je voor het eind van volgende maand je huis uit moet. Je vertelt hem dat en bespreekt wat je zou kunnen doen. Je kunt een ander huis huren of misschien zelfs kopen, of je kunt verhuizen naar die mooie streek waar je altijd al hebt willen wonen. Hoe reageert hij? Je kunt veel te weten komen aan de hand van de adviezen die je van hem krijgt. Als hij zegt: 'Verhuizen naar Verweggistan? Geweldig! Ik zal je missen... Stuur je me wel een kaartje?', dan weet je waar je aan toe bent. Maar als hij zegt: 'Koop alsjeblieft een groot huis, anders is er niet genoeg ruimte voor ons allebei,' dan kun je ervan uitgaan dat het de goede kant op gaat. Leg de nadruk op de datum dat je je huis uit moet, en dat je voor die tijd besloten moet hebben waar je gaat wonen. Maar zorg dat het niet als een ultimatum klinkt, of dat je dwang op hem uitoefent. Een relatie die op dwang is gebaseerd houdt meestal niet lang stand, en biedt weinig kans op geluk.

Als je de juiste katalysator hebt gekozen, kun je meestal inzicht krijgen in wat hij van plan is. Als hij aangeeft dat hij de relatie met jou serieus neemt, zou je hem moeten vragen hoeveel tijd hij nog nodig heeft. Als hij een half jaar of minder zegt, noteer dat dan in je agenda en ga door met de relatie. Na drie maanden herinner je hem er nog eens aan, zodat je het zo gauw mogelijk weet als hij ervan af wil zien. En nu het gedeelte dat je niet wilt horen. De rauwe waarheid. Als hij zegt dat hij zich niet wil binden, nu niet en ook niet binnen afzienbare tijd, of een jaar of meer wil wachten voordat hij zich vastlegt, geloof hem dan. Als een man van boven de vijfendertig zoiets zegt, betekent dat dat hij zich niet wil binden, ook al houdt hij wel van je. Bedank hem dat je je tijd niet verder hoeft te verspillen en breek met hem. Ga naar Stap 13 om jezelf op te laden, ga dan verder met *Het Programma* op het punt waarop je bent opgehouden voordat je De Ware leerde kennen.

Je hebt Stap 15 gezet en kunt Het Programma *verlaten als je*

1. alles openhoudt bij Fase één;
2. een lijst hebt opgesteld van de drie belangrijkste karaktereigenschappen waaraan je partner moet voldoen, en de test hebt uitgevoerd zoals in Fase twee beschreven;
3. (als je denkt dat hij toch De Verkeerde is) de relatie in Fase drie hebt verbroken;
4. (als je denkt dat hij wel eens De Ware kan zijn) de dingen die jullie in de weg staan in Fase vier hebt besproken en jullie tot overeenstemming zijn gekomen;
5. de Katalysatorbenadering hebt gebruikt om in Fase vijf van hem te horen waar je aan toe bent;
6. een vaste relatie hebt;
7. nog lang en gelukkig leeft.

Waar het om gaat:

Deze fasen zijn met een bepaalde strategie ontworpen: zo snel mogelijk goede informatie verkrijgen. Hoe je in deze periode opereert is van cruciaal belang. Vrouwen met inzicht en een sterk karakter, die zich eerder vroeg dan laat terugtrekken, zijn degenen die binnen een tot anderhalf jaar een leuke partner vinden.

Hoofdstuk 16

Persconferentie: vragen en antwoorden over
Het Programma

Als een dynamische marketingcampagne enthousiast door het publiek wordt ontvangen, volgt de onvermijdelijke persconferentie waarop de vragen worden beantwoord die gerezen zijn nadat het product een tijdje op de markt is. Na het succes van *Het Programma* zijn er vragen gerezen die niet in de vijftien Stappen beantwoord konden worden. Hieronder een paar van de meest gestelde vragen van mijn cliënten en deelnemers aan mijn seminars, gevolgd door de antwoorden.

Het Programma is zo'n gedoe. Bestaat er na de vijfendertig dan geen romantiek meer?

Antwoord: Jazeker bestaat er na de vijfendertig nog romantiek. *Het Programma* lijkt een gedoe, maar als je dat een vervelende uitdrukking vindt, noem het dan liever strategisch. Een partner zoeken aan de hand van een gedegen, strategisch opgezet plan is niet iets uit een romannetje, maar het is wel erg praktisch. Ik neem aan dat je liever resultaat wilt zien dan in sprookjes geloven. Romantiek is niet aan de orde tijdens de zoektocht, die komt later, als je een leuke man hebt leren kennen.

Laat ik het zo zeggen: als je werk zocht, zou je het dan een gedoe vinden om je cv op te stellen en on line te zetten, je vrienden vragen of ze iets voor je wisten, iets kopen om aan te trekken voor het sollicitatiegesprek, etc? Maar dat doe je omdat je weet dat je op die manier eerder aan werk komt dan dat je wacht totdat het werk naar jou toe komt. Waarom zou het anders zijn wanneer je op zoek bent naar een partner?

Heb je veel geld nodig en moet je over een uitgebreid netwerk beschikken om Het Programma *met succes af te ronden? Wat als ik niet over alles beschik wat in* Het Programma *wordt beschreven?*

Antwoord: Iedereen staat wel iets ter beschikking. Wat je vooral nodig hebt om met *Het Programma* succes te boeken, zijn doorzettingsvermogen en creativiteit. Zeggen dat je niet genoeg middelen hebt is een smoesje om niet hard te hoeven werken om je doel te bereiken. Als je *Programma*-budget erg klein is, zul je bijzonder creatief moeten zijn.

Als je maar over zeer weinig geld beschikt, kun je creatieve manieren bedenken om gratis singles te leren kennen (bijvoorbeeld via de kerk, in het park, in boekwinkels, etc). Je kunt je vooral richten op on line dating – dat is de methode die het meest kosteneffectief is om veel mannen te leren kennen. Gebruik de computer in de bibliotheek of van een vriendin als je er zelf geen hebt. Je kunt je direct-mailcampagne via e-mail doen, dat bespaart je de kosten van kaarten en postzegels. Je kunt iets aan je verpakking doen door je thuis goed te verzorgen en kleren te lenen. Enzovoort, enzovoort. Iedere stap kan met een miniem budget worden gezet, maar vergeet niet dat je voor dit project ook geld kunt lenen van een vriendin of familielid. Je investeert in je toekomst, en misschien wil iemand die erg op je is gesteld je geld lenen zodat je wat meer te besteden hebt.

Wat kun je doen als je niet over een netwerk beschikt? Nou, wat zou een verkoper doen die een nieuw product wil slijten maar nog geen kopers heeft? Hij zou de kopers vinden. Je kunt een netwerk opbouwen als je echt met *Het Programma* succes wilt hebben. Je begint door vriendelijk te lachen naar de mensen om je heen en hen te begroeten – op je werk, in de lift, in de rij voor de kassa, etc. Je knoopt op een vriendelijke manier gesprekjes aan met degenen die vriendelijk teruglachen. Na een tijdje vraag je hun koffie met je te drinken. Je praat wat en sluit vriendschap. Dat heb je op de kleuterschool al geleerd. Alleen dronk je toen melk in plaats van koffie.

Stel dat ik een man leer kennen die in scheiding ligt, maar nog niet is gescheiden? Kan ik met hem afspreken (je zei dat ik een fijnmazig net moest uitwerpen...)

Antwoord: Ik wil dat je een fijnmazig net uitwerpt om vrijgezellen mee te vangen. Mannen hebben of een vaste relatie of ze zijn gescheiden; als ze een vaste relatie hebben zijn ze geen single, gescheiden mannen zijn wel single. Daar is niets tussenin behalve hartenpijn en verspilde tijd. Een man die in scheiding ligt, is net zoiets als een vrouw die een beetje zwanger is. Vergeet niet dat je bij *Het Programma* met kansen te maken hebt; de kans dat een man die in scheiding ligt binnen afzienbare tijd een vaste relatie met jou wil, is erg klein.

Hoe lang moet een man gescheiden zijn voordat ik met hem kan uitgaan?

Antwoord: Daar zijn geen vaste regels voor; het hangt af van de man. Heeft hij de scheiding verwerkt, kan hij zich al binden aan een andere vrouw? Het hangt meer af van het verwerkingsproces dan de tijd die is verstreken. Het zou ideaal zijn als de man al niet meer bij zijn vrouw woonde wanneer de scheiding wordt uitgesproken, hij al met anderen uitgaat en los-vastverhoudingen met andere vrouwen heeft gehad, hij zich niet gekwetst gedraagt of tijdens het eerste afspraakje al met alle pijnlijke details komt. Het zou ook ideaal zijn als hij weet welke rol hij speelde bij de huwelijksproblemen en niet alle schuld op zijn ex-vrouw afschuift, en als hij redelijke stappen heeft ondernomen om zijn huwelijk te redden voordat de scheiding onvermijdelijk werd. Zelfs als het echt aan zijn ex-vrouw lag, zou de man zich moeten afvragen waarom hij eerst niets had gemerkt. Pas op voor signalen als woede, wraakzucht of depressie. Een man die een buitenechtelijke relatie had, verslaafd is, zijn vrouw mishandelde of zijn kinderen in de steek liet, is niet erg geschikt als jouw nieuwe partner.

Als hij kinderen heeft, is het belangrijk dat zijn ex-vrouw en hij op een volwassen manier tot een omgangsregeling komen, en dat hij zich daaraan houdt omdat hij een goede vader wil zijn. Dat zegt veel over zijn karakter, ook al kan het vervelend zijn voor de nieuwe vrouw in zijn leven. Bespreek dit al vroeg. Vraag hem of hij wel weer een vaste relatie wil, want sommige mannen met kinderen zijn daar niet echt in geïnteresseerd.

Zijn er wel gescheiden mannen die aan deze criteria voldoen? Jawel, maar waarschijnlijk niet veel. Gebruik het ideale scenario om je houvast te geven wanneer je overweegt met een gescheiden man af te spreken, zodat je geen tijd verspilt aan iemand die zich (nog) niet wil binden. Dit kun je allemaal echter niet tijdens de eerste afspraakjes bespreken, omdat je je dan nog een mening over hem moet vormen. Probeer tussen afspraakje 4 en 8 meer te weten te komen over de achtergronden van de scheiding.

Hoe snel na mijn eigen scheiding kan ik met Het Programma *beginnen?*

Antwoord: Wanneer je de drie vragen uit Stap 1 (Marketingfocus) met ja kunt beantwoorden. Sommigen van jullie zullen er klaar voor zijn voordat de scheiding is uitgesproken. Het is niet verstandig om aan een vaste relatie te beginnen voordat alle handtekeningen zijn gezet (je bent dan nog getrouwd, en bovendien heb je tijd nodig om alles te verwerken), maar je kunt al wel beginnen met de eerste zes stappen die de grondsteen van *Het Programma* vormen. Dan ben je klaar om op zoek te gaan naar een vaste partner wanneer de inkt op de scheidingsakte is opgedroogd.

Wat als de man met wie ik uitga zegt dat hij nog niet klaar is voor een vàste relatie, maar hij wel op me gesteld is en graag met me wil blijven uitgaan?

Antwoord: Geloof hem. Hij is niet klaar voor een vaste relatie. Ga verder zonder hem. Hij zal niet echt innig op je gesteld zijn, anders zou hij zich wel willen binden, net zoals jij dat wilt. Geloof een man altijd wanneer hij met een excuus op de proppen komt. Of hij nu zegt dat hij zich niet wil binden of daar (nog) niet klaar voor is, of niet weet hoe hij van iemand moet houden, of weet ik veel, hij bedoelt daarmee dat jij voor hem niet De Ware bent. Verknoei geen tijd; denk niet dat hij wel verandert. Mannen veranderen niet.

Je zei dat de meeste cliënten die met Het Programma *begonnen, binnen een tot anderhalf jaar een partner vonden. Wat is er met de anderen gebeurd?*

Antwoord: Het succes is moeilijk meetbaar. Veel vrouwen hebben mijn seminars bijgewoond en zijn aan *Het Programma* begonnen, maar hebben me niet op de hoogte gehouden van het resultaat. Ik heb wel bijgehouden hoe het mijn privé-cliënten verging, en ik heb brieven gekregen van vrouwen die mijn seminars hebben bijgewoond. De meesten van hen hadden binnen een tot anderhalf jaar een vaste relatie. Ze volgden *Het Programma* enthousiast en vol toewijding.

Van degenen die na die periode nog single waren, vonden sommigen het jaar daarop een partner. Velen van hen hadden meer tijd nodig omdat ze niet aldoor in de gelegenheid waren *Het Programma* gewetensvol te volgen. Vaak konden ze daar niets aan doen; alleenstaande moeders hadden moeite goede kinderopvang te regelen, sommige vrouwen moesten voor een zieke vader of moeder zorgen, en er was ook een cliënt die een (goedaardige) tumor kreeg in de derde maand dat ze *Het Programma* volgde. Dat is het leven. Maar de meesten die nog geen partner hadden gevonden, volgden *Het Programma* eenvoudigweg niet toegewijd. Ze zetten niet iedere stap volledig, ze maakten zich er met een jantje-van-leiden vanaf, gaven het voor langere tijd op, of zelfs helemaal. *Het Programma* is niet voor iedereen geschikt; het is alleen geschikt voor vrouwen die weten wat ze willen en die het niet opgeven na een teleurstelling.

Kan ik af en toe met Het Programma *ophouden en toch resultaat boeken?*

Antwoord: Om verschillende redenen kunnen veel vrouwen zich niet volledig aan *Het Programma* wijden. Dat kan aan beperkte tijd liggen of aan onderweg opgedane teleurstellingen op de hobbelige weg van het daten. Zo gaat dat nu eenmaal. Je kunt af en toe uit *Het Programma* stappen en toch resultaat behalen. Het zal in dat geval echter wel langer dan een tot anderhalf jaar duren voordat je je partner ontmoet. Kijk: het is beter om één dagje *Het Programma* te volgen dan helemaal nooit. Doe wat je kunt wanneer je dat kunt.

Hoe kan ik de emoties de baas die ik tijdens het volgen van Het Programma onderga? Er zijn zoveel ups en downs!

Antwoord: Het is waar dat je terwijl je *Het Programma* volgt af en toe denkt dat je de hele wereld aankunt, en dan weer denkt dat dit het einde van de wereld is. De ene week heb je misschien twee afspraakjes met mannen die je echt graag mag en weten drie vriendinnen iets voor je te regelen. De volgende week zwijgt de telefoon, de mannen met wie je bent uit geweest bellen je niet meer en de beloofde afspraakjes komen niet daadwerkelijk tot stand.

Je moet geduld hebben. Dat houdt lange-termijn-geduld in dat *Het Programma* na een tot anderhalf jaar zijn vruchten zal afwerpen, en korte-termijn-geduld dat een man contact opneemt. Na de vijfendertig is het leven flink ingewikkeld, zowel voor vrouwen als voor mannen. Soms gaat de telefoon de hele week niet omdat de man met wie je bent uit geweest, of de mannen aan wie je vriendinnen je telefoonnummer hadden gegeven, het druk hebben. Misschien heeft hij je niet gebeld omdat hij het druk had op zijn werk, op reis was, er iets met zijn kinderen of zijn bejaarde ouders aan de hand was, of moest er iets aan zijn huis gebeuren. Ga niet altijd van het ergste uit, voel je niet meteen teleurgesteld. Daarom is het ook zo belangrijk dat *Het Programma* zulke aantallen genereert; je hebt altijd een heleboel dingen om naar uit te kijken, je bent niet afhankelijk van maar één contact.

Ik denk dat mannen mijn succesvolle carrière bedreigend vinden, en dat ze daarom aarzelen me uit te vragen. Wat doe ik daaraan?

Antwoord: Je hebt al iets aan je probleem gedaan doordat je het hebt onderkend, doordat je deze vraag hebt gesteld in de hoop dat je er iets aan kunt doen in plaats van kwaad uit te roepen dat je met zulke mannen toch niets te maken wilt hebben. Er zijn leuke mannen die zich misschien eerst door jouw succes geïntimideerd zullen voelen, maar dat wil niet zeggen dat je deze mannen links moet laten liggen. Als je echt een fijnmazig net uitwerpt, sta je open voor mannen die minder succesvol zijn dan jij. Dezelfde reactie krijgen vrouwen die rijker zijn dan een man, of die een hogere positie met meer autoriteit bekleden. Probeer de mannen langzaam aan de 'sterke' jij, de carrière-jij te laten wennen. Kleed je daarop. Draag de eerste paar keer geen kostbare sieraden, zakelijke pakken of andere kleding en accessoires die je status benadrukken. Als je in een veel mooier huis woont dan hij, nodig hem dan pas bij jou uit wanneer de relatie wat stabieler is. Praat niet te veel over je successen op het werk. Praat liever over iets wat jullie allebei interesseert, zoals films, boeken, dieren (niet over dingen die aan successen doen denken, zoals dure vakanties). Overweeg je werk een beetje eenvoudiger te laten klinken wanneer hij tijdens het eerste of tweede afspraakje vraagt wat voor werk je doet. Als je directeur van een grote makelaardij bent, zeg dan dat je onroerend goed verkoopt. Later, wanneer jullie erg op elkaar gesteld zijn geraakt, zal hij zich door jouw flitsende carrière niet laten weerhouden, en kun je dragen en zeggen wat je wilt. Maar in het begin moet je voorzichtig zijn met het vertellen van wat je verdient of wat voor werk je precies doet; werp geen barrières op die hem ervan kunnen weerhouden je als prettig mens te leren zien.

Ik ken een man met wie ik dik bevriend ben. Hij zou meteen met me willen trouwen. Ik mag hem graag, maar ben niet op hem verliefd. Maar ik heb er ook genoeg van om nog steeds single te zijn. Kan ik een vaste relatie met hem hebben die op vriendschap is gebaseerd?

Antwoord: In *Het Programma* gaat het erom een partner te vinden van wie je oprecht houdt. Het gaat er niet om genoegen te nemen met kameraadschap. Misschien lijkt het je een goed idee om met deze vriend een vaste relatie aan te gaan omdat je dan niet meer single bent, toch bestaat de niet geringe kans dat het fout loopt. Ik ken veel vrouwen die zeggen dat het akelig is om single te zijn, maar dat een huwelijk zonder liefde nog veel erger was. Later krijg je misschien spijt dat je uit kameraadschap een relatie bent begonnen. Ga voor de liefde.

Hoe vertel ik een man dat ik niet in hem ben geïnteresseerd?

Antwoord: Snel en vriendelijk. Weet je nog wat ik daarover zei in het vorige hoofdstuk? Zachte heelmeesters maken stinkende wonden. Als je een paar keer een uitnodiging van hem beleefd hebt afgewimpeld en het hem nog niet duidelijk is, probeer de bittere pil dan te vergulden door iets positiefs over hem te zeggen, zoals dat hij een goed gevoel voor humor heeft of zo zachtaardig is. Zeg dat hij misschien goed past bij een van je vriendinnen, en dat als je binnenkort een feest geeft, je hoopt hen aan elkaar voor te kunnen stellen. Als hij het niet goed opvat, nu ja, c'est la vie. Er zullen altijd mensen zijn die zich gekwetst voelen terwijl je op mannenjacht bent, dat is niet te vermijden.

Iedereen vraagt altijd waarom ik nog single ben. Wat moet ik zeggen?

Antwoord: Je zegt zelfverzekerd: 'Omdat ik De Ware nog niet ben tegengekomen.' Je komt niet met je verleden op de proppen en je geeft geen uitgebreide analyse. Je wilt hun duidelijk maken dat er niets mis met je is, maar dat je gewoon nog niet een leuke man bent tegengekomen met wie je je verdere leven wilt delen.

Heb je nog speciale adviezen voor vrouwen van boven de vijftig?

Antwoord: *Het Programma* werkt voor vrouwen van *alle* leeftijden, of ze nu vijfendertig zijn of honderdvijf. Vrouwen van boven de vijftig hebben alleen meer meegemaakt dan vrouwen van nog geen vijftig. Ze zijn meer geneigd op een eilandje te leven, zijn teleurgesteld in meer mannen en hebben zich er vaker bij neergelegd dat ze nooit een partner meer zullen vinden. Ze zijn vaker tevreden met hun vriendenkring, hun thuis, hun werk of hun volwassen kinderen, en hebben minder energie om iets aan hun status van single te doen. Misschien hebben ze de hoop die ze nog hadden toen ze in de dertig en de veertig waren opgegeven, omdat ze denken: als ik hem nog steeds niet tegen het lijf ben gelopen, waarom dan nu wel? Dit is natuurlijk bij de pakken neerzitten. Als je echt een leuke partner wilt, heb je nu alle benodigdheden daarvoor bij de hand dankzij Het Programma, en niets kan je meer weerhouden behalve je eigen houding.

Kan ik beter in mijn eentje een kind krijgen?

Antwoord: Als je boven de vijfendertig bent en je het heel belangrijk vindt zelf een kind te hebben, ja, dan zou je dat kunnen overwegen. Maar er zijn twee elementen waaraan voldaan moet worden wil je dat het een succes wordt. Je moet over financiële zekerheid beschikken, en over een netwerk van mensen die bereid zijn je te helpen.

Misschien helpt het hebben van een kind je een partner te vinden. Wanneer je als alleenstaand moeder een man leert kennen, zal hij hopelijk merken dat je geen haast hebt met de relatie omdat je biologische klok doortikt. Misschien heeft hij zelf ook kinderen uit een vorige verhouding en wil hij niet weer aan een gezinnetje beginnen. Waarschijnlijk moet je Het Programma op de lange baan schuiven terwijl je je aandacht richt op je zwangerschap en het zorgen voor de baby, maar Het Programma blijft op je wachten tot je er klaar voor bent.

Als je nog niet bereid bent in je eentje een kind te krijgen, kun je overwegen embryo's te laten invriezen voor later. De wetenschap schrijdt vooruit; je kunt je eitjes met donorsperma laten bevruchten en de embryo's laten invriezen, dan heb je een goede kans dat je de zwangerschap later met succes kunt voldragen. Vraag je dokter om nadere details.

Is een relatie op afstand een goed idee?

Antwoord: Jazeker! Een fijnmazig net uitwerpen betekent dat je ook zoekt naar mannen uit een andere woonplaats, of zelfs uit een ander land. Je kunt met on line dating verre contacten maken, en je kunt ook iedereen die je kent vertellen dat je open staat voor afspraakjes met mannen die elders wonen. Ik ken een vrouw uit Connecticut die tijdens een vakantie een man leerde kennen die op de Filipijnen woonde, en het is nu dik aan. Als je op reis bent, of dat nu voor je plezier is of voor je werk, of wanneer je een bruiloft of reünie bijwoont, kun je altijd mannen leren kenen die ergens anders wonen. Natuurlijk brengt een relatie op afstand bepaalde logistieke problemen met zich mee, maar ik ken genoeg vrouwen die De Ware ver weg hebben gevonden en heel gelukkig zijn geworden. Het zal jullie allebei veel tijd kosten om bij elkaar op bezoek te gaan, lange telefoongesprekken te houden en uitgebreid te mailen, maar als het klikt, kan het zeker serieus worden. Soms kan een relatie op afstand slepend worden omdat jullie het er niet over eens kunnen worden wie zou moeten verhuizen. Maar als het vinden van een leuke partner echt bovenaan je lijstje staat, zul je je niet door een paar kilometers en logistieke problemen laten weerhouden.

Hoe kan het vinden van een partner boven aan mijn lijstje staan als ik kleine kinderen heb?

Antwoord: Het is niet gemakkelijk om tijd en energie over te houden om afspraakjes te maken als je thuis kleine kinderen hebt, vooral niet als je ook nog een baan hebt. Je komt moe thuis, hebt je kinderen de hele dag niet gezien, je moet iets leuks aantrekken om in uit te gaan en ook nog opgewekt en charmant zijn. Maar als je een leuke partner wilt, dan zul je wel moeten. Misschien staat je agenda niet zo vol met activiteiten van *Het Programma* als die van een vrouw zonder kinderen, maar probeer zoveel mogelijk te doen. Je zult zwaar in oppassen moeten investeren.

Ik hoor vaak klachten van alleenstaande moeders dat het zo moeilijk is om aan een goede oppas te komen. Toch is een oppas van cruciaal belang wil je dit jaar nog het geluk vinden. Als je zelf geen leuke oppas weet, vraag je vriendinnen dan of ze iemand weten. Spreek met miljoenen oppassen totdat je een paar geschikte hebt gevonden die je vertrouwt. Je moet er een paar hebben van wie je op aan kunt. Als je overdag werkt, wil de oppas die overdag is geweest waarschijnlijk niet nog een paar uur blijven terwijl jij uitgaat. Voor de avond moet je een andere oplossing hebben. Misschien heb je een omgangsregeling met je ex-man, en in dat geval kun je proberen je afspraakjes zo te regelen dat die in de periode vallen dat je kinderen bij hun vader zijn. Dat is nog gratis ook!

Haal het geld voor de oppas uit je marketingbudget, dat kun je nauwelijks beter gebruiken. Misschien kun je een kamer verhuren in ruil voor gratis oppassen. Ik ken ook vrouwen die voor de periode dat ze *Het Programma* volgden een au pair in huis hebben gehaald, omdat dit de minst kostbare methode is om zoveel mogelijk hulp te hebben. Creëer een situatie thuis die jou de grootste kans geeft met *Het Programma* succes te behalen door zoveel mogelijk tijd voor jezelf te hebben.

Vaak voelen vrouwen zich schuldig dat ze de kinderen thuis bij de oppas laten terwijl ze zelf een afspraakje hebben of naar een evenement voor singles gaan. Maar vergeet niet dat je *Het Programma* maar een tot anderhalf jaar toegewijd volgt, daarna heb je weer alle tijd voor je kinderen, net als vroeger. Beschouw het als een bankrekening waarop je in het verleden veel tijd, geduld en offers hebt gestort; nu haal je iets van je rekening. Je 'inleg' was wat je tot op heden voor je kinderen hebt gedaan, je mag er best wat 'afhalen'. Belangrijker nog, je hebt het belang van je kinderen op de lange termijn op het oog (een gelukkige moeder en een vader die er altijd is), en dat weegt op tegen het belang op korte termijn (dat jij ze zaterdagavond instopt voor het slapengaan).

Als ik antidepressiva slik, moet ik hem dat dan vertellen? En wanneer?

Antwoord: Tegenwoordig komt het vaak voor dat mensen op doktersvoorschrift antidepressiva slikken zoals Prozac, Paxil of Zoloft. Daar hoef je je niet voor te schamen, net zo min als je je zou moeten schamen als je iets tegen je astma of diabetes gebruikt. Medicijngebruik is iets heel persoonlijks, en je moet je op je gemak met hem moeten voelen voordat je zulke persoonlijke informatie geeft. Sommige vrouwen beschouwen het slikken van antidepressiva als 'bagage' omdat ze ze slikken vanwege iets wat diep is geworteld.

Wacht totdat de man je redelijk goed kent, maar ook weer niet te lang, omdat het misschien als een schok komt als hij verder al alles van je weet. Meestal is het goede moment na een maand of drie, wanneer de relatie zich serieus ontwikkelt. Je wilt niet dat hij denkt dat je het geheim hield. Dat kan als je elkaar al bijna alles over jezelf hebt verteld, behalve dat ene dat je expres hebt achtergehouden. Wanneer je het hem dan uiteindelijk vertelt, kan hij daar negatief op reageren als hij zich verraden voelt omdat je het geheim hebt gehouden, niet omdat je het slikt. In dat geval moet je het uitleggen. Vergeet trouwens niet dat het aan jou is om te beslissen wanneer de tijd is gekomen hem iets persoonlijks te vertellen; doe dat wanneer je je erbij op je gemak voelt, niet omdat je het gevoel hebt dat je onder druk staat.

Wees voorbereid op zijn vragen waarom je het medicijn slikt (bijvoorbeeld erfelijke of hormonale redenen, een crisis, iets uit je jeugd), hoelang je het al slikt, hoelang je het nog moet blijven gebruiken en of er nog bijverschijnselen zijn. Als je je schaamt omdat je antidepressiva neemt, probeer dat dan te verhullen. Probeer opgewekt te vertellen dat je er zo'n baat bij hebt, hoe normaal het tegenwoordig is en dat je bereid bent zijn eventuele vragen te beantwoorden. En wie weet, misschien kom je nog voor een verrassing te staan als hij je vertelt dat hij hetzelfde preparaat gebruikt!

Is er iets wat je tijdens het eerste afspraakje nooit tegen een man moet zeggen?

Antwoord: Ja. Op een eerste afspraakje zeg je nooit dat je op een vaste relatie uit bent. Ook al is een vaste relatie precies wat je wilt van de juiste man, je wilt niemand afschrikken. Veel vrouwen denken dat ze efficiënt met daten omgaan als ze de mannen die zich niet willen binden meteen op het eerste afspraakje kunnen uitsluiten. Je zult het niet willen geloven, maar ik vind dat je ook te efficiënt kunt zijn. Een eerste afspraakje met moeilijke gesprekken heeft vaak als resultaat dat de man zich de volgende dag al terugtrekt, en daar zou je wel eens spijt van kunnen hebben. Goede timing is van het grootste belang. Ga langzaam te werk, leer hem eerst eens kennen voordat je van leer trekt.

Hebben mannen ook iets aan Het Programma? En werkt het ook voor man-manrelaties en vrouw-vrouwrelaties?

Antwoord: Jazeker! *Het Programma* is geschikt voor iedereen die een partner zoekt. Ik heb me in dit boek tot vrouwen van boven de vijfendertig gericht omdat zij de belangrijkste niche vormen voor deze radicale benadering, maar het principe gaat op voor mensen van ieder geslacht en van alle leeftijden en voorkeuren.

Bij Het Programma *moet je zoveel doen! Ik word al moe als ik eraan denk...*

Antwoord: Ten eerste is het fijn te weten dat je zoveel kunt doen om je status als single te veranderen. Voordat je van *Het Programma* had gehoord, dacht je waarschijnlijk dat je daar niets aan kon doen. *Het Programma* kan overweldigend zijn, vooral als je het toch al druk hebt met je carrière, je kinderen en wie weet wat nog meer. Daarom moet je jezelf redelijke doelen stellen, dagelijks of wekelijks. Op de kalender bij Stap 11 (Massmarketing) kun je zien hoe je je activiteiten kunt plannen. Leef bij de dag. Zeg tegen jezelf: 'Vandaag ga ik boodschappen doen bij een andere supermarkt.' Dat is het enige wat je die dag hoeft te doen. Niet zo moeilijk, toch? Of doe het per week, zeg bijvoorbeeld: 'Deze week laat ik een foto maken voor mijn on line profiel.' Meer hoef je die week niet te doen. Ook niet zo moeilijk. Hoe meer je binnen de grenzen der redelijkheid kunt inplannen, des te sneller doorloop je de vijftien stappen en vind je je partner. Doe wat je kunt, zolang het je maar niet boven het hoofd groeit en je uitgeput raakt. Het gaat erom dat je iets doet.

Sommige vrouwen hebben in hun woonplaats steungroepen voor *Het Programma* opgericht. Als jij vriendinnen hebt die ook *Het Programma* volgen, of dat misschien willen gaan doen, is het een goed idee om samen zo'n groep op te richten. De groep kan wekelijks of maandelijks bij elkaar komen, jullie kunnen elkaar aanmoedigen, feedback geven, informatie uitwisselen en netwerken.

Epiloog: betaal het voort

Wat betekent 'betaal het voort' na **Het Programma?**

Ten eerste, GEFELICITEERD! Je hebt alle vijftien stappen van *Het Programma* gezet en hebt nu een vaste relatie. Je hebt de man gevonden met wie je je verdere leven hoopt te delen. Maar je bent nog niet klaar! Ik wil je vragen het 'voort te betalen'. Iets 'voortbetalen' is het tegenovergestelde van iets 'terugbetalen'. Wanneer iemand je een gunst heeft verleend, betaal je dat niet terug aan die persoon, maar je betaalt het voort aan iemand anders. Heb je ooit de film *Pay It Forward* gezien met Kevin Spacey en Helen Hunt? Zo niet, leen de video dan; ik vond het een geweldige film. In de film bedenkt een jongen het plan dingen 'voort te betalen'; de jongen verricht een goede daad voor drie mensen, en deze drie mensen 'betalen het voort' door drie goede daden voor drie anderen te doen. Deze negen mensen doen weer drie goede daden per persoon voor in totaal 27 mensen, enzovoort, enzovoort. De achterliggende gedachte is dat door de exponentiële groei aan goede daden de wereld beter wordt. Het is het begin van de 'betaal het voort' -beweging.

Het Programma heeft je geholpen een partner te vinden. Je hebt er profijt van gehad, en nu vraag ik je iets voor de gemeenschap te doen. De mensen die in jou hebben 'geïnvesteerd' staan symbool voor een gemeenschap van single vrouwen en degenen die hen hebben gesteund. Wat jij nu moet doen, is een donatie.

Winstgevende bedrijven doen donaties aan goede doelen of richten een stichting op. Jij 'betaalt het voort' aan drie single vrouwen van boven de vijfendertig door hen in staat te stellen ook een partner te vinden. Met jouw hulp kunnen we de 'betaal het voort'-*Programma*-beweging beginnen.

Waarom moet ik het voortbetalen?

Je hebt tijdens je speurtocht naar De Ware veel hulp gehad, en nu is het jouw beurt anderen te helpen die in de situatie verkeren waarin jij je bevond. Goed, je hebt je dankbaarheid al betuigd (met woorden, briefjes en cadeautjes) aan de mensen die je zo hebben geholpen, maar ik heb het nu over andere singles die nog op zoek zijn naar een partner. Misschien ken je hen wel niet. Het gaat erom dat je hun leven plezieriger maakt door over je ervaringen te vertellen en een mentor te zijn voor degenen die jouw kennis van Het Programma goed kunnen gebruiken. Noem het liefdadigheid; van degenen die hebben voor degenen die niet hebben.

Dit soort liefdadigheid is goede karma. Of je in karma (spirituele goodwill) gelooft of niet, echt, je moet dat niet te licht opvatten! Tart het lot niet door zelfzuchtig te zijn. Je bent gezegend met een leuke partner en kunt nu iets ten goede veranderen voor een andere vrouw. En dan is daar nog het oude gezegde: Als je drie stellen aan elkaar voorstelt, kom je in het Nirvana! Doe alsjeblieft iets voor je gemeenschap van zusters.

PERSOONLIJK GEWIN

Je gulle gedrag zal ook persoonlijk gewin opleveren. Het is uiterst bevredigend iemands leven ten goede te veranderen. Ik denk dat ik dat met mijn seminars heb gedaan, met mijn cliënten en hopelijk ook met dit boek. Laat ik alleen maar zeggen dat het te kostbaar voor woorden is. Wanneer een vrouw me stralend vertelt dat ik haar heb geholpen een partner te vinden terwijl ze de hoop al had opgegeven, springen de tranen in mijn ogen. Iedere keer weer. Het is uiterst bevredigend en ik weet zeker dat jij dat ook zult vinden.

Hoe betaal ik het voort?

Eerst selecteer je drie vrouwen van boven de vijfendertig die jouw goede kandidaten voor *Het Programma* lijken. Je kunt ook voor vrouwen onder de vijfendertig kiezen als ze moeite hebben met het vinden van een partner. Het kunnen vriendinnen of kennisjes zijn, collega's of familie. Als je geen drie vrouwen in deze situatie kent, vraag dan of iemand anders iemand weet die in aanmerking komt. Iedereen kent wel een vrouw die wat hulp kan gebruiken. Iemand die je niet goed kent is vaak makkelijker omdat je objectief kunt zijn, en je zakelijker kunt opstellen als Mentor.

Er zijn drie manieren die ik aanbeveel voor het voortbetalen. Je kunt dit ook doen terwijl je *Het Programma* doorloopt; je hoeft niet te wachten totdat je bent afgezwaaid. Afhankelijk van de tijd en middelen die je erin kunt steken, kies je een of meer van de volgende drie mogelijkheden.

1. **Mentor:** wees een Mentor voor een of meer van de drie vrouwen die je wilt helpen. Je kunt hen net zoveel steun verlenen als jij hopelijk van jouw Mentor hebt gekregen. Als je Mentor niet helemaal ideaal was, is dit je kans het beter te doen.

2. **Recycling:** net als bij de Afspraakjesbeurs uit Stap 12 (Eventmarketing) kun je de mannen die voor jou niet De Ware bleken te zijn, recyclen. Je kent waarschijnlijk heel wat mannen die over goede kwaliteiten beschikten, maar met wie het niet klikte. Op ieder potje past een dekseltje; dit is de ideale gelegenheid deze mannen voor te stellen aan de drie vrouwen die je helpt.

3. **Zeg het voort:** vertel andere singles over *Het Programma*. Laat hun weten dat ze iets aan hun situatie kunnen doen. Je kunt hen op mijn website wijzen (www.FindAHusbandAfter 35.com) en hen aanmoedigen zich in te schrijven, zodat ze mijn maandelijkse gratis nieuwsbrief ontvangen. Op de website staat ook waar ik seminars zal geven waar iedereen van mij persoonlijk kan horen waar *Het Programma* over gaat.

Casestudy's

Cheryl:

Cheryl (51) betaalde het voort aan haar moeder. Hier komt haar verhaal:
'Twee jaar geleden leerde ik Ken via *Het Programma* kennen, en we gingen op huwelijksreis naar de Rocky Mountains in Canada. Het was heerlijk, maar ik wilde het dolgraag voortbetalen. Ik dacht aan mijn moeder, die 81 is. Ze is al tien jaar weduwe en woont in een bejaardenoord in Charlotte, North Carolina. Ik wist dat mijn moeder nog vele jaren van geluk kon hebben, als ze haar leven maar met iemand kon delen. Ze is niet te oud voor wat romantiek.

'Ik had haar verteld over *Het Programma*, maar ze vond het maar niets om zo actief op zoek te gaan, ook niet toen ik Ken leerde kennen. Ze zei steeds: 'Zo is het voor mij bestemd, daar moet ik me maar bij neerleggen.' Maar ik gaf het niet op, ik bleef haar aanmoedigen zelf *Het Programma* te proberen.

Vorige week belde mijn moeder op en vroeg of ik haar Mentor wilde zijn. Ik stond paf! Natuurlijk wilde ik dolgraag haar Mentor zijn en ik help haar zo goed ik kan. Ik beloofde Rachel Greenwald dat ik haar op de hoogte zou houden wanneer mijn moeder een leuke partner heeft gevonden. Met een beetje geluk en hard werk is mijn moeder straks Rachels oudste geslaagde cliënt!'

Laura:

Laura (39) betaalde het voort aan een vrouw die ze nauwelijks kende van de plaatselijke bibliotheek in Seattle, Washington. Dit is haar verhaal:
'Ik ben zo gelukkig! Jim en ik zijn nu bijna een jaar getrouwd. Zodra onze relatie serieus werd, moest ik steeds aan Stap 15 denken. Ik geloof echt in karma, en ik wilde onze relatie niet in gevaar brengen. Ik selecteerde drie vrouwen aan wie ik het kon voortbetalen. Twee van hen zijn nog op zoek, maar een van hen boekte succes.

Al jaren ga ik eens per maand naar de plaatselijke bibliotheek om een leuk boek uit te zoeken. Ik ben gek op lezen. De bibliothecaresse wist altijd wel een mooi boek aan te raden. Ze heette Greta en had iets verdrietigs over zich. Ze was ongeveer zo oud als ik, zo rond de veertig.

Op een gegeven moment ging ik naar de bibliotheek om een boek over bruiloften te zoeken. Greta bewonderde mijn verlovingsring, hielp me een boek uit te zoeken en voor de eerste keer hadden we een echt persoonlijk gesprek. Ze vertelde dat ze was gescheiden en dolgraag weer een partner zou willen hebben. Ik wist meteen dat ik was voorbestemd om haar te helpen, dus vertelde ik haar over *Het Programma*. En ik wist ook iemand om aan haar voor te stellen! Dat was de man met wie ik uitging voordat ik Jim leerde kennen. Hij is schrijver, dus ik dacht dat ze wel iets gemeen zouden hebben omdat zij bibliothecaresse is.

Greta had drie weken later een afspraakje met mijn auteur, ze werden verliefd en na negen maanden is het heel dik aan. Bijna niet te geloven!'

Regan:

Regan (43) betaalde het voort aan haar dokter. Hier komt haar verhaal:

'Een half jaar geleden ben ik met Peter getrouwd. Ik heb hem leren kennen toen ik Stap 10 (Massmarketing) zette. Ik had een advertentie in het *New York Magazine* gezet, en hij was de derde die reageerde.

In ieder geval, na de bruiloft wilden we meteen een gezin stichten. Omdat ik al drieënveertig ben, ging ik naar een specialist op het gebied van vruchtbaarheid die een vriendin me had aanbevolen.

Ik was zo op een zwangerschap gericht dat ik Stap 15 helemaal vergat. Totdat ik deze geniale specialist leerde kennen, dokter B. Tijdens de verschillende consulten leerde ik haar beter kennen, en ik kwam erachter dat ze gescheiden was en halverwege de vijftig. Ik wist niet hoe ze het zou opnemen, maar bij het volgende consult liet ik haar een advertentie zien voor een seminar van Rachel Greenwald in onze woonplaats. Ik vertelde haar dat ik Peter via *Het Programma* had leren kennen, en dat als ze geïnteresseerd was, misschien het seminar kon bijwonen. Dokter B. lachte en vertelde dat een vriendin van haar vorig jaar naar zo'n seminar was gegaan en haar daar alles over had verteld. Ze zei dat ze twee aanbevelingen van vrouwen die ze graag mocht niet in de wind mocht slaan, dus zou ze zich inschrijven.

Toen dokter B. me vier maanden later vertelde dat ik zwanger was, barstte ik in tranen uit. Ik zei dat ik haar nooit genoeg kon bedanken. Ze wees naar een bos bloemen op haar bureau en zei: "O, maar je hebt me al bedankt! Deze rozen zijn van mijn vriend die ik bij Stap 9 heb leren kennen. En dat heb ik aan jou te danken!".'

Zaken voor plezier: een brief aan de lezer (aan jou)

Lieve lezer,

Nu je weet wat *Het Programma* voor je kan betekenen, heb je alles in handen om iets aan je status als single te doen. Maar doe je dat ook? Ik weet dat het allemaal nogal overweldigend kan zijn. De emoties wisselen elkaar af: opwinding, angst, sceptische gevoelens, nervositeit, hoop... Maar geef het niet op! Je hebt een tot anderhalf jaar om het geluk te vinden. Dat zijn ongeveer vijfhonderdvijftig dagen om het onmogelijke in te volbrengen. Je begint bij Stap 1 en iedere dag ga je verder. En wanneer het moeilijk wordt, is het moeilijk!

Ook al ben je officieel nog niet met *Het Programma* begonnen, ik weet dat je over de mogelijkheden nadenkt. Misschien heb je in de spiegel gekeken en gedacht: te veel make-up? Zie ik er beter uit met wat langer haar? Misschien zeg je nee tegen dat heerlijke ijsje, denk je na over wie je kunt vragen je Mentor te zijn en heb je al in je adresboekje gekeken om te bedenken met welke zes vrouwen je wilt uitgaan. Of misschien zie je steeds in de krant artikelen staan over on line dating, bekijk je de mensen in de supermarkt aandachtiger en drink je je koffie niet meer thuis. Misschien wil je de krant opzeggen en tuimelen de bijvoeglijke naamwoorden voor je persoonlijke merk door je hoofd. Om je heen zie je lange, kleine, dikke, dunne, kale en interessante mannen die je vroeger nooit waren opgevallen. Mogelijkheden genoeg. Je blik op de wereld verandert. Bewust of onbewust bereid je je voor op *Het Programma*.

Geloof me, je bent er klaar voor.

Dus NU is het tijd om met het begin te beginnen. Je hebt goede *hoop* dat er ergens een leuke man voor je rondloopt *omdat je iets kunt doen om hem te vinden*. Laat alsjeblieft niet nog een dag voorbijgaan zonder actie te ondernemen.

Veel geluk!

Rachel

PS Stuur alsjeblieft een aankondiging van de bruiloft naar mijn website: www.FindAHusbandAfter35.com!

Meer informatie

Als je meer informatie wilt over:

* tips om na je vijfendertigste een partner te vinden
* hoe mijn maandelijkse nieuwsbrief te ontvangen
* hoe ik mijn man heb gevonden

... bezoek dan mijn website www.FindAHusbandAfter35.com

Datingsites

Hieronder vind je een lijst van on line datingsites die je misschien bij Stap 7 (on line Marketing) wilt proberen:

www.relatieplanet.nl / www.relatieplanet.be
www.volkskrant.nl/single
www.datingservice.nl
www.joods.nl
www.boogo.datingservice.nl
www.datingservice.tmfweb.nl
www.datecenter.nl
www.u4u.nl
www.e-matching.nl

Via zoekmachines als Google zijn nog meer datingsites te vinden.

Dankwoord

Er zijn veel mensen die me bij het schrijven van dit boek hebben geholpen. Zonder hen had ik dat niet gekund. Als je zelf geen auteur bent, kun je je nauwelijks voorstellen wat daar allemaal bij komt kijken. Dank je:

Mijn agent Amanda (Binky) Urban van ICM, de beste die er is. Zij hielp me met haar kennis. En Christina Capone van ICM, die vanaf de eerste keer dat ik haar aan de telefoon had zo aardig is geweest.

Het team van Ballantine Books, dat prettig was om mee samen te werken. Zach Schisgal, mijn redacteur, is een van de slimste en geduldigste mensen met wie ik ooit heb gewerkt, en weet altijd het juiste woord. Kim Hovey heeft de public relations voortvarender gedaan dan ik ooit voor mogelijk had gehouden. Kathleen Spinelli heeft de marketing gedaan met bijzonder veel creativiteit, en ze heeft me geholpen met de redactie. Ik ben nog steeds onder de indruk van Nancy Miller als redacteur. Claire Tisne heeft toegewijd de wereld rondgereisd om de buitenlandse rechten te verkopen, en ik moest erg lachen toen een buitenlandse uitgever haar vertelde: 'In ons land willen de vrouwen juist van hun man af!' Rachel Bernstein en Rachel Kind waren van grote waarde bij het bepalen van de rechten. Gene Mydlowski is artistiek echt begaafd, dat is overal in dit boek te zien. Grant Neumann heeft me als wandelend woordenboek geholpen een titel voor dit boek te bedenken. Anthony Ziccardi was vastberaden dat dit boek goed zou verkopen, ik ben nog steeds diep onder de indruk. En Gina Centrello was de geniale roerganger die inzag dat dit boek potentie had; ze heeft me steeds gesteund.

Mijn rechtskundig adviseur Tom Baer is geweldig. Ik zou niet weten wat ik zonder zijn wijze raad moet.

Marilyn Fletcher, die in een telefoongesprek van vijf minuten mijn leven veranderde. Ze is opgewekt en geweldig, precies zoals een geslaagde vrouw zou moeten zijn.

John Solomon, die me zo prettig heeft gesteund. Hij wist altijd alles.

Melanie Sturm, de eerste die zei: 'Je zou er een boek over moeten schrijven!' Zij stond aan de wieg van dit project. Ik ben haar heel dankbaar voor haar wijze raad waarmee ze me terzijde stond.

Jody Gottlieb Meyer, die zei dat ik 'groot' moest denken. Haar enthousiasme en vriendschap maakten het verschil.

Jennifer Korman, die vorig jaar tegenover me in een restaurant zat en me inspireerde tot het schrijven van dit boek. Haar kennis van schrijven en haar goede raad brachten het proces op gang, en ze was mijn klankbord. Haar eigen boek verschijnt binnenkort.

Stacy Preblud, die zo vriendelijk was lang geleden in die bibliotheek, toen ze naar me wilde luisteren terwijl ik oefende voor mijn seminar. Ik heb veel aan haar opmerkingen gehad. Ook haar boek verschijnt binnenkort.

Dr. Sue Schimmel, de intelligente psychologe van naam, die het antwoord wist op al mijn vragen en een echte vriendin van me is.

Sarah Thomas is al twintig jaar een goede vriendin. Het was een fantastisch gebaar dat ze helemaal naar Manhattan kwam om mijn seminar bij te wonen (gezien het feit dat ze gelukkig getrouwd is en twee leuke kinderen heeft). Haar intelligentie is me dierbaar.

Wanda Lockwood, mijn styliste en vriendin. Ik ben blij dat ik de laatste was die in haar 'kringetje' werd opgenomen. Haar vriendelijkheid en opgewekte karakter hebben me geïnspireerd. Ik hoop dat mijn dochter net zo geweldig wordt als haar Rachel en Tracy.

Mari Glick, de sterkste vrouw die ik ken. Ze is een geweldige vriendin en moedigde me aan dit boek te schrijven toen we in Beaver Creek aten. Ze is vanaf mijn tijd in Stamford een steun voor me geweest.

Kelly Ford Patrick, Denvers Dynamo Radio Diva. Zij nodigde me als gast in haar programma uit. Haar steun heeft veel veranderd.

Meer vrienden die me hebben gesteund: Dr. Lorraine Dugoff, die alles weet, van literair agenten tot vruchtbaarheid. Ze heeft me altijd gesteund; Anne Thomas, Sara Delano en Karen Adair die me geassisteerd hebben tijdens de seminars; Ted Gobillot, die zoveel inzicht toonde op het gebied van marktonderzoek toen we door de sneeuw liepen; Donna Miller, die me haar huis afstond toen Denver werd getroffen door een stroomstoring tijdens de ergste sneeuwstorm in negentig jaar (drie weken voordat dit manuscript moest worden ingeleverd); Meredith Hanrahan, die vanaf het begin in dit boek geloofde; Laura Lauder, die meer single vriendinnen dan wie ook mailde over mijn seminars, en die altijd zo hartelijk meeleefde.

Er zijn veel vrienden die me hebben geholpen en gesteund door erover te vertellen, ideeën bij te dragen, op mijn kinderen te passen wanneer ik moest werken en altijd bereid waren naar me te luisteren: Regan Asnes, Julie Bock, Lori Durham, Lori Gobillot, Sheri Gold, Will Gold, Heather Faircloth, Diana Hayden, Beth Hooper, Margaret Johnson, Marc Kerman, Patti Levine, Greg Lyss, Jill Mazer, Lisa Mintz, Eileen Oakley, Meredith Oppenheim, Marianne Owen, Peggy Scharlin, Zibby Schwartz, Lisa Searles, Justyn Shwayder, Lodene Spanola, Julie Subotky, Marjorie Stonehouse, Hildi Todrin, Hilary Von Schroeter, John Weintraub en Jenny Wood.

Mijn geliefde neefjes en nichtjes: Emma, Greta, Eliana, Brandon, Carly en Isabella.

Mijn prachtige kinderen: Max, Grace en Oliver. Hun geduld met me tijdens dit project was werkelijk bewonderenswaardig. Ik ben trots op hen. En ik heb hard moeten lachen om hun suggesties voor de titel; de leukste was: *Cupido is een Lui Vod!*

Mijn man Brad is echt geweldig. Zonder hem zou ik nooit zo gedreven zijn geweest andere vrouwen te helpen zelf een leuke partner te vinden. Ik krijg tranen in de ogen wanneer ik over Brad vertel. Hij is echt aardig, maakt me altijd aan het lachen en is op en top integer. Hij heeft me altijd gesteund om dit boek te schrijven, ook al hield dat grote veranderingen in ons gezinsleven in. Hij is mijn redacteur, manager en grote liefde. Hij is wat ik beschrijf als 'een leuke man'.

E